KB184798

천하인물과 의학의 만남 1

천하인물과 의학의 만남 1

지은이 | 신재용
펴낸이 | 김래수

1판 1쇄 인쇄 | 2015년 10월 30일
1판 1쇄 발행 | 2015년 11월 4일

기획 · 편집 책임 | 정숙미
디자인 | 이애정
마케팅 | 김남용

펴낸 곳 | 도서출판 이유

주소 | 서울특별시 동작구 상도1동 497번지 서우빌딩 207호
전화 | 02-812-7217 **팩스** | 02-812-7218
E-mail | verna213@naver.com
출판등록 | 2000. 1. 4 제20-358호

ISBN | 979-11-86127-07-0 (04510) (세트)
979-11-86127-08-7 (04510)

이 도서의 국립중앙도서관 출판예정도서목록(CIP)은 서지정보유통지원시스템 홈페이지(http://seoji.nl.go.kr)와 국가자료공동목록시스템(http://www.nl.go.kr/kolisnet)에서 이용하실 수 있습니다.(CIP제어번호: CIP2015029684)

천하인물과 의학의 만남 1

신재용 지음

| 펴내는 글 |

괴짜, 거인 그리고 비운과 애증의 인물들!

"군자질몰세이명불칭언(君子疾沒世而名不稱焉)"

"군자는 사후에도 이름이 일컬어지지 않는 것을 아파한다"는 옛말입니다.

무슨 말일까요? 군자는 죽어서까지 이름이 떨치기를 바라는 욕심꾸러기라는 뜻일까요? 아닙니다. 살아생전에도 군자답게 떳떳이 살고 죽어서도 군자답다는 말을 듣기를 원한다는 뜻이랍니다. 죽어서도 후세에 그의 이름이 떳떳하게 일컬어지기를 바란다는 뜻이랍니다. 살아생전과 다르게 죽은 후 옳지 못한 이름으로 남겨지는 것은 수치요, 그래서 그렇게 살지 않기를 바란다는 뜻이랍니다. 즉 명실상부한 삶을 바라는데, 명성이 사실과 부합하지 않는 것을 고민하고 아파한다는 것입니다.

인간 역사를 훑어보면 귀감이 될 군자의 삶을 산 분들이 많습니다. 그러나 살아서는 군자로 일컬어졌으나 죽어서는 그렇지 못한 분들도 많습니다. 그림자가 너무 컸던 분들입니다. 그런가 하면 생전이든 생후든 전혀 그렇게 살지 못했던 분들도 많습니다. 예나 이제나 사람살이라는 게 비슷한 것 같습니다. 남자든 여자든 그렇고, 그렇게 엇비슷한 것 같습니다. 인간 유형도 그렇지만 삶의 유형도 다른 듯하면서도 엇비슷합니다. 그래서 우선 다음의 세 유형으로 묶어보았습니다.

괴짜들입니다.

귀여운 괴짜들도 있고, 지나치게 똑똑하여 이 풍진세상을 이겨내기가 너무 힘겨워서 괴짜로 산 이들도 있고, 품성 자체가 악랄하여 도저히 이해하기 어려운 독종 괴짜들도 있습니다.

위대한 인물들입니다.

뭇 생명을 사랑한 박애의 인물부터 인간사를 순치하여 인간이 인간답게 살아갈 수 있게 이끈 외로운 파이오니아들도 있습니다. 불굴의 의지로 집념을 이루어 낸 준걸들도 있고, 사표가 될 도량이 큰 인물도 있습니다. 실로 인간사를 빛낸 거인들입니다.

비운의 인물들입니다.

꿈은 컸지만, 포부는 거대했지만, 시대가 받아주지 않아 비운을 겪은 인물들도 있습니다. 힘이 장사거나 두뇌가 명석한데도 안타깝게 좌절된 인물도 있고, 모함이나 시기나 정쟁으로 비운의 죽임을 당한 인물도 있습니다. 비록 암울한 삶이었지만 그들이 있었기에 우리 삶이 좀 더 나아졌을 것입니다. 그들의 눈물은 결코 헛되지 않고 우리를 키워내는 자양분이 되었기 때문입니다. 이 책은 이러한 인물들을 다루고 있습니다. 이 책과 짝을 이루는 다른 책《천하인물과 의학의 만남 2》에서는 달인들, 애증의 여인들, 예인들을 역시 세 파트로 나누어 다루고 있으니 참고해 주시기 바랍니다.

역사인물을 망라한다는 것은 있을 수 없기에 우리나라와 중국의 역사인물 중 필자가 관심 있는 분만을 골라, 그들의 이야기와 의학을 접목시켜 글을 쓰고 묶은 것입니다.

재미있게 읽어주시고, 삶의 지침을 얻을 수 있다면 좋겠습니다.

2015년 만추 소올헌(素兀軒)에서

소올(素兀) 신재용

| 차 례 |

《천하인물과 의학의 만남 1》

제1부 괴짜들의 난장천하

거인들의 호방천하

| 차 례 |

제3부 비운의 암울천하

가사도와 귀뚜라미

견훤과 지렁이회

경문왕과 거근(巨根) 비방

공민왕과 변태성욕

노애(嫪毐)와 정력제

만력제와 개똥벌레

석호와 간

성제와 복상사

손순효와 짐주(鴆酒)

수양제와 「익다산」의 비밀

신돈과 하늘이 준 정력제

안록산과 복부 비만

연산군과 고추잠자리

연산군 아들 이황과 꿩고기

오기와 종기

유방과 점(點)

유령과 젖꼭지 콤플렉스

이욱 왕과 발

임사홍과 미인의 조건

조양자와 복분자

주왕과 곰 발바닥

지증마립간과 강정법

진시황제와 자지초

진시황제 궁녀들과 미약(媚藥)

초왕과 질투 인삼

팽생과 골병

함풍제와 사디즘

허균과 삽주

홍수전과 연꽃

휘종과 개미취

제 1 부

괴짜들의 난장천하

가사도와 귀뚜라미

중국 송나라는 북송과 남송으로 나뉜다. 북송은 금나라에 망했고, 남송은 원나라에 망했다. 송나라의 건국부터 멸망까지의 전말은 드라마틱하다.

송나라를 건국한 조광윤(趙匡胤)은 후주(後周)의 장군이었다. 후주 세종 때, 후주는 침공해 온 요나라와 맞서 싸워야 했다. 도저히 맞설 수 없는 상대였고, 후주는 역시 패배 일보 직전이었다. 이때 조광윤 장군이 기동대를 이끌고 사생결단으로 싸워 버겁게 승리했다. 이 싸움으로 조광윤 장군은 영웅이 되었고, 세종의 뒤를 이어 황제의 지위에 오른 일곱 살 먹은 공제(恭帝)로부터 선양의 의식을 빌려 새 황제가 되면서 나라 이름을 '송'이라고 했다. 건국 초, 송나라는 번영을 누렸다. 나라는 부강해졌고 문화는 찬란히 꽃을 피웠다. 황제 중에도 문화를 지극히 사랑하는 황제들이 속출했다. 그 대표적인 인물이 휘종이었으며, 결국 문약해진 송나라는 휘종 때 요나라가 세운 금나라에 멸망하였다. 이때까지를 '북송'이라고 한다.

휘종의 아홉 번째 아들 조구(趙構)는 수도 개봉부를 떠나 남쪽 임안(항주)으로 옮겨 나라를 세웠다. 이때부터를 '남송'이라고 한다. 그런데 주변 정세가 급변했다. 칭기즈 칸이 몽고고원에서 떨치고 일어나더니 금나라를 멸망시키고, 남송을 전면 공략하기에 이르렀다. 칭기즈 칸의 손자 쿠빌라이의 원나라 대군에 맞선 남송의 군사는

가사도(賈似道 ; 1213년~1275년)는 중국 남송 이종과 도종 때의 군인이자 정치가.

밀릴 대로 밀릴 수밖에 없었다. 남쪽 바닷가 애산(厓山)까지 밀리고, 이 싸움에서도 참패함으로써 남송까지 멸망했다. 남송의 마지막 황제 제병(帝昺)을 비롯해 왕족들은 바다에 투신하여 생을 마감했다. 때는 1279년이었다.

원나라와 맞서 싸우던 때의 남송의 재상은 가사도(賈似道)였다. 망국의 때에 이르면 간신들이 득세한다더니 가사도가 바로 그런 인물이었다. 가사도는 돈을 받고 벼슬을 파는 일에 앞장섰으며, 여자들과의 향락에 빠져 있었다. 더구나 그는 그의 호화별장에서 귀뚜라미 싸움판을 벌리고, 이를 보고 즐겼다.

귀뚜라미의 싸움판은 투우, 투견, 투계 못잖게 인기 있던 싸움판이었다. 튼실한 귀뚜라미를 기르려고 귀뚜라미 주인들은 웃통을 벗고 모기에 물린 후 포식한 모기를 잡아 귀뚜라미에게 먹이기까지

했다. 싸움 잘 하는 놈을 골라 '장비'니 '관우'니 하는 명장의 이름을 붙이고 잘 키웠다. 싸움에 나서면 붓으로 귀뚜라미의 머리를 살살 긁어 화를 내게 한 후 싸움을 붙였다. 한 나라의 재상이 귀뚜라미 싸움판을 즐겨했으니 한 판 붙이면 큰 판이 벌어질 수밖에 없었다.

예로부터 귀뚜라미는 약으로도 써왔다. 초가을에 귀뚜라미를 잡아 끓는 물에 넣어 죽인 다음 햇볕에 말리거나 불에 구워 말려서 약용한다. 약용할 때는 "실솔(蟋蟀)"이라고 부른다.

귀뚜라미에는 해열 성분이 들어 있다. 이를 글리핀이라 한다. 이 성분은 열만 떨어뜨리는 것이 아니라 혈관을 확장하여 혈압을 떨어뜨리기도 한다. 귀뚜라미는 맛이 맵고 짜며 성질은 따뜻하다.

귀뚜라미의 이뇨 작용은 크다. 그래서 소변이 시원히 나가지 않거나 부종이 심할 때 약으로 쓰면 효과가 좋다. 배에 물이 차서 복부가 창만해진 병증을 '수고(水蠱)'라고 하는데, 이때도 효과가 좋다. 예를 들어 소변불통으로 아랫배가 아프고 배가 부었을 때, 《의방집청》이라는 의서에 의하면, 귀뚜라미 1마리를 우묵하게 들어간 토기에서 구운 다음 가루를 내어 뜨거운 물로 복용한다고 했다.

귀뚜라미

또 《양소원전언방》에 의하

면 하복부의 타박으로 소변이 나오지 않을 때에 귀뚜라미 1마리를 달여서 복용한다고 했다.

귀뚜라미를 약용할 때는 "실솔(蟋蟀)"이라고 부른다.

《자항활인서》에는 소아의 야뇨증에 "귀뚜라미 1마리를 불에 구워서 가루를 내어 끓인 물로 복용한다. 예를 들어 11세의 소아는 1회에 1마리를 복용하는데 11마리가 되면 1치료 기간이 끝나며, 기타는 연령에 맞추어 복용한다."고 하였다.

귀뚜라미는 출산이 늦어질 때나 음위(임포텐츠)에도 효과가 있는 것으로 알려져 있다.

견훤과 지렁이회

전라도 동복(同福) 지방 어느 양반 댁 미모의 따님 방에 밤이면 미장부가 나타나 밤을 즐긴 후 동이 트기 전에 사라지는 사건이 일어났다. 미남자의 정체가 궁금한 여자는 어느 날 이 미남자 옷깃에 실 끝을 꿰어 놓았단다. 날이 밝은 후 여자가 실을 따라 쫓아갔더니, 실 끝은 깊은 산중의 산삼 뿌리에 달려 있었더란다.

견훤(甄萱 ; 867년~936년 9월 27일(음력 9월 9일), 재위:892년?/900년?~935년 음력 3월)은 신라 말기의 장군이자 후백제의 시조.

다른 얘기에 의하면 커다란 지렁이 등에 실 끝이 꿰어져 있었더란다. 여하간 여자는 미남자의 아이를 회태하고 출산했다. 이 아이가 바로 훗날 후백제를 세운 견훤(甄萱)이다.

갓 태어난 견훤을 부모가 들일을 하면서 나무 그늘에 놓아두면 호랑이가 와서 젖을 먹였다고 한다. 떡잎부터가 다른 인물이었다는 말이다. 아니나 다를까. 장성하면서 나날이 기개를 키우던 견훤은 신라의 한낱 졸개에 불과한 신분으로 5,000여 명의 무리를 모아 백제 의자왕의 묵은 분함을 씻겠다는 명분을 천명하면서 후백제를 건국하였다. 후백제는 승승장구하였다. 근원 간의 여러 성을 수중에 넣었고, 신라의 도읍지까지 쳐들어갔다. 포석정에서 놀던 신라의 왕을 잡아 죽이고 왕비를 능욕하였으며, 숱한 보물을 탈취하였을 뿐 아니라 승전의 귀로에서는 고려 왕건이 이끄는 정예부대를 철저히 격파하여, 왕건으로 하여금 혈혈단신으로 도망치게 만들 정도였다.

견훤왕릉(충남기념물 제26호, 충남 논산시 연무읍 금곡리 산 17에 소재)

그러나 견훤은 나이가 들면서 어처구니없는 계기로 위기를 맞았다. 아들의 손에 감금되는 신세가 되고 만 것이었다. 그 자초지종은 이랬다. 견훤에게는 배다른 아들이 10여 명이 있었는데, 견훤이 그 중 넷째아들 금강을 유난히 편애했다. 그러자 신검을 비롯한 나머지 아들들이 모의하여 아버지 견훤을 금산사에 유폐시키고 만 것이었다. 그러니 견훤의 속이 분노와 회한으로 까맣게 탈 수밖에 없었다. 견훤은 절치부심의 심정으로 기회를 노리다가 금산에 유폐된지 3개월째에 도주하여 왕건에게 투항했으며, 얼마 후 견훤은 왕건에게 청하여 고려 군졸을 이끌고 선봉에 서서 아들 신검이 이끄는 후백제의 군대와 싸워 이를 궤멸시켰다. 승전은 했으나 까맣게 탄 견훤의 속에서는 열기가 치솟을 수밖에 없어서 결국 견훤은 등창이 났다. 등창은 등에 나는 큰 부스럼인데 '시집갈 날 등창난다'는 속담이 있듯이 예전에는 지금보다 훨씬 더 흔히 볼 수 있는 질병으로, 등창으로 죽은 왕들이 조선조에서도 흔했다. 아니나 다를까. 견훤 역시 등창이 악화하여 여러 날 만에 황산의 절에서 죽음으로써 난세의 한 영웅의 파란만장한 삶에 종지부를 찍었다. 혹설에는 산삼의 자식이기에 몸속에 열기가 많아 등창이 생긴 것이라고도 한다.

어쨌건 견훤이 산삼의 자식이냐, 지렁이의 자식이냐를 구태여 따진다면 지렁이 자식이라는 쪽이 더 일리가 있다. 우물가에서 오이를 먹은 여자가 《토정비결》을 지은 이지함을 낳았다는 얘기나 빨래를 하다가 잉어가 꼬리로 허벅지를 치고 달아난 이후 임신했다는 전설처럼 오이, 잉어, 지렁이 등은 모두 남자 생식기의 상징이다. 그래서 옛날 부녀자들의 인후통은 대개 성적 불만이 원인이 되어 생긴 병으로 생각하고 남근의 상징인 지렁이를 삶아 먹였던 것이다.

지렁이는 '구인(蚯蚓)', '지룡(地龍)', '곡선(曲蟺)', '완선(蜿蟺)' 등으로 불린다.

'구인(蚯蚓)'이란 언덕[丘]을 끌어내리듯[引] 흙 속에서 터널을 파서 그 흙을 자신이 몽땅 소화해 내기 때문에 붙여진 이름이요, '지룡(地龍)'이란 천룡(天龍)으로 불리는 지네에 대칭해서 붙여진 이름이고,

물 속에서도 공기만 잘 통하면 먹을 것 없이도 247일간을 살 수 있으며, 또 체내의 수분이 70%나 없어져도 생존할 수 있을 뿐 아니라 절반으로 몽땅 끊어 버려도 머리 쪽은 곧 꼬리를 형성하여 생명을 유지하기 때문에 용(龍)이라고 한 것이다.

정력강화 및 고혈압, 중풍에 효과가 좋은 지렁이.

해열 작용(lumbrofebrine 성분 작용), 혈압강하(P-Riboflavine 성분 작용), 용혈(溶血, lumbritin 성분 작용) 등에 효과적이며, 까닭에 고혈압·중풍·기관지천식 등에 널리 이용되고 있다. 일본 미야자키 의과대학 생화학과 미하라 히사시 교수팀은 지렁이의 룸부리키나제(lumbrikinase) 효소가 뇌졸중을 일으키는 혈전의 주성분인 피브린을 용해시키는 작용이 뚜렷하다는 실험 결과를 발표한 바도 있다.

그러나 뭐니뭐니해도 지렁이는 정력강화제로 한몫을 한다. 고려말 요승으로 알려진 신돈처럼 지렁이를 회로 먹어도 좋고, 쌀뜨물에 하루, 무회주(無灰酒 : 醇酒)에 또 하루를 담갔다가 물에 씻어서 먹거나, 소금물에 씻은 후 살짝 볶아 먹기도 한다.

경문왕과 거근(巨根) 비방

거근(巨根)의 걸출한 인물이 이 땅에도 있었다. 대표적인 인물이 신라 22대 왕인 지증마립간(智證麻立干)이다. 그의 것은 무려 1자(30.3cm) 5치(1치 ; 3.03cm)였다고 하니까 얼핏 따져도 무려 45센티쯤 된다는 것이다. 지증마립간의 이야기는 p. 109의 〈지증마립간과 강정법〉 내용에서 자세히 설명하기로 한다.

지증마립간에는 못 미처도 위대한 거근이 또 있다. 신라 35대 경덕왕이다. 신라의 번성기를 이끌던 왕인데, 그의 것은 길이가 8치였다고 한다. 지증마립간의 반 정도 되니까 이 역시 만만찮은 크기다.

일반적으로 발기했을 때의 음경의 길이는 11~13cm, 굵기는

경주 (전)인용사지 발굴현장에서 출토된 6세기 무렵 신라시대 목재 남근(男根). 한쪽 끝은 망가졌으나 잔존 길이 30cm에 이른다. 〈2006. 12. 8〉

〈남자토우[男性土偶]〉 : 두 발을 벌리고 앉아 남근을 과장되게 표현한 토우. 귀가 크고 눈과 입은 쭉 찢어져 있고, 두 개의 점을 찍어 코를 표현하였다. (한국(韓國)-신라(新羅), 5~6세기, 점질토제(粘質土製), 크기 : 3.8cm, 경주시 황남동 출토, 국립중앙박물관 소장)

〈남자토우[男性土偶]〉 : 몸을 뒤로 젖혀 두 팔을 버티며 남근을 크게 강조하고 있는 토우. 역시 귀가 얼굴 전체 길이 정도로 크게 표현되고 있다. (한국(韓國)-신라(新羅), 5~6세기, 점질토제(粘質土製), 크기 : 3.8cm, 경주시 황남동 출토, 국립중앙박물관 소장)

3~4cm이며, 평상시에는 길이가 6~8cm, 굵기는 2~2.5cm가 평균이라고 한다. 한국인의 음경은 발기했을 때 평균치를 비교하면 백인의 약 8할, 흑인의 약 7할에 해당한다는 보고가 있다. 우리나라 콘돔의 길이는, 앞에 정액을 모아 두는 부분을 제외하고 15cm 이상, 이 부분이 없는 것은 16cm 이상인 데 비하여 미국이나 유럽의 콘돔은 20cm에 이르고 스웨덴 콘돔은 23cm에 달한다고 한다. 그러니까 경덕왕의 것은 세계적으로도 뛰어난 거근인 셈이다.

여하간 음경의 크기는 개인의 차이가 심해서 누구는 평균치보다 엄청난 거근인가 하면 누구는 평균치에 한참 못 미치는 단소인 경우가 있기 마련인데, 예로부터 인간들이 으레 품어 오던 거근선망욕(巨根羨望慾)이라는 것이 있어서 우월·열등의 희비를 겪어 왔으며,

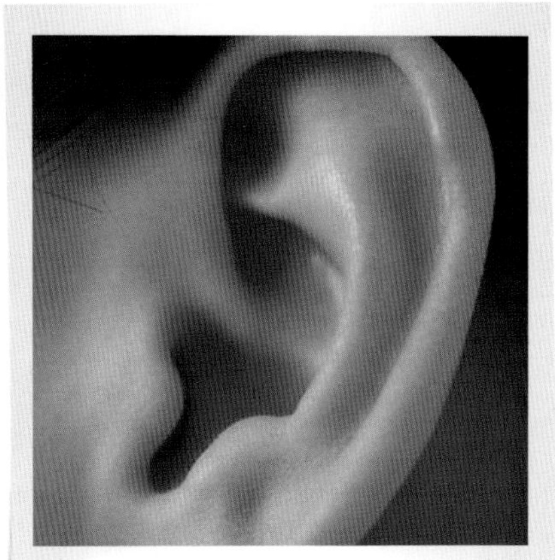
남성들은 대체적으로 귀가 크고 길면 남근 또한 크고 길다고 본다.

이런 욕망에서 비롯되어 지증마립간이나 경덕왕의 이야기가 역사서에마저 기록되었을 터이다. 결국 '위대'한 남자는 마땅히 그것도 '거대'한 것으로 여겨서 만들어진 이야기일 것이다.

그렇다면 얼굴을 보고 거근인지 아닌지를 알 수 있는 방법은 없을까?

물론 있다. 귀를 보면 알 수 있다. 발기하지 않은 남근의 길이는 대략 신장의 1/25에 해당되는데, 이 길이는 귀의 길이와 같다. 그래서 귀가 크고 길면 남근 또한 크고 길다고 보는 것이다. 그러니까 《삼국유사》에는 밝히지 않았지만 지증마립간이나 경덕왕은 분명 귀가 컸을 것이다.

귀가 크기로 역사에 남은 인물은 신라 제48대 경문왕이다. 국선(화랑) 출신인 김응렴이 장인의 뒤를 이어 왕위에 올랐는데, 왕위에 오른 후 왕의 귀가 홀연히 길어져서 마치 당나귀의 귀와 같아졌다고 한다. 이 사실을 왕후와 궁인들은 다 알지 못하고 오직 복두장이 한 사람만 알고 있었는데, 이 복두장이는 평생토록 남에게 이를 말하지 못하다가 서라벌 도림사 뒤뜰 대밭에 들어가 뱃가죽이 아프도록 한바탕 웃고 나서 "임금님 귀는 당나귀 귀!"라고 외치고는 그 자리에서 죽었다고 하는 이야기는 삼척동자도 다 알고 있는 이야기이다. 바로 이 당나귀 귀의 장본인이 경문왕이다. 그렇다면 경문왕의 그것도 컸을까? 《삼국유사》에 이 사실에 대한 기록이 없으니 모를 일이지만, 분명 거근이었을 것이다.

산수유 열매

산수유 꽃

"일찍이 왕의 침전에는 저녁마다 무수한 뱀이 모여들어 혀를 내밀고 잠자는 왕의 가슴을 덮어주었다"는 《삼국유사》의 기록에 의하면, 경문왕은 성의 탐닉이 심하여 들뜬 허열을 뱀의 찬 기운으로 식혔던 것이 분명하며, 까닭에 거근이었을 것임이 분명하다.

그렇다면 거근은 아닐지라도 자양강장을 시키는 비방은 없을까?

있다. 산수유다. 복두장이가 대밭에서 "임금님 귀는 당나귀 귀!"라고 외치고 죽은 후, 바람만 불면 대나무들이 "임금님 귀는 당나귀 귀!"라고 아우성을 질러댔기에, 격노한 경문왕이 대나무를 모조리 뽑아 버리고 그 대신 그곳에다 심었다는 나무가 산수유다. 산수유 열매의 과육은 원기를 강하게 하고 정액을 거두어 간직하게 하는 효과가 있다. 씨는 정액을 미끄러져 나가게 하기 때문에 씨는 꼭

산수유차

빼고, 차로 끓여 마시거나 술을 담가 마신다.

장한종(張漢宗)의 《어수신화(禦睡新話)》에는 향규(香閨)의 여섯 가지 보배, 즉 '① 앙(昻) : 발기력이 좋아야 한다. ② 온(溫) : 그곳이 뜨거워야 한다. ③ 두대(頭大) : 귀두가 곤봉처럼 커야 한다. ④ 장(長) : 길고 커야 한다. ⑤ 건작(健作) : 박달나무방아 정도는 되어야 한다. ⑥ 지필(遲畢) : 사정 조절 능력이 있어야 한다.'고 적혀 있는데, 산수유가 바로 이 여섯 가지 보배를 지켜주는 묘약이다.

"남자에게 참 좋은데……."

산수유는 역시 남자에게 큰 보배다.

공민왕과 변태성욕

빠이앤티므르[伯顔帖木兒]와 보탑실리(寶塔實里)의 사랑 이야기는 지금껏 애틋한 순정으로 기억되고 있다. 몽골 이름으로 빠이앤티므르는 고려 충숙왕의 둘째아들로 원나라에 10여 년이나 볼모로 잡혀 있다가 귀국하여 고려의 31대 왕위에 오른 공민왕이다. 그리고 보탑실리는 원나라 황족의 딸로, 바로 노국대장공주다.

공민왕은 원나라가 홍건적의 봉기로 몰락의 길을 걸을 무렵에 즉위하였기 때문에 원나라 배척정책을 골격으로 하는 개혁정책을 펼칠 수 있었다. 그래서 국권을 회복하면서 잃었던 북방의 영토도 회복해 나갔다. 22세의 나이로 왕위에 오른

노국공주와 공민왕 상(像).
공민왕이 송나라 복식인 복두(幞頭)를 하고 있다.
(현재 서울 종묘에 봉안.)

공민왕은 두려울 것이 없었다. 무신들이 정권을 전횡하던 정방도 폐지하고 귀족들이 불법으로 겸병한 토지를 환원시키는가 하면 억울하게 노비로 전락한 자들을 해방시켰다. 실로 영민한 왕이었으며 성군이었고, 반대 세력의 거사도 한칼에 척결했던 과단성 있는 왕이었다.

그런데 명실상부한 명군의 자질을 한껏 발휘하던 중, 뜻하지 않은 일이 벌어진다. 원발성 불임증으로 오랫동안 회임하지 못했던 노국대장공주가 겨우 아이를 가진 것까지는 좋았는데, 출산하다가 그만 난산으로 사망하고 만다. 극심한 충격을 받은 공민왕은 노국대장공주의 초상화 앞에서 슬픔을 주체하지 못하고 몇 년이고 밤낮으로 통곡을 하는 등 아예 의지를 상실한 모습을 보인다. 정사는 돌보지 않고, 술에 빠진다. 그래서 눈물겨운 애틋한 사랑 이야기로 전해오고 있는 것이다. 그러나 과연 그런 것일까? 노국대장공주를 잃은 왕의 마음이야 얼마나 시리고 아프고 형언할 수 없이 공허했겠는가! 하지만 이것은 애틋한 순정이 아니다. 분명 이상한, 병적인 사랑에 불과한 것일 뿐이다.

공민왕은 이때 이후부터 성격이 변한다. 《고려사》에는 이때 이후부터 "의심이 많고 조포하며 질투가 강하였다."고 한다. 더구나 날로 변태적인 성향으로 도착된다. 기이하게도 여장을 하는가 하면 여자처럼 화장도 하고, 심지어 미소년들로 '자제위'를 만들어 좌우에서 시중을 들게 하는데, 이때 남색에 빠지기도 하고, 자제위들로 하여금 후궁들과 간통하도록 하고는, 이 음행을 예삿일처럼 엿보기를 즐

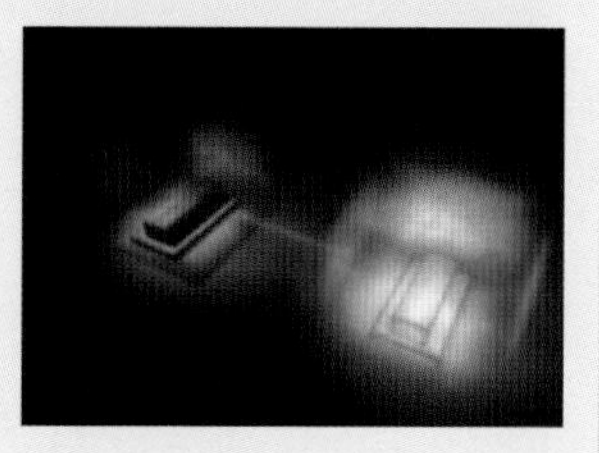

공민왕릉과 노국공주릉 : 황해북도 개풍군 해선리에 위치하며 1365~1374년에 축조되었다. 고려의 능(陵) 가운데 가장 아름다운 능(陵)으로 평가받는 공민왕 무덤의 내부. 죽음도 갈라놓지 못하도록 공민왕과 노국공주의 쌍릉은 특별한 구조로 되어 있다. 작은 구멍이 그것이다(아래 왼쪽). 공민왕의 현릉과 노국공주의 정릉을 연결하는 통로가 있다. 두 왕릉 사이, 영혼을 연결하는 길인 것이다.

긴다. 왕비 중에 익비 한씨가 자제위의 씨를 배자 공민왕은 자제위 무리를 죽이려고 했고, 이를 먼저 알아챈 자제위 무리의 칼에 오히려 난자되어 시해를 당하는데, 공민왕의 그때 나이가 겨우 마흔다섯 살이었다.

어쨌든 공민왕은 성도착증 정신병자였음이 분명하다. 몰래 훔쳐보면서 성적 만족을 얻으려는 절시증, 이성의 옷을 입고 성적 만족을 하는 트랜스베스티즘(Transvestism ; 복장 도착증), 그리고 병적으로 이상스러울 정도로 지나친 성적 관심을 갖는 성음란증 등을 두루 다 갖춘 성도착증 정신병자였다.

《고려사》에는 공민왕의 정치적 업적과 달리 개인적으로 "정신병[心病]"이란 단어를 못박고 있다.

변태성욕은 의학적으로 여섯 그룹으로 분류한다.

첫 번째 그룹은 성적 표현의 이상 그룹이다. 자위, 동성애, 수간 등이 여기에 속한다. 이성의 의류나 음모 등을 사랑하는 숭물광, 시체를 사랑하는 것이나 이성의 의복을 입고 이성처럼 행동하는 것들이 다 여기에 속한다.

두 번째 그룹은 성적 욕구 정도에 이상이 있는 그룹이다. 성무력증이나 음위(임포텐츠)가 대표적이며, 성적 과잉도 여기에 속한다. 특히 남성의 성적 과잉을 음욕항진, 여성의 성적 과잉을 음란색정광(님포마니아 ; nymphomania)이라고 부른다. 한의학에서는 '화전증'이라고 한다.

세 번째 그룹은 성적 기능 이상이 있는 그룹이다. 사디즘(sadism), 마조히즘(masochism)이 잘 알려졌다. 또 이성의 생식기를 해부학적으로 구조를 파악하며 즐기려는 검사벽, 생식기나 육체의 일부 혹은 성행위를 보여줌으로써 쾌락을 얻는 노출벽(익스히비티스니즘), 그리고 야한 그림이나 영상을 즐기거나 또는 타인의 성행위를 엿봄으로써 쾌락을 얻는 관음증 등이 여기에 속한다.

네 번째 그룹은 비정형성 변태라고 한다. 이성의 소변이나 대변을 보거나 먹거나 혹은 배설함으로써 쾌락을 얻는 분변기애증, 항문을

〈대표적인 성도착증의 종류와 특징〉

종 류	추정되는 정신의학적 원인	환자의 특징
소아 기호증	● 자신의 성적 무능함에 대한 병적인 극복 의지 ● 피해자에 대한 지배와 통제의 욕구	● 사춘기 이전의 어린이(13세 이전)를 성 파트너로 삼음. ● 환자의 95%는 남녀 이성애자 ● 주로 중년 이후의 환자가 많음
노출증	● 성기를 보임으로써 남성임을 과시 ● 상대방의 놀람·두려움·혐오 반응 기대	● 낯선 사람에게 성기를 노출 ● 대개 상대방에게 성행위를 요구하지는 않음(절정감은 자위행위로 얻음) ● 사춘기 무렵부터 중년의 남성
관음증	● 여성과 동일시하고 싶은 마음	● 타인의 나체·성행위 등을 반복적으로 훔쳐봄 ● 상대방에게 성행위를 요구하지는 않음(극치감은 자위행위로 얻음)
성적 피학증(마조히즘)	● 무능함·상해 등에 대한 공포를 극복하려는 방법	● 성적 흥분을 위해 모욕·구타·채찍질·묶임 등의 고통 등을 원하거나 위험에 몸을 내맡김 ● 막 성인이 되면서 발병, 남자 환자가 여자보다 많음
성적 가학증(사디즘)	● 성적 무능함을 병적으로 극복하고, 피해자를 지배·통제하려는 욕구	● 성적 흥분을 위해 상대에게 심신의 고통을 반복적·의도적으로 줌 ● 강간, 난폭한 성행위, 성적 살인(성행위 뒤 살인) 등과 관련됨
여성 물건애증	● 여성이나 성충동에 대한 불안감을 회피하려는 목적	● 성행위를 위해 여성의 속옷·스타킹·손수건·핀 등 물건이나 손톱·머리카락·음모 등을 수집 ● 절정감은 자위행위로 얻음 ● 사춘기 때 시작

〈자료 : 최신정신의학〉

통해 관장함으로써 쾌감을 얻는 관장기애증 등이 있다. 전화나 이메일, 문자 메시지 등을 통해 욕설이나 성적 이야기를 듣거나 함으로써 쾌감을 얻는 것도 이 부류에 속한다.

〈고다이버 부인 (lady godiva)〉, 1898년, 콜리어(Hon John Collier)
관음증(voyeurism)은 옷을 벗은 신체나 성교 장면을 훔쳐보면서 성적 만족을 추구하는 증세다. 대표적인 사례가 11세기 영국에서 소작인들의 세금을 덜어주기 위해 영주인 남편이 제시한 조건에 따라 알몸으로 백마를 타고 거리에 나온 백작부인 고다이버를 마을사람들 중에서 유일하게 엿보다가 눈이 먼 재단사 피핑 톰이다.

다섯 번째 그룹은 정신성적 기능 장애 그룹이다. 성욕 억제, 성적 흥분 억제, 오르가즘 억제를 비롯하여 조루증, 기능성 성교불쾌증, 기능성 질경련 등이 여기에 속한다.

마지막 여섯 번째 그룹은 기타에 속하는 그룹이다. 근친상간, 오럴 섹스(구강 성교), 애널 섹스(항문 성교), 성교 체위 변형 등이 여기에 속한다. 예를 들어 여성 상위의 기마식 체위를 즐기는 것들이 있다.

그러니까 공민왕은 의학적으로 변태성욕 중 세 번째 그룹에 속하는 성적 기능 이상 그룹에 속한다고 할 수 있다.

노애(嫪毐)와 정력제

진시황제의 어머니는 조희(趙姬)라는 여인이다. 거상 여불위(呂不韋)가 좋아했던 여인으로 그의 씨를 잉태한 것을 안 여불위는 조희를 진나라 왕자 영이인(嬴異人)이라는 자에게 바쳤고, 서열로 보아 도저히 권좌에 오르지 못할 이 왕자를 여불위는 계략으로써 왕위에 오르게 하였다. 그래서 조희가 낳은 아들 영정(嬴政)이 훗날 진시황제가 될 수 있었다. 영정은 그러니까 여불위의 씨였다. 조희는 호색녀였다. 남편 영이인이 장양왕(莊襄王)으로 왕좌에 앉았다가 죽자 공방의 허전함을 이겨내지 못해 옛 애인이었던 여불위를 은밀히 내실로 불러들여 환락을 즐겼다. 국가의 주요한 대사를 의

조희와 여불위 사이에서 태어나 황제가 된 진시황.

여불위(呂不韋 ; 기원전 292년~기원전 235년)는 중국 전국시대 진나라 무관(武官), 승상, 정치가.

논해야 한다면서 여불위를 불러들인 것인데, 진나라의 상국 벼슬로 권력을 한손에 거머쥐고 있던 여불위는 조희가 불러들이는 횟수가 너무 잦자 불안을 느꼈다. 그래서 여불위는 대타를 찾고자 했다.

바로 그때 나타난 사내가 노애(嫪毒)라는 이름의 부랑자였다. 노애는 타고난 거경(巨莖)으로 대감댁이나 여염집을 가리지 않고 내실을 드나들며 규방의 영웅으로 명성을 떨치던 사내였다. 여인네들끼리 서로 질투하며 독차지하려고 살인사건까지 일어날 정도였다. 노애는 거경이라지만 보통 거경이 아니라 실로 놀랄 만한 거경이었다. 그래서 사람들은 그의 이름 '노애' 대신 '노대'라 불렀다고 한다. 큰 '대(大)' 자를 붙여 그를 불렀던 것이다. 노애는 파적거리로 구경꾼들 앞에서 그 거경에 오동나무 수레바퀴를 꿰어 빙빙 돌리기까지 하는 묘기를 종종 보여주었다고 한다.

여불위는 저잣거리에 스스로 찾아가 노애의 풍문을 눈으로 확인한 후 궁중에 불러들였다. 호의호식 시키던 어느 날 여불위는 노애가 범법의 함정에 빠져들게 하였다. 함정에 빠졌지만 죄는 죄였다. 그 죄로 그의 생식기를 자르는 벌을 받게 되었다. 단죄하는 날, 여불

〈노애지란〉: 노애(嫪毐)는 중국 전국시대 진나라의 환관이다. 진시황제 영정의 생모인 조희와 밀통하는 관계였으며, 그녀와의 사이에 두 명의 아이를 두었다. 이후 노애는 진왕 영정을 상대로 '노애의 난'을 일으켰으나 실패하고 죽임을 당하였다.

위는 당나귀의 것을 구해 장대에 높이 매달아 노애를 거세시킨 것처럼 꾸미고, 그를 내시로 속여 조희의 시중을 들게 했다.

이날부터 조희와 노애는 낮이건 밤이건 붙어 방에서 나오는 일조차 없었다. 천하의 호색녀 조희와 천하의 거경 노애의 질펀한 향연은 이렇게 계속되었고, 조희는 몰래 아이를 낳았다. 세월이 흘러 또 아이를 낳았다.

그러나 이런 일이 오래갈 수 없었다. 장성하여 정사를 직접 챙기기 시작한 진시황에 의해 엄청난 피바람을 일으키며 막을 내렸다.

거경은 노애처럼 타고나는 것이다. 역사상 유명했던 거양들, 예를 들어 측천무후의 애인이었던 풍소보는 돌팔이 약장수 주제에 거양이었기에 총애를 받아 설회의라는 이름까지 하사 받았으며 궁 안 사람들이 그를 '남첩' 또는 '숫여우'라고 불렀다고 할 정도였다. 무후의 또 다른 애인인 심남로는 거양인 데다가 어의였기 때문에 여인의 은밀한 부위 가운데 어느 곳이 민감한지를 잘 알아서 무후의 은총을 입었다고 한다. 이들 거양들은 노애처럼 타고나는 것이다.

그렇지만 거경 선망에 맞장구치는 비법이 없을 수 없다. 옛 책에 이런 처방이 전해져 온다. 백자인(栢子仁) 5분, 백렴(白斂) 4분, 백출(白朮) 7분, 계심(桂心) 3분, 부자(附子) 9분을 가루 내어 복용하면 장대해진다는 비방이다. 또 다른 처방도 있다. 촉초(蜀椒), 세신(細辛), 육종용(肉從蓉)을 개의 쓸개에 넣어 천장에 한 달쯤 걸어 놓고 이것으로 음경을 문지르면 1촌쯤은 길어진다는 것이다. 심지어 《동현자(洞玄子)》에는 육종용, 해조를 흰 개의 쓸개즙에 개어 음경에 바르면 3촌은 길어진다고 했다. 허풍을 떨어도 지나친 허풍이다.

거경은 아니더라도 강정식도 많이 알려져 있다. 뱀장어를 비롯해서 황하의 역류를 거슬러 뛰어넘는다는 잉어, 1주일만 먹으면 정력감퇴가 완전히 보충된다는 미꾸라지, 길 떠나는 나그네에게 먹이면 욕정을 주체하지 못해서 일을 낸다는 새우, 달리는 말도 앞지를 수 있는 초능력의 강정제라는 호마…… 등 수두룩한 정력제가 회자되고 있다.

약으로서 정력제로 정평이 나 있는 것들도 많다.

우선 토사자다. 음경의 끝이 차면서 정액이 저절로 흐르거나 꿈에 사정하는 경우, 토사자를 가루 내어 알을 빚어 먹으면 좋다고 한다. 복분자도 정력제다. 소변 줄기가 세진다고 알려진 약재다. 또 오

새삼
토사자(새삼의 씨)
오미자
쇄양

미자가 정력제다. 정력이 감퇴되고 조루가 심하면서 호흡기마저 약해서 마른기침이 심할 때, 오미자 600g을 씻어 물에 하룻밤 담갔다가 즙을 내면서 씨를 버리고 헝겊에 짜서 냄비에 넣고 꿀 1,200g과 함께 은근히 졸여 조청을 만들어 두었다가 공복에 찻숟가락으로 한 숟가락씩 오랫동안 복용하면 그야말로 신효하다고 알려져 있다.

이외에도 쇄양이 정력제로 잘 알려져 있다. 생김새가 남자의 그것과 기가 막히게 흡사하며 특이한 최음성 냄새마저 풍기는 쇄양은 성기능이 쇠퇴한 음위, 조루, 유정 등에 좋으며 성욕을 촉진시키는 정액을 증강하는 효력이 인정되고 있다. 쇄양만 끓여 먹어도 되고 혹은 쇄양을 파극, 구기자, 보골지, 음양곽 등과 배합하여 알약을 만들어 먹는다. 이 알약이 너무 잘 알려진 「보천육린단」이다.

만력제와 개똥벌레

만력제(萬歷帝)는 명나라 13대 황제다. 열 살에 즉위하자 선제(先帝)의 유언에 따라 대학사 장거정을 등용하여 나랏일을 맡겼다. 그러자 정치개혁이 단행되었고 기강을 숙정하는 등 나라는 흥성해 갔다. 그러나 재위 10년 만에 장거정이 죽자 황제의 정치는 방만함에 빠졌고, 제법 나잇살을 먹으며 여자를 알게 되자 황제는 기상천외한 향락의 늪에서 헤어나지를 못했다.

만력제(萬曆帝 ; 1563년 9월 4일~1620년 8월 18일)는 명나라의 제13대 황제. 휘는 익균(翊鈞), 묘호는 신종(神宗). 융경제의 3남.

만력제는 봄이면 접행(蝶幸) 놀이를 즐겼다. 궁녀들이 한 송이 꽃을 머리에 꽂고 황제 앞에 늘어서면 황제는 황금의 뚜껑이 덮인 상자를 열어 눈이 부실 만큼 커다란 노랑나비를 날리고, 나비는 아련히 향기를 뿜는 꽃향을 맡으며 돌다가 이윽고 한 궁녀의 머리에 꽂은 꽃송이에 앉는데, 이 궁녀가 그날 밤 황제를 모시는 영광을 갖는 놀이이다. 여름이면 형행(螢幸) 놀이를 즐겼다. 어원 연못에 배를 띄우고 한여름 밤더위를 피해 저마다 부채를 든 궁녀들이 타고 돌 때 갈대로 엮은 주머니를 열어 개똥벌레를 날리면 아름다운 반딧불의 무늬를 아로새기며 날아오르던 개똥벌레가 이윽고 한 궁녀의 부채에 앉으면 그 궁녀와 그날 밤을 즐기는 놀이이다. 가을이면 홍행(紅幸)을 즐겼다. 오동잎을 따서 잎사귀마다 당나라 시인 왕건(王建)이 지은 궁사백수(宮詞百首)인 사언절구의 처음 두 자씩만 써서, 이것을 침향정(沈香亭) 모퉁이에서 황제 스스로 띄운다. 그러면 궁녀들이 다투어

장거정(張居正 ; 1525년~1582년) 은 중국 명나라 제일의 정치가.

개똥벌레

그 오동잎을 주워 아래 두 글자를 써서 맞춘다. 제일 많이 주운 궁녀가 그날 밤 총애를 입는 놀이이다. 겨울이면 원앙회(鴛鴦會)를 즐겼다. 당나라 현종의 총애를 받던 양귀비가 제일 좋아했다는 여산(驪山) 온천을 본 따 욕전(浴殿) 이름도 '여산각'이라 하는 곳에서 수많은 궁녀와 함께 마치 원앙처럼 황제가 몸소 목욕을 하면서 장난도 치고 애무도 하다가, 지치면 보료에 누워 황금 술항아리에 호박잔(琥珀盞)으로 술을 취하게 먹다가 한 궁녀와 한밤을 논다. 이것이 원앙회다.

여하간 만력제의 향락은 끝 간 데가 없었다. 거기다가 셋째아들을 편애하는 바람에 태자 책봉 문제가 시끄러워졌고, 여기에 편승한 환관들의 농락으로 당쟁이 발생했으며, 더구나 임진왜란 때의 조선 출병 등으로 국력이 쇠진해졌고, 이에 따른 가혹한 징세로 민심 이반이 두드러졌다. 결국 명나라는 멸망의 길로 접어들게 되었다.

어쨌건 나라가 망하든 말든 만력제의 향락은 신나고 흥겹고, 어찌 보면 운치 넘치는 짓거리였다. 만력제에게도 그랬지만 궁녀들에게도 신나고 흥겨운 향락이었음이 틀림없었고, 그 속에서 황제의 총애를 다툼하는 암투가 핏빛으로 얼룩졌음도 틀림이 없다. 예를 들어 여름철 향락인 형행놀이를 위해 궁녀들은 캄캄한 새벽에 후원에 나가 꽃에 맺힌 이슬을 받아서 감로(甘露)에 젖게 한 부채를 저마다 내밀면서 개똥벌레가 앉기를 기원했다고 한다. 밤에 황제를 모시는 것이 이처럼 처절했던 것이다. 그리고 만력제는 만력제대로 정력을 돋우기 위해 처절히 몸부림쳤을 것이다.

여름철 형행놀이 때의 개똥벌레나 겨울철 원앙회의 원앙이 모두 정력제인 것만 봐도 짐작이 간다.

원앙

원앙은 '원앙금침(衾枕)'이라는 말도 있듯이 금슬이 더없이 좋은 새이기에 일명 '필조(匹鳥)'라 하고, 언제나 암수가 떨어지지 않기에 '바라가(婆羅迦)'라 부르기도 한다. 원앙 고기를 먹으면 정력도 증가하고 부부의 애정도 더욱 짙어진다는 정력제로 알려져 있다.

개똥벌레

개똥벌레도 그렇다. '반디'라 불리는데, 복부에서 빛이 나는 것, 꼬리에서 빛이 나고 날개가 없어 날지 못하는 것[蠲 혹 螢蛆], 물속에 사는 것[水螢] 등이 있는데, 약용은 복부에서 빛이 나는 것을 사용한다. 눈을 밝게 하고, 정력을 키우려면 개똥벌레 27마리를 구해 잉어 쓸개 2개에 넣고 100일 동안 그늘에서 말려 가루 내어 사용한다.

석호와 간

사마염이 건국했던 중국의 진(晉)나라가 망했다. 낙양성은 불에 타 잿더미가 되었다. 그 후 사마예가 건강(健康 ; 지금의 남경)에 진나라를 다시 세웠다. 그래서 전자를 '서진'이라 하고, 후자를 '동진'이라 한다. 이런 혼란기를 틈타 북서의 이민족들이 득세를 하며 우후죽순으로 나라를 세웠다. 흉노, 선비, 저, 강, 갈 등이 그런 족속들이었다.

이 중 갈(羯)족의 석륵(石勒)이 후조(後趙)라는 나라를 세웠는데, 그가 죽자 태자 석홍이 왕위를 잇는다. 그리고 석륵의 조카 석호(石虎)가 석홍을 죽이고 왕위를 찬탈했다.

석호는 사람 죽이기를 다반사로 했던 왕이었다. 이유가 있어서 죽이기도 했지만 이유가 없어서 죽이기도 했으며, 남도 죽였지만 제 손자마저 죽였던 왕이었다. 광적인 살인극을 두 가지만 예를 들어 본다.

첫째, 예쁜 궁녀를 보자 너무 예쁘다면서 목을 자르게 하고는 그 몸을 양고기 등과 함께 끓여 먹었다. 둘째, 어느 때는 가장 아끼는 아들인 석도가 석선이라는 아들에 의해 독살되자 석선의 아들들을 불러오게 한 후 수천 조각으로 찢어 죽였다. 다섯 손자를 이토록 무참하게 죽인 것은 사랑하는 내 아들이 죽었으니 너도 사랑하는 아들이 죽는 것을 보며 가슴 아파하라는 심통 때문이었다.

곰

웅담(곰의 쓸개)

이토록 극악무도했던 석호는 병사했다. 그리고 그의 13명 아들 중 8명은 서로가 서로를 죽이는 비극을 되풀이했고, 나머지 5명은 한족 염민에 의해 죽임을 당했다. 석호의 손자 38명도 전원 몰살을 당했다고 한다.

여하간 사람 죽이기를 대수롭지 않게 자행했던 석호는 궁녀의 시신을 끓여 먹었듯이 어느 때는 한 동네를 몰살시키고는 시신에서 간을 빼내어 날간을 먹는 것도 즐겼다고 한다. 예전에는 원수를 죽이고 간을 빼내어 날간을 씹으며 분을 풀었다는 이야기가 흔하지만 한 동네를 몰살하고, 그 많은 시체에서 간을 빼내어 날간을 먹었다는 석호는 역사상 희귀한 살인광이 아닐 수 없다.

예로부터 동물의 간, 또는 담낭은 약으로 많이 먹어왔고, 또 지금도 약으로 쓰고 있다. 곰의 쓸개인 웅담은 진짜를 구하기 어려워서 그렇지 대단한 약임에는 틀림없다. 해열, 해독, 소염, 진경, 진통 작용이 뛰어나다. 그래서 간 기능을 회복시키고 담즙 분비를 촉진하며 소화를 좋게 하고 비타민 B_1의 흡수를 촉진한다. 어혈을 풀며 열성경련이나 궤양동통을 안정시킨다. 그러나 고가인 데다 구하기조차 힘드니 여느 동물의 간이나 담낭을 주로 약용하는 실정이다.

우선 소의 간과 담낭도 훌륭한 약재다. 건위제이며 정력을 늘리고 갈증과 설사에 좋으며 눈을 밝게 한다. 《주후방》에는 치질에 소의 쓸개즙을 바르면 효과가 좋다고 했다.

돼지의 간은 간을 보하고 눈을 밝게 하며 부종을 다스린다. 빈혈에도 좋다. 《본초습유》에는 돼지의 날간을 썰어 생강과 초를 쳐서 먹으면 좋다고 했다. 쓸개는 소변을 시원하게 통하게 해준다. 눈도 밝게 하고 심장도 맑게 한다. 뼛속에서부터 열이 솟구치거나 몸이 여위며 갈증이 심할 때도 좋다.

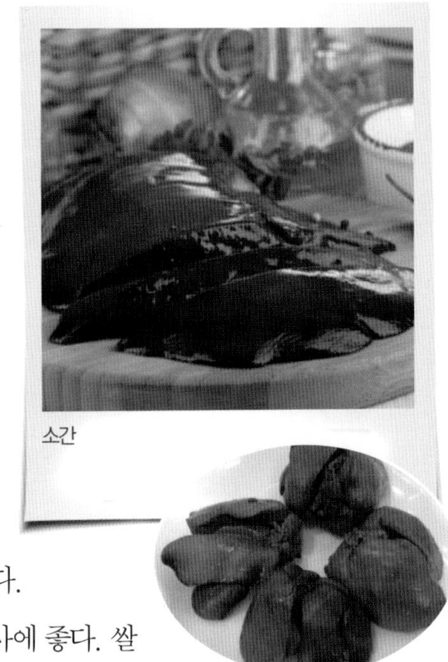
소간

닭간

개의 간은 복통이 심한 설사에 좋다. 쌀과 함께 죽을 쒀 먹는다. 개의 쓸개는 콧속

개

염소

에 살이 살아 나오는 데와 장 속에 농이 찬 것을 잘 없앤다. 《일화본초》에 개의 쓸개는 칼에 베인 상처를 잘 다스린다고 했다.

돼지(제주흑돼지)

염소의 간은 간을 보하고 허열이 들뜰 때나 눈이 충혈되면서 아플 때 좋다. 오랜 설사가 낫지 않을 때도 효과가 있다. 또 소아간질에도 약으로 쓴다. 쓸개는 눈을 밝게 한다. 《천금방》에 염소의 쓸개로 관장하면 대변이 막힌 데 좋다고 했다.

닭의 간은 간을 보하고 정력을 늘리며 눈을 밝게 한다. 닭의 간을 쌀과 함께 죽을 쒀 먹어도 좋은데, 《천금방》에 닭의 간과 토사자라는 약재를 함께 가루 내어 참새알을 깨뜨려 개어 알을 만들어 먹으면 음위증(임포텐츠)에 효과가 있다고 했다. 닭의 쓸개는 눈이 밝지 않은 데나 피부의 악창 또는 생식기에 생긴 헌 데를 다스린다. 치질에 외용해도 좋다.

성제와 복상사

중국의 서한(西漢)이 멸망의 징조를 보이기 시작한 것은 성제(成帝) 때부터이다. 당시 성제로부터 가장 총애를 받던 여인은 조비연(趙飛燕)과 그녀의 동생 합덕(合德)이었다.

조비연은 손바닥 위에 올라서서 춤을 출 만큼 발이 작고 물 찬 제비처럼 빼어난 몸매였기에 '비연'으로 불렸는데, 그녀의 동생 합덕 역시 빼어난 미인이었다. 자매는 서로 황제의 총애를 독차지하려고 불꽃 튀는 사랑싸움을 서슴지 않았다. 조비연이 만년합이라는 조개로 오성금하장이라는 침소의 장막을 장식하여 침실을 은은한 광채로 밝히고 오온칠향탕에 목욕하고 황제를 맞이하면, 동생 합덕은 두구탕

한 효성황제 유오(漢 孝成皇帝 劉驁 ; 기원전 51년~기원전 7년, 재위 기원전 33년~기원전 7년)는 전한의 12대 황제로, 자는 태손(太孫).

으로 목욕하고 노화백영분을 발라 몸단장하고 황제를 맞았다. 그러던 어느 날 밤, 동생 합덕이 황제에게 '신솔교'라는 강장제를 먹였다. 황제는 신솔교를 7알이나 먹었다. 그리고 극도로 흥분된 상태에서 그날 밤 교성이 낭자하도록 놀아나다가 황제는 성교 중에 죽고 말았다. 이른바 복상사를 했다.

효성황후 조비연(孝成皇后 趙飛燕 ; ?~기원전 1년)은 전한 성제의 황후로, 성양후 조임(趙臨)의 딸. 본명은 의주(宜主).

복상사를 '색풍(色風)'이라고 한다. '색에 의한 중풍'처럼 성교에 의해 중풍 사망 때처럼 돌연사 한다 해서 붙여진 이름이다. 복상사는 성교 중 여성의 복부 위에서 사망한 진정한 복상사인 '상마풍(上馬風)'의 경우와 성교를 마친 후 몇 시간이 지난 다음 성교 때 입은 정신적·육체적 소진 상태의 후유로 심장마비를 일으켜 사망하는 '하마풍(下馬風)' 즉 작과사(作過死)의 경우를 통틀어 일컫는 말이다. 이런 죽음은 남성으로서는 '행운의 죽음'이라고 해서 예로부터 길사(吉死)라고 부르기까지 했지만 돌연사이기 때문에 불행한 죽음이 아닐 수 없다.

이러한 돌연사는 관상동맥경화증 등 심장의 혈액 공급이 원활치 못하여 성적 흥분, 과로, 과음, 심한 스트레스 등에 자극을 받았을 때 갑자기 심근마비를 일으켜 초래될 수 있다. 평소에 고혈압·동맥경화증이 있는 40대 이후의 남성으로, 특히 비만체이고 담배를 많이 피우는 남성이 더운 물 목욕 직후나 과음 후의 성교 때 잘 일어날 수 있다.

〈사랑을 나누는 남여토우[性愛土偶〉 : 여성과 남성이 성행위를 하는 장면. 여성은 누워서 오른손은 머리 뒤에 대고 왼손은 아래로 내리고 동그란 두 눈과 입은 환희의 감정을 잘 표현하고 있으며, 두 다리는 남자의 허리춤을 감고 있다. 남성은 머리가 떨어져 나갔지만 앉은 자세로 성행위에 몰두하고 있다. (한국(韓國)-신라(新羅), 5~6세기, 점질토제(粘質土製), 크기 : 6.1cm, 경주시 황남동 출토, 국립중앙박물관 소장)

복상사는 꼭 그런 것은 아니지만 추운 계절에 일어나기가 쉽다. 심장순환계 병변은 추운 계절에 악화되기 일쑤이기 때문이다. 추위는 심장 기능을 악화시키고 혈관을 수축한다. 그래서 심장병은 더욱 악화되고 고혈압은 계속 높은 수치를 유지하며 동맥경화는 계속되기 마련이기 때문이다.

평소에 심장이 허하면 가슴이 답답하며 두근거림이 심하다. 숨이 차다. 진땀을 잘 흘리는데, 이런 증세는 움직일수록 더 심해진다. 또 자주 어지럽거나 멀건 가래를 뱉거나 기침이 잦을 수 있다. 소화 안 된 변을 설사하기도 한다. 근육이 바들바들 경련으로 떨린다. 불안, 초조하고 잘 놀라고 잠을 푹 이루지 못하며 꿈이 많고 건망증이 심하다. 때로 흉통이 온다. 흉통은 주로 담음(痰飮)과 어혈(瘀血) 두 가지에 영향을 받는다. '담음'에 영향을 받으면 가슴이 답답하며 숨이 막히는 듯 아프다. 이를 '민통(悶痛)'이라고 한다. '어혈'에 영향을 받으면 심장 부위를 찌르는 듯 아픈 것이 특징이다. 통증이 때때로 발작

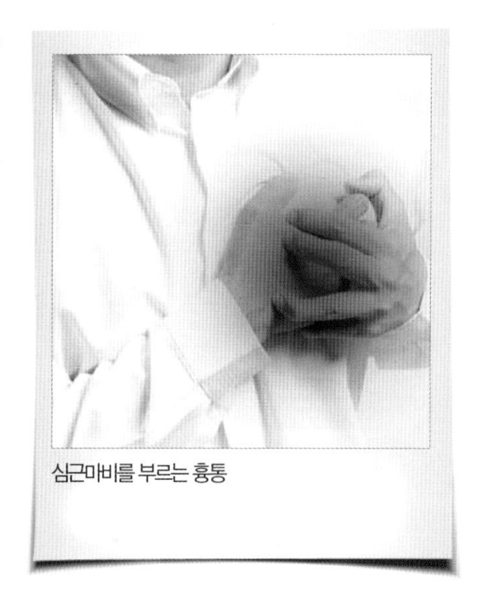

심근마비를 부르는 흉통

하고 등까지 아프다. 낮에도 아프지만 밤에 더 심하다. 여하간 협심증, 심근경색증, 관상동맥부전 등이 있을 때 이런 증세가 잘 나타날 수 있다. 증세가 심하면 흉통에 그치지 않고 사지가 차가워지면서 입술, 얼굴, 손톱까지 모두 청자색이 되며 혀가 암홍색을 띠며 얼룩얼룩한 어혈 반점 또는 자색 반점이 보인다.

심장에 열이 몰리면 갈증이 심해 찬물을 자꾸 마시려고 한다. 입안과 혀에 혓바늘이 돋거나 걸핏하면 패이고 헐어서 아프며 인후통이 잦다. 혹은 토혈이나 코피가 잘 나기도 한다. 한의학에서는 심장과 소장은 부부같이 배우자 관계의 장기로 보기 때문에 심장에 열이 몰리면 소변이 농축되어 양이 적어지고 색이 짙어지며 냄새가 심해지고 배뇨 때 통증을 느끼기도 하며 때로 소변에 피가 섞이기도 한다고 본다.

심장이 나쁘면 사지가 차가워지면서 입술, 얼굴, 손톱이 모두 청자색이 된다. 혀가 암홍색을 띠며 마치 은단을 먹고 난 혀처럼 혀가 얼룩얼룩해진다. 때로는 혀에 어혈 반점 또는 자색 반점이 보인다.

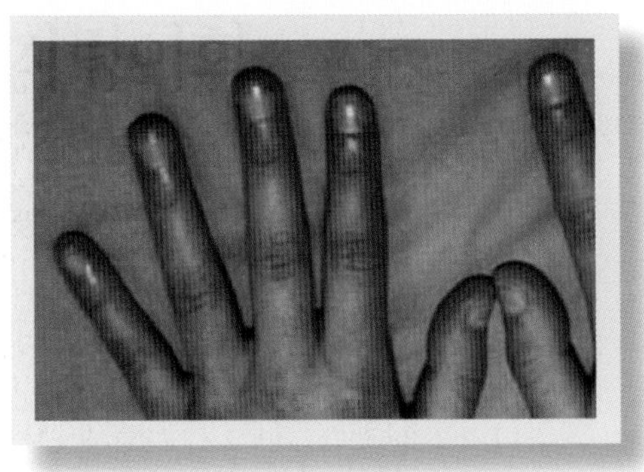
심장에 이상이 생기면 손톱이 푸른빛을 띠게 된다.

이런 증세가 있을 때는 복상사도 주의해야 하지만 심장혈관계 병변이 악화되지 않도록 추운 계절에 특별히 몸조리를 잘 해야 한다.

손순효와 짐주(鴆酒)

성종은 조선 왕조 중 가장 융성기를 이룬 왕이었다. 이것은 인재 등용을 잘 했기 때문이었다고 한다. 그 인재 중 한 분이 손순효라는 문신이다. 성종의 왕비였던 윤비(연산군의 어머니)가 왕과 다투다가 용안에 손톱자국을 냈다 해서 성종이 윤비를 폐비시키려 했을 때 그는 그 부당함을 지적하며 극간했던 충신이었다. 그런데도 성종은 그를 총애했다. 또 외직에 임명되어 강원감사로 나가 있을 때는 임금을 너무 그리워한 나머지 밤을 도와 상경해 잠깐 용안을 뵙고 내려갈 정도였다. 임지

남산에서 술을 마시고 있는 손순효. (서울설화대전) /김기혁

를 임의로 떠나 거동을 함부로 한 죄를 물어야 한다고 뭇 신하들이 들고 일어났을 때 성종도 잘못된 일임을 알면서도 더 이상 거론치 말라 하며 그를 감쌌다고 한다.

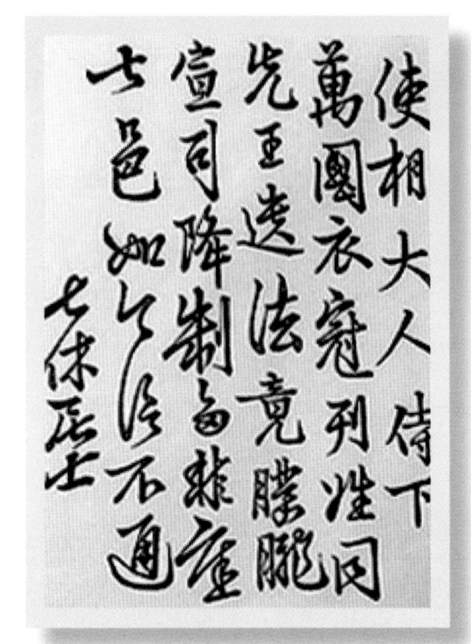

《명가필보》에 수록된 손순효의 글씨.

그는 일찍이 17항목의 정책을 상소, 채택되어 형조참의에 특진된 바 있었으며 한때 좌천되기도 했으나 우찬성에 이르렀던 인물이다. 그는 문장에만 뛰어났던 것이 아니라 그림에도 뛰어나 특히 화죽(畵竹)에 능했다고 한다. 또 《식료찬요(食療撰要)》를 편찬할 정도로 그만큼 음식으로 질병을 치료하는 방법에 대해서도 해박했던 분이다.

그가 가장 즐겼던 음식은 술이었다. 성종이 이를 늘 타일렀건만 그의 애주의 벽은 나아지지 않았다. 어느 날 중국에 보낼 국서를 짓느라 그를 불러들였는데 그는 대취해 있었다. 그런데도 순식간에 명문을 지어냈다고 한다. 감탄한 성종이 그를 아껴 작은 은잔 하나를 주면서 이제부터 이 잔으로 하루 꼭 석 잔만 마시라고 했다. 은잔을 받아들고 집으로 온 그는 궁리 끝에 은장인을 불러 그 은잔을 두들겨 크게 만들게 했다. 그는 종잇장만큼 얇아진, 그러나 주발처럼 크게 된 은잔에 술을 부어 석 잔씩 마셨다고 한다. 그래서 언제나 대취했다고 한다. 이 잔을 '은주방'이라고 했다고 하는데, 그는 황공하여 성종에게 이렇게 아뢰었다고 한다. "은의 무게는 조금도 다름이 없는 줄로 아뢰옵니다"라고.

조선시대 선조 임금이 송강 정철에게 하사한 대폿잔.(충북 진천 정송강 사당 전시유물)

옛 우리 선조들의 술잔은 대체로 컸다고 한다. 그래서 이렇게 큰 술잔을 '대포'라고 부른다. 대포라는 큰 술잔을 사헌부에서는 '아란배'라 했고, 교서관에서는 '홍도배'라 했으며, 예문관에서는 '장미배'라 했으며, 성균관에서는 '벽송배'라고 하였단다. 또 승문원에서는 임금의 하사 술을 마실 때 '고려종'이라는 큰 잔으로 돌려가며 마셨다고 한다. 고려종은 7~8되들이 잔이었다고 한다.

옛 선조들은 때로 옥필통에 하나 가득 술을 따라 폭음했던 적도 있었던 모양이다. 그래서 다산 정약용은 그의 아들에게 보내는 편지에서 이렇게 밝히고 있다.

"태학생 시절에 대궐에 입시했다가 옥필통에 가득히 따른 독한 술을 하사 받은 적이 있다. 그때 마지못해 마시면서 마음속으로 '나는 이제 죽었구나' 하고 생각했다. …… 참으로 술의 맛은 입술을 적시는 정도에 있는 것이다."라고.

예전에는 술잔을 '담(曇)'이라고 불렀다. '담'이란 짐조(鴆鳥)의 별명이다. 이용휴의 「주기명발」이라는 글에는 "짐조는 뱀을 잡아 먹고 사는 새인데, 이 새가 사는 나무 밑에는 풀이 자라지 않았다"고 하였다. 좀 더 자세히 설명하면 짐조는 일명 운일(運日) 또는 동력조(同力鳥)라 하는 새로, 중국 광동 지방에 산다는 새다. 올빼미 비슷한데, 목이 길고, 길이 21~25cm이며, 몸빛은 자흑색이고, 부리는 검붉으며, 눈은 검고, 뱀을 잡아먹기 때문에 온몸에 몹시 강한 독기가 서려 있다고 한다. 그래서 그 둥우리 근처에는 풀들이 나지 못한다고 하며, 배설물이나 깃이 잠긴 음식물을 먹으면 즉사한다고 한다. 이 짐조의 독을 섞은 술을 짐주(鴆酒)라 하며, 살인용 독주로 써왔었다. 술잔을 짐조로 비유한 것은 술이 이 짐승보다도 더 독한 까닭에 세심한 계교를 가한 것으로 설명된다.

《삼재도회(三才圖會)》에 묘사된 짐조

술을 호기스럽게 마시는 것은 분명 멋지다. 그래서 손순효의 일화는 지금도 호주가의 좋은 안주거리로 회자되고 있다. 허나 무더위의 폭음은 분명 짐조의 독과 다를 바 없다.

수양제와 「익다산」의 비밀

중국 수나라를 세운 문제는 나라를 잘 다스렸다. 그러나 그의 아들들은 그렇지 못했다. 아들 다섯 중 맏아들 용(勇)은 주색을 일삼았다. 그래서 황후의 눈 밖에 났고, 그래서 폐태자가 되었다. 둘째아들 광(廣)이 황태자가 되었는데, 이 역시 주색잡기에 놀아나는 인물이었다. 그런데 광은 용과는 달랐다. 교묘한 술수로 황후의 눈을 감쪽같이 속였다. 그러나 이것도 잠시뿐, 광은 병이 들어 누운 아버지 문제의 병문안을 갔다가 간병 수발을 드는 선화부인을 보고 음흉한 짓을 했다가 들키게 된다. 이에 분노한 문제가 용을 다시 황태자로 세우려 하였고, 위기를 맞은 광은 심복을 동원해 아버지 문제

중국 수나라의 초대 황제 수문제 양견(隋 文帝 楊堅 ; 541년~604년).

를 살해했다. 물론 형인 용도 살해했다. 그리고 아버지의 여인 선화부인을 범했다. 그리고는 황제의 자리에 올랐다. 이 황제가 바로 고구려를 두 번이나 침공했던 양제(煬帝)다.

중국 수나라의 제2대 황제 수양제(隋煬帝 ; 569년~618년 3월 11일). 문제의 차남. 본래 수나라에서 올린 묘호는 세조(世祖)이며 시호는 명(明)이나, 당나라에서 비하의 의미로 올린 양(煬)을 대신 붙여 주로 '양제'로 불린다.

양제는 미로와 같은 미루(迷樓)를 만들고, 어여동거(御女童車)나 여의거(如意車)라는 일종의 흔들흔들 흔들리는 수레를 타고 교접하면서 미루 속을 이리저리 헤집고 다니다가 거울의 방이라 불리는 방에서 사방팔방의 거울을 보면서 음사를 벌렸다고 하는데, 훗날 명나라 명종이나 헌종도 이 같이 흉내를 냈다고 한다. 청나라 건륭제도 수양제를 흉내 내어 미루 같은 미혼각(迷魂閣)을 세워 수정으로 만든 방을 만들고 요염한 나녀상을 조각해 분위기를 돋우고 무척 음탕하게 즐겼다고 한다. 한때는 여염집 여자인 이양(梨孃)이란 처녀를 잡아다가 이 미혼각에서 황음을 일삼았는데, 화가 난 황후가 이양을 발가벗겨 거꾸로 매단 후 은밀한 곳에 기름을 뿌리고 불을 질러 태워 죽였다고 한다.

여하간 수양제는 여색을 즐겼다. 그러나 말년은 비참했다. 양제는 수도를 장안에서 낙양으로 옮기고, 새 궁궐을 축성하면서 기화요

「수양제가 강남에 행차하다」

초와 기암괴석으로 치장했다. 운하도 만들었다. 장장 2,000km의 대운하였는데, 중도에 40여 개의 행궁도 짓고 호화유람선과 궁녀들이 탈 색선을 비롯해서 호위선, 화물선 등 무려 800여 척의 배도 건조했다. 그러자니 엄청난 인원이 동원되었고, 수많은 백성들이 죽어갔다. 날로 원성이 높아갔고, 양제는 결국 황제의 친위대에 의해 시해당했다.

살아생전에 양제가 그토록 주색잡기에 골몰할 수 있었던 데는 어떤 비밀스러운 처방이 있었을까? 아마 「익다산」이라는 처방도 한몫을 했으리라고 본다. 이 처방은 양제가 전국적으로 강정제 비방을 공모했을 때 최우수 처방으로 뽑혔을 정도였으니, 말 그대로 중국 천하에서 으뜸가는 기막힌 정력제였던 셈이다.

이 비방을 적어올린 자는 늙은 여인이었다. 이 늙은 여인은 처방과 함께 처방에 얽힌 사연까지 밝히고 죽을 죄를 용서해 달라고 호소했

여색을 즐기는 수양제.

는데, 그 사연은 이렇다.

늙은 여인의 남편은 나이 여든에 이르러 이미 몸이 쇠퇴해져 교접도 못하게 되자 어렵게 회춘비방을 하나 얻어 약을 조제하였단다. 그러나 약을 다 만들고는 써보지도 못한 채 그만 죽고 말았단다. 그런데 그 집 하인 중의 하나인 익다는 나이 일흔다섯으로 허리가 굽고 백발에 다리는 힘이 없어 겨우 어린애 걷듯 하였기에 주인마님인 이 늙은 여인이 이를 불쌍히 여겨 남편이 조제해 놓은 약을 익다에게 주었단다. 그랬더니 복용한 지 20일 만에 젊은이 같은 정력이 솟구쳐 이 집 하녀 번식과 근선 둘을 처로 삼아 아들과 딸 넷을 낳았단다. 늙은 여인도 이들의 하는 짓을 보고 욕정을 감출 수 없어 익다와 교접했고, 그래서 두 자식을 낳았단다. 그런 중에도 익다는 여전히 번식과 근선과도 관계하므로, 이에 늙은 여인은 화가 나서 익다를 죽여 버렸단다. 그리고는 익다의 정강이뼈를 꺾어 버렸는데 놀랍게도 그 속에 누런 골수가 가득 차 있었단다!

「익다산」
①건칠·②생지황·③감초·④백출·⑤계심

엽기적인 치정살인의 사연이 얽혀 있는 이 처방이 바로 오늘날까지 기적의 강정제로 전해져 내려오는「익다산」이다.

이 처방에서 회춘묘약으로 쓰인 주요한 약재는 건칠(乾漆)이다. 건칠은 옻나무의 수지를 가공한 후 건조한 것이다. 흔히 탁한 혈액이 뭉친 것을 없애고 응어리를 푸는 약효가 있는 것으로 알려져 있어 여성의 월경불순이나 무월경을 비롯해서 항암치료에 쓰이고 있는 약재다. 이 건칠에 생지황, 감초, 백출, 계심을 배합한 것이「익다산」이다. 조제하기 번거로우면 건칠을 닭과 끓여 먹어도 괜찮다. 소위 옻닭이라는 것인데, 옻과 닭이 배합되면 '옻 오른다'고 부르는 옻에 의한 중독을 어느 정도 막을 수도 있다.

신돈과 하늘이 준 정력제

고려 공민왕 때 개혁정책의 선봉을 맡아 업적을 남긴 걸출한 인물 둘을 들라면 이제현과 신돈이다.

이제현은 우리가 익히 아는 《역옹패설》의 저자인 학자인데, 고려가 "원나라의 부마국이라는 현실을 인정하면서도 꾸준히 고려의 자주권 회복을 위해 최선을 다했던 현실적이면서도 지조 있는 당대의 최고 지식인"으로 평가되고 있는 인물이다.

창녕 옥천사지 : 고려의 승려 신돈이 태어났다고 하는 옥천사는 지금은 없고 터만 남아 있다. 주춧돌, 부서진 석탑 등이 옛 영화를 짐작하게 한다.

그렇다면 공민왕의 개혁정책의 또 다른 선봉장이었던 신돈은 어떤 인물일까? 백성들은 그를 '신승(神僧)'이라 추앙했고, 문수보살이 환생했다고 열렬히 지지했다. 혹자는 진정한 개혁주의자로 평가하는가 하면 혹자는 왕과 같은 의례를 누리면서 왕궁을 드나들며 강력한 권력을 휘둘러 국정을 농단한 요승으로 폄하하기도 한다. 요승이라 함은 그가 승려 출신이기 때문에 '요사스러운 중'이라 표현한 것인데, 출가 직후에는 '편조'라 불렸고, 공민왕을 만난 후에는 '청한거사'라는 법호로 불렸다. 천한 신분 출신으로 떠돌이 행각승이었던 신돈은 공민왕의 부름을 받자 정계의 핵심세력으로 등장하면서 총체적인 개혁정책을 펼쳤다. 노비와 토지에 관한 문제를 개혁하면서 아울러 공민왕의 어머니를 등에 업고 위협과 음모를 자행하는 기득 세력의 집요한 반발에 맞서서 권문세족의 힘을 약화시키고 왕권을 강화시켰다. 또 서경 천도를 추진하기도 했다. 신돈은 공민왕의 비호 아래 기득 세력을 철저히 견제하고 응징하려고 하였던 것이다. 그런데 그를 총애하며 개혁정책에 힘이 되어 주던 공민왕마저 날로 커가는 그의 위상과 그를 추종하는 세력의 조정 장악에 불안을 느끼게 되었다. 그러자, 그의 존재에 큰 타격을 줄 기회를 포착한 기득 세력이 강력한 반격에 나섰으며, 그래서 그는 끝내 반역죄로 유배되었다가 처형되었다.

이제현(李齊賢 ; 1287년~1367년) 초상(국보 110호). 고려 후기의 시인·문신·성리학자·역사학자·화가. 초명은 지공(之公), 자는 중사(仲思), 호는 익재(益齋)·역옹(櫟翁)·실재(實齋), 시호는 문충(文忠).

신돈이 잘한 것만 있는 것도 아니었다. 그는 중이라는 신분에도 불구하고 주색에 빠졌다. 처와 많은 첩을 거느려 자식을 낳기고 했다. 기득 세력은 이런 사실을 부각시켰으며, 그를 '신승'으로 여기던 백성들은 어느새 그를 '사승'이니 '요승'이니 하면서 폄하하기에 이르렀다. 사실이 아닌, 그러나 사실일지 모를 수많은 이야기꺼리가 나돌게 되었고, 세월이 흐른 지금도 그는 요사스러운 중으로 이야기되어지고 있다.

어디까지가 사실일까? 여하간 그의 요사스러운 짓 중의 하나로 전해오는 것이, 그는 정력을 돋우기 위해 지렁이회를 비롯해서 말의 음경을 즐겨 먹었다는 것이다. '이류보류'의 사고로 동물의 음경을 먹으면 인간의 음경도 거창해지리라, 정력이 왕성하게 증진되리라, 그렇게 믿었던 것이리라. 말의 음경은 물론 개의 음경, 물개의 음경은 그래서 예로부터 흠숭의 대상이 되어 오고 있다. 개의 음경을 일명 '구정(狗精)'이라 하고, 물개의 음경을 '해구신'이라 한다. 《동의보감》에는 살찔 '올(膃)', 물개 '눌(肭)', 배꼽 '제(臍)'자를 써서 '올눌제'라고 했다. 원래 물개의 음경은 평상시에는 하복부 피부 속에 묻혀 있다가 발기될 때만 배꼽 부위로 빠져 나오는 것처럼 보여 이렇게 이름을 붙인 것이다. 흠숭할수록 허황된 이야기도 횡행한다 할까. 해구신의 진품 감별법을 보면 그 허황 정도가 어느 정도인지 짐작할 수 있다. 《산림경제》라는 책에 옛 서적을 인용했다면서 다음과 같은 내용이 적혀 있을 정도다. "잠자는 개 옆에 놓으면 개가 놀라 미칠 듯 날뛰고, 또 섣달 추운 날 찬물에 담가 바람맞이에다 놓아도 얼지 않는 것이 진짜"라는 것이다. 아마 정력이 확실해서 얼음까지도 물처럼 녹일 수 있다는 표현의 과장일 것이다.

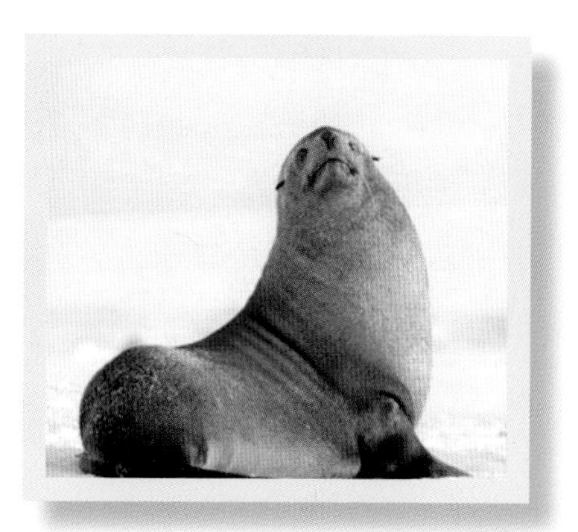

물개

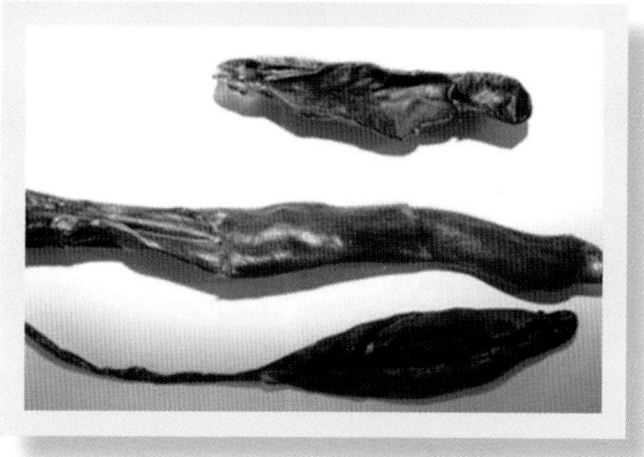

해구신(물개의 음경)

그렇다면 말의 음경은 효험이 있을까? 이 역시 믿을 수 없다. 종자 좋은 수컷 말인 씨수말을 어떻게 키우는지 알아본다면 진짜 정력제가 어떤 것인지 짐작해 볼 수 있을 것이다. 이 씨수말, 즉 종마는 1년에 최대 200마리 정도의 암말과 교배를 한다. 그 값어치를 해내려면 이 씨수말들은 강정식을 해야 하는데, 그 강정식이 미국산 토끼풀을 압축한 알팔파를 비롯해서 비타민, 오메가 3, 홍삼, 그리고 마늘이란다. 그러니까 말의 음경의 효험은 마늘에 있다 해도 과언이 아닐 것이다.

마늘에는 특유의 영양소인 생리활성물질, 즉 스코르디닌 성분이 들어 있어서 신진대사를 높이며 기력을 높인다. 마늘의 주성분인 알리신이 위장을 자극해서 소화를 촉진하고 비타민 B의 완전 흡수를 돕는다. 또한 게르마늄이 함유되어 있는데, 이 게르마늄은 생체 방어 기구 활성화 물질인 인터페론이라는 물질을 생성케 한다. 그

마늘식초

마늘

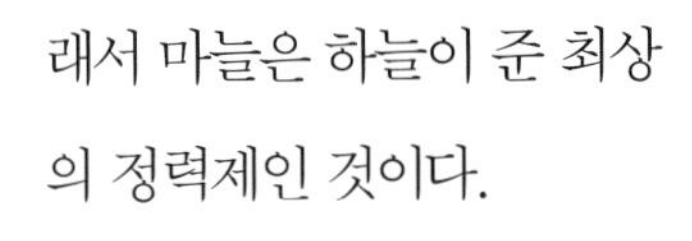

래서 마늘은 하늘이 준 최상의 정력제인 것이다.

마늘은 어떻게 먹어야 할까? 우선 날것으로 먹어야 한다. 아니면 식초에 담가 먹는다. 마늘에 식초를 넣고 10여 일 둔 다음 식초를 버리고 새 식초를 다시 붓고 10여 일 또 경과한 다음 먹는다. 물론 마늘과 검은깨를 배합해도 궁합이 좋다. 껍질을 깐 생마늘을 곱게 찧은 다음 볶은 검은깨와 2:1의 비율로 섞어 꿀에 재웠다가 하루에 두 번 1티스푼씩 공복에 온수와 함께 복용한다. 또 마늘과 양고기도 궁합이 좋다. 마늘의 스코르디닌 성분은 음경의 해면체를 충만케 해주며 정자도 현저히 증식시키는데, 양고기와 배합하면 성기능 장애에 좋다. 이것이 《음선정요》에 나오는 〈서천다반(西天茶飯)〉이라는 요리다. 양고기를 못 구하면 염소고기를 배합하면 된다.

안록산과 복부 비만

중국 당나라 현종(玄宗)은 나라를 잘 다스렸다. 그래서 번영을 누린 이 시기를 '개원의 치[開元之治]'라고 한다. 그런데 현종이 사랑하던 황후 무혜비가 죽자 현종은 완전히 의욕을 상실했다. 그럴 즈음 만난 여인이 양옥환(楊玉環)이었다. 이 여인은 현종의 18번째 아들인 모(瑁)의 태자비였는데, 현종이 며느리인 이 여인에게 빠져 버렸다. 56세의 현종과 22세의 양옥환의 사랑은 비익조나 연리지 같은 사랑이었다. 암수한몸인 비익조처럼 둘은 떨어

당현종과 양귀비의 여흥도.

질 수 없는 한몸이었으며, 뿌리는 두 개이지만 가지는 하나로 합쳐진다는 연리지처럼 둘은 영원히 함께할 한마음 같은 사랑을 했다. 현종은 이 여인에게 귀비의 칭호를 내렸다. 바로 양귀비가 이 여인이다.

중국 섬서성 시안[西安] 북동쪽에 위치한 화청궁에 걸려 있는 양귀비도. 그림에 쓰여진 시는 안록산과 양귀비의 사랑을 기록했다.

양귀비와 사랑을 나눈 또 하나의 사나이가 있었는데, 절도사였던 안록산(安祿山)이었다. 안록산은 양귀비를 어머니라 불렀고, 양귀비는 안록산에게 기저귀를 채워주며 아들처럼 귀여워했다. 둘 사이의 추문은 세상에 퍼졌다. 그러나 현종만은 몰랐다고 한다.

후일 안록산은 반란을 일으켰다. 때는 서기 755년이었다. 현종은 쫓기는 몸이 되었고, 마외(馬嵬)라는 역에 도착했을 때 황제의 친위대들이 들고 일어나 양귀비의 오빠였던 재상 양국충을 죽이고 양귀비마저 죽이려 했다. 양귀비는 마지막 소원이라 하면서 스스로 목을 매어 죽었다. 한편 안록산도 아들의 손에 목숨을 잃었으며 반란군은 자중지란에 빠져 결국 반란은 실패했다.

안록산은 서역 호인과 돌궐족의 혼혈이라고 하는데 뚱보에 배불

뚝이였다. 현종이 안록산의 축 늘어진 큰 배를 가리키며 그 뱃속에 무엇이 들었기에 그리 뚱뚱하냐고 물었던 적이 있었다고 한다. 이때 안록산은 폐하에 대한 충성심만 가득 들어 있다고 대답했다고 한다. 그런 안록산이 현종이 총애하는 양귀비와 정을 통했고 현종을 겨누어 반란을 일으켰던 것이다.

안록산(安祿山 ; 703년?~757년)은 당나라의 무장. 안록산의 난을 일으켰다.

복부 비만은 각종 질병의 원흉이라는 사실은 익히 알려져 있다. 배꼽을 중심으로 복부를 재어 90cm 이상의 남성이나 80cm 이상의 여성은 복부가 비만하다고 본다. 바지 치수로 보면 36인치 남성이나 32인치 이상의 여성이 여기에 속한다. 이렇게 복부가 비만하면 당뇨병에 걸릴 확률이 높다. 혈압이 오르거나 고지혈증도 일으킬 수 있고, 그래서 심장병이나 중풍을 일으키기도 하고, 결국 사망도 빨라진다. 그래서 허리띠 한 구멍이 늘어날수록 수명은 그만큼 짧아진다는 말이 생겨났을 정도다.

복부 비만은 내장에 기름이 가득 낀 상태다. 그러면 비장에 낀 지방으로부터 유리지방산이 다량으로 나오게 되고, 그러면 간에서의 포도당 생성이 증가하고, 인슐린 작용을 억제하게 되어 혈액 중 인슐린이 과다하게 된다. 그러면 신장에서의 염분 배출이 방해되어 혈압이 오르고, 좋은 콜레스테롤은 줄고 나쁜 콜레스테롤이 는다. 이렇게 여러 가지 증세가 연쇄적으로 일어날 수 있기 때문에 이를 '대사증후군'이라 부른다. 특히 팔다리는 빼빼 마르고 배가 불룩 살이 찐 이른바 거미형 복부 비만일 때 문제는 더 심각하다.

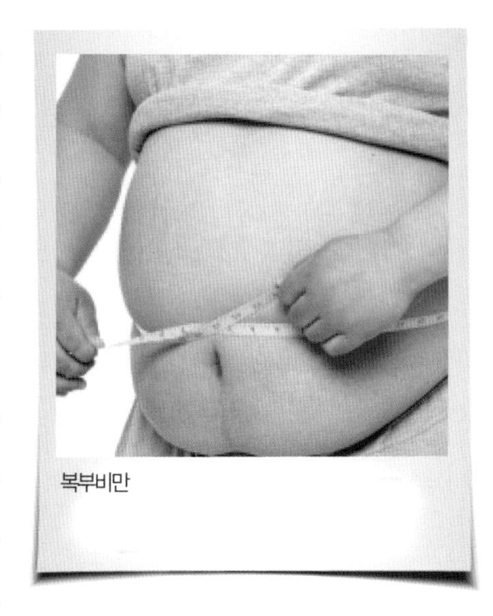
복부비만

따라서 뱃살은 반드시 빼야 한다. 식이요법을 잘 하면서 자꾸 움직여야 뱃살이 빠진다. 식사는 기름진 음식이나 당분이 많은 음식, 그리고 '3백'을 피해야 한다. '3백'은 흰 쌀밥, 흰 밀가루, 흰 설탕을 말한다. 통조림, 튀김, 버터 등도 피해야 한다. 폭식, 과식, 급식을 피해야 한다. 즉 몰아서 먹는 것, 한 번에 많이 먹는 것, 급하게 서둘러 먹는 것을 피해야 한다. 운동은 규칙적으로, 가볍게, 자주 해야 한다. 매일 하루 한 시간 걷기 운동만으로도 족하다. 그러나 아래위로 뛰는 운동은

흰 쌀밥

흰 밀가루

흰 설탕

피해야 한다. 계단을 너무 오르락내리락하는 운동, 가파른 산을 오르내리는 등산 등도 나쁘다. 모두가 허리나 무릎에 하중을 주기 때문이다. 가뜩이나 복부가 비만하여 허리나 무릎에 부담이 되는데, 이런 운동을 지나치게 하면 더 부담을 주는 꼴이 된다.

연산군과 고추잠자리

연산군은 어떤 인물이었을까?

첫째, 연산군은 멋을 알고 즐겼던 인물이었다.

시를 좋아했고 그림을 좋아했고 노래와 춤도 즐겼다. 특히 처용무를 즐겼다고 한다. 그러나 풍류도 고상한 운치를 잃으면 호색으로 흐르기 마련이다. 연산군도 여색에 홍청망청 몰닉했다. 채홍사를 파견한 몰염치한 짓이나 의녀(醫女)마저 '약방기생'으로 끌어낸 몰풍치한 짓이나 대감의 부인까지 침소에 불러들인 몰경위한 짓들은 잘 알려진 사실들이다.

연산군 부부 초상 : 연산군이 귀양 가서 죽은 강화도 교동도에 있는 그의 넋을 기리는 사당에 걸려 있다.

둘째, 연산군은 열이 많은 인물이었다.

조선 왕조의 핏줄이 그랬던 탓이었던지 항상 열이

치솟아서 종기가 얼굴에서 떠나지지 않았다. 또 항상 열이 속에 뭉쳐 입 안이 잘 헐고 눈병에도 잘 걸렸다. 그런데 열이 많으면 걷잡을 수 없는 열화 같은 성격에, 미친 듯 열광으로 날뛰기 마련이다. 연산군이 사냥을 좋아했던 것이나 포악하게 사람을 죽이게 했던 것도 다 열이 많아서 얻은 병이었던 셈이다. 사냥을 즐겼는데 사냥개들이 내정을 뛰어다녀도 귀여워했지만 사냥에 걸림돌이 되면 백성을 내쫓고 논밭을 사냥터로 만들었다. 연약한 동물들은 뒤쫓아 죽였지만 호랑이나 곰 같은 맹수들은 우리에 가둔 채 사냥했다. 사람을 죽일 때도 잔인했다. 생모의 죽음을 앙갚음하겠다며 이복동생들을 몽둥이로 쳐 죽일 정도였으며, 죄인을 잡아올 때는 손바닥을 꿰어 끌어오게 하고 가슴과 배를 빠개거나 가르고 뼈를 바르거나 바람에 날려 버리기도 했다.

〈처용무〉: 처용무는 신라시대 때부터 '나쁜 귀신을 쫓아내고 태평성대를 기원하는 춤'으로, 처용의 가면을 쓴 다섯 명이 중심이 된다. 〈원행을묘정리 의궤〉 중 제 14면 〈처용무〉 판본 채색 24.6 x 16.7cm (개인소장)

연산군은 열이 많아서 그랬던 것일까? 수박을 무척 즐겼단다. 수박은 성질이 차다. 성질이 차니까 열을 내려준다. 그래서 심장의 열이 올라 가슴이 화끈거리고 입이 마르고 입이 허는 것을 낫게 한다. 특히 화병으로 울화증이 치솟을 때 좋다. 연산군이 수박을 즐긴 까닭이 여기에 있지 않을까 싶다. 여하간 연산군은 수박 중에서도 중국 수박을 그렇게 좋아했다. 이를 못마땅히 여긴 김천령이 한 나라의 왕이 수입 수박으로 입사치를 함은 옳지 않다고 말렸다가 괘씸죄로 효수를 당할 정도였단다. 연산군은 혼자만 수박을 먹었던 게 아니었던 모양이다. 전해져 내려오는 말에 의하면, "꿀물과 얼음과 수박을 띄워놓고서는 여러 미녀들을 발가벗겨서 손은 대지 않고 입으로 수박꿀물을 먹게 하고서는 왕은 차례차례로 미녀의 뒤쪽에서 접하는 것을 즐겼다"는 것이다.

수박

셋째, 연산군은 전염병에 대한 노이로제 증세가 굉장히 심했던 인물이었다.

연산군은 쥐를 잡는 전문 벼슬을 서른세 명이나 두기까지 했으며, 병마(病魔)를 쫓기 위해 대포를 쏘게 하거나 소똥을 태우게 했다고 한다.

넷째, 연산군은 별난 음식을 즐겼던 인물이었다.

소의 태, 사슴의 혀 등 미식에 일가견이 있어야만 맛을 알 수 있는 그런 음식들을 즐겼다. 즉위 12년에는 매일 뱀을 잡아 바치게 했다고 하며, 백마의 고기, 말이나 노루의 음경 등 정력에 좋다는 것은 다 바치게 해 먹었다고 한다. 심지어는 말의 태까지 먹었다고 한다. 한때는 '회동습역소(會同習役所)'라는 것을 차려 똑똑한 머슴애 종들을 모아다가 고추잠자리를 잡아 바치게 했다. 고추 색깔처럼 붉기 때문에 이런 이름이 붙여진 것인데, 이들은 교미를 한 채 하늘을 날기 때문에 정력제로 이름을 떨쳐왔던 것이다. 교미시간이 길고, 또 교미한 채 하늘을 날며 노니는 잠자리 - 그래서 옛날에는, 여자는 장다리 꽃밭에 들어가지도 말고 잠자리를 잡지도 말라고 일러왔다. 그만큼 정력에 좋다니 호사가들이 마다할 리 없으며, 황음(荒淫)의 으뜸인 연산군이 그냥 두지 않았던 것이다. 또 불개미는 정력제로 알려져 왔는데, 이 개미가 잘 빠지도록 구멍을 파고 그 밑에 숨어서 떨어지는 개미를 집게처럼 생긴 턱으로 잡아먹는 개미귀신이라는 것이 있으니, 이것이 바로 명주잠자리의 어린벌레다. 날개가 너무 투명하기 때문에 '명주(明紬)' 잠자리라 불리는 이 잠자리는 대단한 정력제인 불개미를 잡아먹고 자란다고 해서 첫손에 꼽히는 정력제로 정평이 나 있다.

고추잠자리

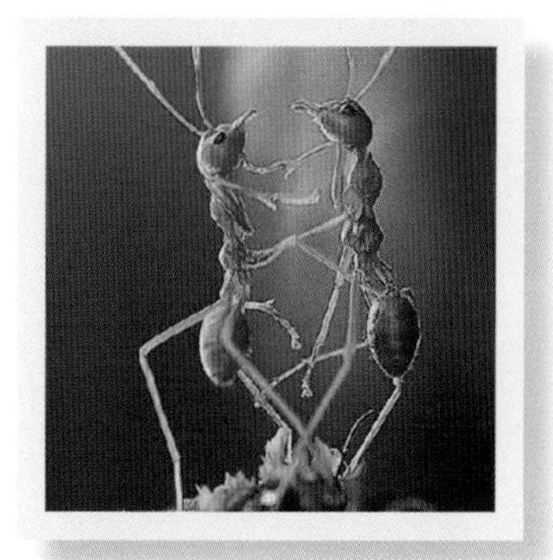
불개미

연산군 아들 이황과 꿩고기

"중전이 보고 싶다"

연산군이 서른한 살에 승하하기 바로 직전 마지막에 한 말이란다. 연산군은 평소에도 "중궁의 덕은 금정(金鼎)에 새겨 후세에 전할 만하다"고 입버릇처럼 말했단다.

중전은 그만큼 후덕했던 여인이었다. 효령대군의 외손녀인 중전 신씨는 연산군이 폐위되자 폐비가 된다. 그녀는 연산군도 죽고 자

연산군 묘(사적 제362호) : 서울특별시 도봉구 방학동에 있는 조선 제10대 왕 연산군과 부인 신씨의 묘소.

신의 소생인 두 아들이 다 사사되는 피눈물 나는 일을 당하지만 꿋꿋하게 견뎌내며, 연산군의 묘를 지금의 서울 방학동으로 옮기고는 66세의 나이에 남편 곁에서 잠든다.

그녀의 맏아들은 이황이다. 세자였던 이황은 연산군 폐위와 함께 폐세자가 되어 강원도 정선으로 유배된다. 이황은 이곳에서 초근목피로 연명하면서 피리 불며 산을 배회하며 한을 달랬다. 그래서 그 산봉우리를 '피리 부는 봉우리'라는 뜻으로 '취적봉'이라 한다. 그러다가 이황은 이곳 버드내마을(유천리)에서 사약을 받고 죽는다.

연산군은 이황을 비롯해 아들 모두가 사사되었다는 말을 전해들은 후 시를 짓는다.

해를 이어 네 아들이 꿈같이 떠나가니(連年四子離如夢)
슬픈 눈물 줄줄 흘러 갓끈을 적시네(哀淚千行便濯纓)

세자 이황이 사사될 때 나이가 열한 살. 반정 당시는 열 살. 철없는 나이였다. 그래서 야사에 따르면 반정 다음날 아침에 상궁에게 꿩고기를 찾았단다. 그 바람에 궁녀들이 "불쌍하신 분……, 앞으론 피죽도 못 드실 텐데……."라고 말하다가 눈물바다가 되었단다. 철없어서 오히려 눈물이 나는 야사 한 토막이다. 하지만 이황이 그만큼 꿩고기를 무척 좋아했다는 말도 된다.

꿩고기의 약효는 꿩의 성질을 보면 쉽게 알 수 있고 또 꿩의 맛을 보면 쉽게 알 수 있다.

우선 꿩의 성질이 어떤가? 꿩은 나는 것이 날쌔다. 마치 화살[矢]같이 난다. 그래서 꿩을 '치(雉)'라 한다. 성질도 급하다. 그래서 꿩은 오행 중 '화(火)'에 속한다. '화기'가 센 성질을 지녔다. 세종대왕의 아들 문종이 부스럼에 꿩고기가 상극인데도 꿩고기를 먹은 후 앓고 있던 등창이 더 심해지면서 죽는데, 꿩고기는 '화기'가 세기 때문에 부스럼을 악화시킨 것이다. 까닭에 양기가 센 계절에는 독을 품기 때문에 먹지 않는 것이 좋고 음기가 센 가을에서 겨울에 꿩 요리를 하는 것이 좋다.

꿩

그렇다면 꿩의 맛은 어떤가? 꿩고기의 맛은 닭고기의 맛과 비슷하지만 약간 새콤하다. 새콤하니까 닭고기보다 수렴 작용이 강하다. 그래서 설사를 수렴하여 걷어들여 지사시킨다. 소갈증(당뇨병)으로 소변이 잦아 물을 마시려 하는 것을 수렴하여 소변을 걷어들임으로써 갈증도 없앤다. 기운이 빠져나가는 것을 수렴하여 기력을 늘리며 속을 보한다. 까닭에 속이 허하고 냉하여 설사를 잘 하는 경우나 당뇨병으로 갈증이 심하고 소변이 잦은 경우에 꿩고기가 약이 된다.

꿩고기를 약으로 먹을 수 있는 기막힌 음식 한 가지를 소개한다.

《음식디미방》에 나오는 음식이다. 《음식디미방》은 장계향이 저술한 것으로 한글로 쓰여진 최초의 요리책이다. 이 책에는 꿩고기구이를 맨드라미 꽃물을 들인 야채로 버무린 음식이 나온다. 말만 들어도 환상적이다.

맨드라미꽃

맨드라미는 닭의 볏을 닮았다 해서 '계관화'라 불리는데 맛이 달다. 그래서 꿩고기의 신맛을 중화시킨다. 또 맨드라미의 성질은 서늘하다. 그래서 꿩고기의 따뜻한 성질과 중화한다. 궁합이 맞아도 찰떡궁합의 배합이다.

더구나 꿩고기와 맨드라미꽃의 배합은 간의 열독을 내린다. 따라서 간의 열독에 의해 눈이 피로해지며 충혈이나 비문증이나 코피, 두통, 어지럼증, 피부소양증 등을 다스린다.

요즈음 과로로 피로를 호소하는 분들이 많다. 과음으로 간이 안 좋다고 호소하는 분들도 많다. 이렇게 과로나 과음으로 간에 열독이 생겼을 때는 '꿩사브사브' 요리나 궁중요리의 하나인 '생치만두' 같은 요리보다 꿩고기를 맨드라미 꽃물을 들인 야채로 버무린 요리를 먹으면 훨씬 효과적이다. 이 요리를 먹은 후 오미자화채 한 잔을 마시면 금상첨화다.

오기와 종기

오기는 중국 전국시대 위(魏)나라 출신으로 유명한 병법가(兵法家)이다. 오기(吳起)는 정말 못 말리는 오기(傲氣)의 사나이였다. 괴짜도 이만한 괴짜도 없다.

오기(吳起 ; ?~기원전 381년)는 중국 전국시대 위나라의 군사 지도자이며 정치가. 군대를 이끄는 데 재능을 보였으며 노나라, 위나라, 초나라를 섬겼다. 저서로 《오자병법(吳子兵法)》이 있다. 부하병사의 종기 고름을 자신의 입으로 직접 빨아낸 장군의 자애로움에서 비롯한 '연저지인(吮疽之仁)'의 고사로 유명하다.

오기의 일화, 첫째.

오기는 젊었을 때 벼슬을 하려고 있는 돈을 다 털었는데 신통치 못해 빈털터리 신세가 되고 말았다. 그래서 주위 친구들의 비웃음을 샀다. 오기가 동한 오기는 한밤중에 비웃은 친구들을 하나씩 찾아가서 모조리 죽였다. 살해된 친구만 30여 명에 이르렀다.

오기의 일화, 둘째.

살인을 저지른 오기는 도망을 쳐야 했다. 늙은 어머니를 홀로 남기고 도망치려는 오기는 성공하기까지는 고향에 돌아오지 않겠다는 결심을 밝히면서 어머니 앞에서 제 팔뚝의 살점을 이빨로 물어뜯었다. 이빨로 선혈이 뚝뚝 떨어지는 제 살점을 깨물었다.

오기 장군 동상

오기의 일화, 셋째.

오기는 이렇게 살인을 저지른 후 제 팔뚝을 이빨로 물어뜯고는 집을 떠났다. 그리고는 증자(曾子)의 문하에서 공부했다. 팔뚝의 살점을 이빨로 물어뜯었을 정도로 공부도 오기로 파고들었다. 그러던 중 어머니의 부음이 전해왔다. 그러나 오기는 고향에 가서 복상하지 않았다. 공부에 방해가 된다는 이유에서였다. 증자는 오기를 문하에서 내쫓았다. 증자는 공자의 제자로 《효경(孝經)》을 지은 분으로 효를 으뜸으로 삼았으니, 오기의 불효를 받아들일 수 없었던 것이었다.

오기의 일화, 넷째.

증자의 문하에서 내쫓긴 오기는 병법을 공부했다. 때는 전국시대라 병법이 각광을 받던 터인지라 오기는 출세가도를 달리게 되었다. 제나라 출신의 아내까지 얻어 잘 지내게 되었다. 이때 제나라가 침공해 왔다. 나라에서는 오기를 중용하고 싶었지만 오기의 아내가 제나라 출신이라 망설였다. 이때 오기는 아내의 목을 잘라 나라에 바치고 전선에 나가 공을 세웠다.

오기의 일화, 다섯째.

공을 세웠지만 아내마저 제 손으로 죽인 오기를 나라에서는 꺼림칙하게 여겼다. 또 다시 오기가 동한 오기는 초나라로 갔다. 병법에 능하다는 평으로 재상이 되었다. 그리고 부국강병책을 써서 공을 세웠다. 그런데 오기를 중용했던 초나라의 도왕(悼王)이 죽었다. 그러자 귀족들이 들고 일어나 오기를 죽이려 했다. 화살이 비 오듯 쏟아지는 위기일발의 순간에 오기는 죽은 도왕의 시체가 안치된 곳까지 뛰어가 도왕의 시체 위에 누웠다. 오기는 무수히 날아든 화살에 고슴도치처럼 되어 죽었다. 오기에게 날아든 화살이 도왕의 시체에도 꽂혔기 때문에 왕의 시신을 훼손한 죄로 많은 귀족들이 함께 죽었다. 오기가 저승길에 데리고 간 귀족들만 500여 명에 이르렀다.

오기는 참으로 오기에 찬 삶을 살았던 사람이다. 그의 저서 《오자》는 《손자》와 더불어 중국 고대의 2대 병법서로 유명하지만 그의 인간성은 후세에 길이길이 비난을 받고 있다.

오기가 장군일 때 그는 병사와 똑같이 먹고, 자고, 일했다. 병사 중에 종기로 고생하면 종기의 고름을 입으로 빨아내기까지 했다. 한 병사의 어머니가 오기에게, 종기의 고름을 빨아 병을 낫게 하여 죽음으로 몰아넣으려는 위선자라고 힐난했듯이 오기는 철저히 오기에 찬 삶을 살았던 것이다.

종기는 흔한 병이었다. 《동의보감》에는 종기는 "다기가 몰려서 된 것이다. 기가 경락에 머물러 있으면서 혈과 더불어 잘 돌지 못하면 막히고 뭉쳐서 종기가 된다"고 했듯이 흔히 분하고 억울하거나 자기 뜻이 이루어지 못했을 때 잘 생긴다. 암이 생기는 것도 같은 이치이다.

종기

종기는 독한 술, 기름진 음식 등을 과하게 먹었거나 성생활이 지나쳤을 때도 잘 생긴다. 《동의보감》에 "혈에 열이 심해서 생긴다. 열이 심하면 붓고, 기혈이 몰려 곪고 아프다"고 했다.

손으로 종기 위를 짚어 보아 열이 있는 것은 고름이 있는 것이고, 열이 없는 것은 고름이 없는 것이다. 꾹 눌러야 아픈 것은 고름이 깊이 있는 것이고, 약간 눌러도 아픈 것은 고름이 얕게 있는 것

인동덩굴꽃(금은화)

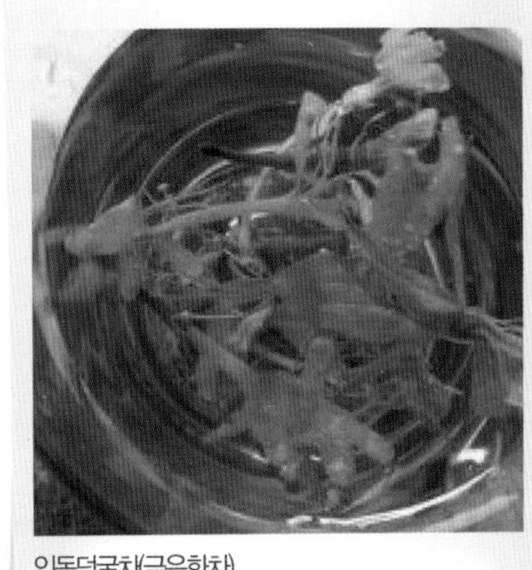

인동덩굴차(금은화차)

이다. 눌러 보면 말랑말랑 하고 손을 떼면 제대로 올라오는 것은 고름이 있는 것이고, 눌러 보면 단단하고 눌렀던 자리가 곧 없어지는 것은 고름이 없는 것이다.

종기는 이곳저곳 다 날 수 있지만 대체로 자기 눈으로 볼 수 없는 곳에 생기는 종기는 다 좋지 않다. 특히 뒷머리, 귀 뒤, 눈썹 주위, 젖가슴, 불두덩 위 등에 난 종기는 아주 안 좋다.

이미 고름이 생긴 것 같은 때는 식초를 뜨겁게 하여 솜에 묻혀 찜질해야 터진다. 팥을 가루 내어 달걀 흰자위에 개어 붙여도 도움이 된다. 종기가 잘 나는 체질은 평소 인동덩굴을 끓여 차로 수시로 장복하면 아주 도움이 된다.

유방과 점(點)

'무뢰한'. 사람들은 그를 그렇게 불렀다. 중국 패현 고을의 사람들은 그 고을 유씨 집안의 셋째아들을 그렇게 불렀다. '무뢰한'이라고. 그럴 만도 한 것이 그는 오로지 술과 여자를 좋아하고 큰소리와 헛소리로 남의 눈을 끌거나 속이는 데에만 능숙하였으니 신통찮은 인물로 여기지 않을 수 없었을 것이었다.

그런 그에게도 때가 왔다. 온 나라 방방곡곡에서 진나라 타도의 봉기군이 요원의 불길처럼 일어난 것이다. 때를 만난 그 역시 망탕산 도적무리를 이끌고 가담했다. 원래 그는 무식했으며 언제나 유생들을 깔보았던 인물이었다. 언젠가는 유생의 모자에 오줌을 싸서 모욕을 주

한 태조 고황제 유방(漢 太祖 高皇帝 劉邦 ; 기원전 247년~기원전 195년)은 한나라(漢)의 초대 황제(재위 : 기원전 202년~기원전 195년). 자는 계(季).

기까지 했던 그였다. 그런 그가 어느 날부터 유생들을 책사로 거느리며 세를 불려나갔다. 만만찮게 세력이 커졌고, 결국에는 천하장사 항우와 함께 진나라를 멸망시킨 영웅이 되었다. 이제는 항우와 진정한 영웅을 다투는 어려운 싸움이 시작되었는데, 한때 그는 항우의 기병에 추격을 받아 절체절명의 상황에 빠졌던 적이 있었다. 이때 그는 수레의 무게를 줄여 더 빨리 도망치려고 함께 타고 있던 아들 효혜와 딸 노원을 수레 아래로 밀쳐 떨어뜨리고 도망칠 정도였다.

아들과 딸마저 죽이고 오로지 제 살 궁리만 하던 무뢰한, 그가 항우를 물리치고 패권을 거머쥐게 되니, 그가 바로 한나라를 세운 한고조 유방(劉邦)이었다. 어찌 이런 일이 있을 수 있었을까. 어떻게 해서 이토록 극악한 무뢰한이 한나라를 건국하는 영웅이 될 수 있단 말인가?

이를 일러 '운명'이라 하던가? '천명'이라 하던가? 전해오는 말에 의하면 그의 왼쪽 가랑이에 검은 점이 72개나 있었다고 한다. 그 당시에는 모든 물질이 목·화·토·금·수의 5개 원소로 되어 있다는 오행설을 믿고 있었으며, 그 당시의 1년은 360일이었다. 이 360일을 5로 나누면 72라는 숫자가 나온다. 그래서 72를 매우 상서로운 숫자로 여겼었다. 그래서 천제가 될 천운을 타고났던 것인가!

점은 선천성 조직 기형인 피부의 일종이다. 짙은 검은색으로 색깔과 광택이 좋으면 살아 있는 점, 즉 '활점'이라 하고 색도 분명하지 않고 광택도 없는 얼룩 같은 점은 죽은 점, '사점'이라고 한다.

어느 누구나 20개 가량 되는 점이 있는데 40대에 접어들면 잠재

되어 있던 모든 점들이 드러나 30개쯤으로 늘어난다. 그러다 70대 후반부터는 세포가 노화되면서 점차 감소하여 평균 17개 정도로 줄어든다.

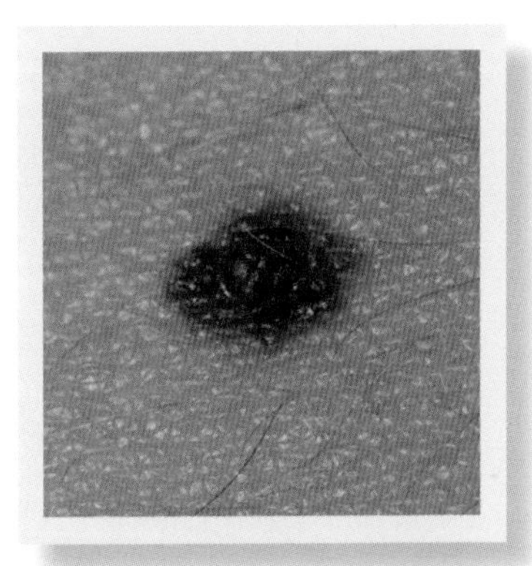

점은 선천성 조직 기형인 피부의 일종이다.

흔히 점은 쌍생한다. 예를 들어 남자의 경우 코의 한가운데에 점이 있으면 페니스의 가운데도 점이 있고, 콧등에 있으면 귀두에도 있으며, 콧방울에 있으면 음낭에도 있고, 눈썹뿌리에 있으면 목 밑에도 있다. 그리고 눈썹 사이에 점이 있으면 등에도 점이 있고, 코밑에 있으면 배꼽 안이나 밑으로도 있는 것이 보통이다. 여성의 경우도 같아서 입술에 있으면 생식기에, 코밑에 있으면 배꼽 밑에, 이마와 머리에 있으면 가슴이나 무릎 위, 또는 눈 밑에도 점이 있으며, 귀 위에 있으면 어깨나 팔꿈치에도 점이 있는 경우가 많다.

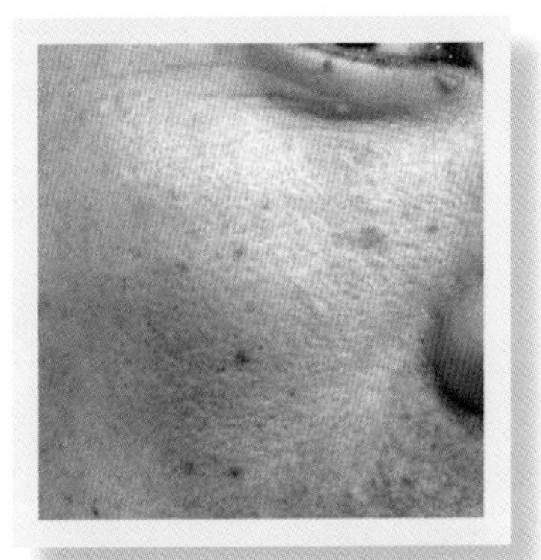

얼굴에 생겨난 점.

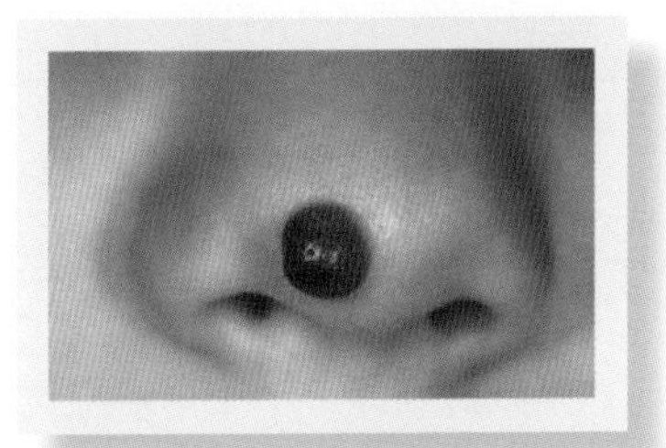

콧마루에 자리잡은 점.

흔히 '복점'이라 하여 귀히 여기고 '흉점'이라 해서 흉하게 여기는 경향이 있지만 사실 의학적으로 보면 점은 무의미하며, 어쩌면 백해무익하다고 할 수 있다. 그것은 암의 원인이 될 수도 있기 때문이다.

특히 마찰이 심한 발이나 햇볕을 많이 쬐는 얼굴, 목 뒤 같은 곳에 있는 점은 악성으로 변할 위험이 크다. 악성으로 나빠지는 원인이 뚜렷이 밝혀지지는 않았지만 마찰과 자외선에 의해 암으로 변하는 것 같다. 그러나 다행히 발생률은 아주 낮은 편이다. 노인의 피부에 회색 사마귀처럼 오톨도톨한 융기로 생기는 점은 25%가 악성으로 변한다고 알려져 있다.

눈썹에 점이 있으면 심장 및 순환기질환, 자궁질환, 성기능쇠약증에 걸리기 쉽다. 눈언저리 또는 눈동자 밑 뺨의 중앙에 점이 있으면 간 기능과 폐 기능이 약한 징조일 수 있다. 아래 눈꺼풀의 점은 어깨나 늑간에 통증이 잘 나타나거나 분노를 잘 일으키거나 혈압상승 등이 오기 쉽다. 눈 속에 점이 있으면 신경불안정, 인후질환 등을 주의해야 한다.

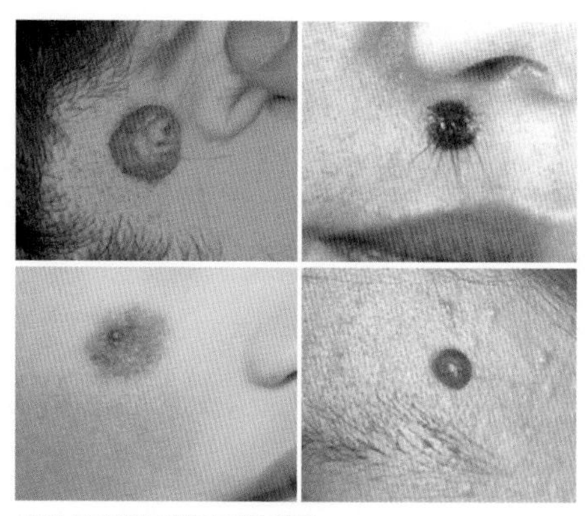

생겨난 부위와 색깔이 다른 점들

안부(頞部 ; 두 눈 사이 콧마루)에 점이 있으면 기의 울체나 어혈의 우려가 있다. 왕궁(王宮 ; 콧마루 제일 높은 곳)에 점이 있으면 허리가 약하다.

입 주위에 점이 있으면 살이 찌거나 변비, 설사, 소화불량 등의 질환에 시달리는 경우가 많다. 입술에 점이 있으면 구강염 등 구강, 인

후, 편도의 염증성 질환에 걸리기 쉽다. 특히 윗입술에 점이 있으면 성욕이 대단하며, 아랫입술에 점이 있으면 성기능쇠약·불감증에 빠지기 쉽다.

점이 인중을 비껴 나 있을 경우 남자라면 조루증·성신경쇠약, 여자라면 불감증·자궁내막염증을 암시하기도 한다. 입술 옆 법령(法令)에 있는 점은 남자라면 정력 감퇴를, 여자라면 허손(虛損)증 또는 하지무력동통을 암시한다.

검버섯은 각화증으로 생기는 반점으로 후천적이며, 색소성 모반과 흑자는 선천적인 점으로 유전적인 형질을 가지고 있다. 즉 모태 안에서 이미 색소성 모반을 일으킬 모반세포가 피부 조직에 들어가 있다가 성장하면서 나타나는 것이 선천적 모반이다. 이미 선천적으로 형질을 가지고 있기 때문에 나타나는 것이다. 피부 안에 있는 피부 색소 세포가 햇빛을 많이 받아 생긴 흑자(黑子) 중 악성은 흑갈색의 평평한 모양으로 불규칙한 모습이다. 점점 색이 짙어지고 커지며, 점 부위가 자주 헌다면 암을 의심할 수 있다.

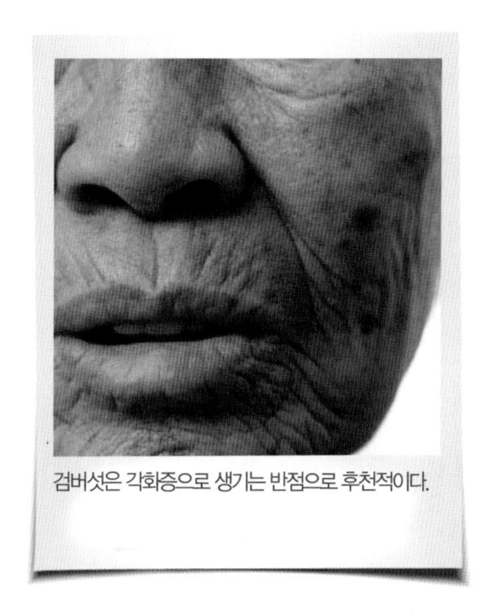
검버섯은 각화증으로 생기는 반점으로 후천적이다.

유령과 젖꼭지 콤플렉스

죽림칠현은 대나무 숲속에 모여 고담준론하던 일곱 선비를 말한다. 조조의 위나라를 멸망시키고 사마 씨가 세운 진(晉)나라가 사치와 향락에 빠지자 그런 세태에 염증을 느낀 선비들이 모인 것인데 완적(阮籍)·산도(山濤)·향수(向秀)·유령(劉伶)·완함(阮咸)·왕융(王戎)·혜강(嵇康)의 일곱 선비가 바로 죽림칠현이었다.

죽림칠현 중에 완적은 못마땅한 사람을 보면 눈을 허옇게 뒤집고

〈죽림칠현도〉

쏘아 보았다고 한다. 그래서 '백안시'라는 말이 여기서 비롯되었다고 한다. 또 혜강은 거문고 탄주에 매우 능했는데 고관대작들이 그렇게 듣고 싶어 청을 해도 거절하더니 누명을 쓰고 사형 당할 때는 스스로 거문고 한 가락을 뜯고 죽었다고 한다.

유령(劉伶 ; 221년~300년) 초상화. 중국 삼국시대 위나라~서진의 시인. 자는 백륜(伯倫).

죽림칠현은 어느 누구라 할 것 없이 이처럼 독특한 성격에 고집스럽고 형식주의를 무시한 선비들이었다. 어찌 보면 허무주의자들이었고 어찌 보면 고고한 기풍으로 풍진의 속세를 떠나 진정한 참삶을 즐기던 선비들이었다. 그래서 이들은 청담을 일삼으면서 술을 무척 즐겼다. 그 중에서도 가장 으뜸의 술꾼은 유령이었다.

술꾼 유령(劉伶)은 술을 먹고 취해 쓰러져 죽으면 그 자리에 묻어 달라는 뜻으로 곡괭이와 술독을 메고 따르는 하인을 늘 데리고 다녔다고 전해진다.

유령은 술만 취했다 하면 발가벗고 드러누워 홍얼대는 버릇이 있었다고 한다. 어느 날 한 친구가 그 버릇이 못되었다고 나무라자 유령은 이렇게 호통을 쳤다고 한다. "천지는 집이요, 집은 옷이고, 안방은 잠방이로 하고 사는데, 너는 왜 남의 잠방이 속에 끼어드느냐?"라고. 유령은 평소에 하인에게 곡괭이와 술독을 메고 따르라 하면서 좋은 자리를 찾으면 술을 퍼 마시곤 하였단다. 하인에게 곡괭이까지 메고 따라오게 한 것은 술 먹고 취해 쓰러져 죽으면 그 자리에 묻어 달라는 뜻이었단다.

유령은 술만 취했다 하면 발가벗고 드러누워 흥얼대는 버릇이 있었다고 한다.

술꾼도 이쯤 되어야 명색이 술꾼이라 할 수 있겠지만 사실 이쯤의 경지에 다다른 술꾼들은 젖꼭지 콤플렉스(nipple complex)에 빠져 있는 환자로 보고 있다.

즉 어머니 젖꼭지에 매달려 빨던 자취로 액체적 대용품을 구한 것이 바로 술이기 때문에 소아 퇴행성 성향에서 벗어나지 못한 환자라는 것이다. 그리고 이 콤플렉스는 입의 쾌감을 바라는 것이라서, 이들은 거의 구강 에로티즘(oral erotism)에 빠져 있다는 것이다.

이를 뒷받침해 주는 몇 가지의 조사들이 있어 더욱 흥미롭다. 어떤 이의 조사로는 어려서 안정감을 느끼기 어려운 환경에서 성장해서 마음이 약한 사람이 술을 찾는 비율이 높다는 것이다. 성장 과정이 불안정하여 긴장감과 우울감을 많이 느끼게 되며, 이를 벗어나려고 술을 찾는다는 설명이다. 결국 감정의 동요가 심하고, 우울감 때문에 현실을 피하게 되며, 따라서 공상에 빠지고 과대망상 경향이 주로 많게 된다는 것이다.

여러 조사 결과를 공통인자로 추려 간략하여 보면 술꾼들은 철이 덜 들고 의존적인 인격이며, 자기 능력 이상의 것을 추구하는 경향이거나 적응 능력이 좋지 않은 편이고, 쉽사리 현실에서 물러나 버리는 경향이고 수동적이며, 자기중심적이거나 과대망상증 내지 분열성 인격이고, 감정의 동요가 많고 고독감에 잘 빠지며, 적대심이 많고, 특히 성적 적응이 미숙한 편이라고 한다.

한마디로 술꾼들은 이상심리의 소유자이며 가정생활도 원만하지 못하고 성적으로도 만족스러운 부부생활을 영위하지 못하며, 나아가 적응 능력 또한 좋지 못해 사회생활도 원만하지 못하다는 것이다. 그러니 어머니의 젖이나 빨 생각만 하는 어린 아기처럼 젖꼭지 콤플렉스에 빠진 철 덜든 의존적 인격에 바랄 것이 뭐가 있겠냐는 것이다.

이런 말을 듣는다면 술꾼들이 일제히 펄쩍 뛸 일이지만 사실 일리 있는 주장이므로 참고하고 폭주가가 아니라 애주가로 즐기는 것이 좋을 것이다.

이욱 왕과 발

중국의 5대10국 중 하나인 남당(南唐)의 최후의 왕 이욱(李煜)은 기막히게 멋을 알던 괴짜였다. 그러다 보니 나라가 망했겠지만, 아름다운 총애를 위하여 큰 황금색의 연꽃을 만들고 애첩으로 하여금 초승달처럼 뾰족하게 만든 전족으로 그 연꽃 위에서 춤을 추게 했단다. 이때부터 전족의 풍습이 생겨났다고 하며, 전족은 연꽃 위를 걸어가는 듯 화사한 아름다움이 있다고 해서 금련(金蓮)이라 부르게 되었다고 한다.

이욱(李煜 ; 937년~978년, 재위 : 961년~975년)은 5대10국시대 남당의 마지막 황제. 남당의 후주(後主).

'섬섬옥수'라 해서 여인의 손은 참 아름답다고 한다. 전족은 섬섬옥수만큼 아름답다고 한다.

1880년대, 상해의 전족여성들 모습.

"옥처럼 하얀 죽순이 뾰족뾰족하여 살에 닿으면 찌를 것 같네"

이것은 전족의 아름다움을 읊은 시의 한 구절이다.

허리가 가늘고 발이 작아 마치 손바닥 위에서 춤추는 것 같았다는 조비연은 그 아름다운 전족으로 성제의 총애를 받았다. 그리고 성제는 전족을 병적으로 밝힌 연벽증(蓮癖症)이 있었다. 전족의 아름다움은 여러 가지 조건을 겸비하고 있어야 한다. 가늘고 뾰족하고, 여위고 활처럼 굽어 있고, 편편하면서 바르고, 둥글고 짧고 좁고 얇으면서도 엄지발가락이 갈퀴 모양으로 되어 있어 위로 펼 수 있

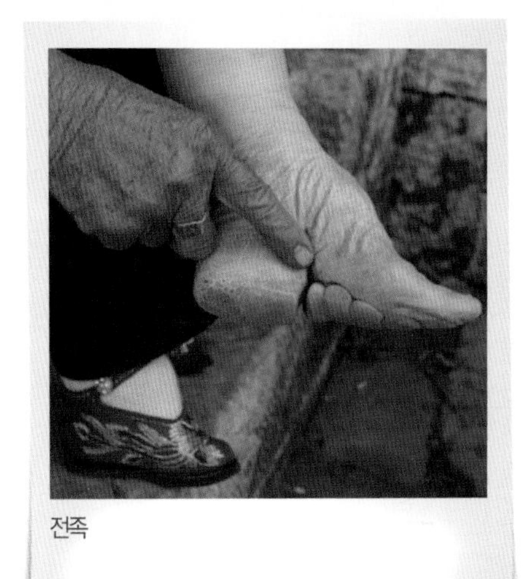
전족

어야 하며, 발가락의 비례가 균형 잡혀 있어야 한다. 또 가볍고 맑고 희고 빛나며 따뜻하고 부드러워야 하며, 맵시가 있어야 하고 그윽하고 우아한 운치가 있게 빼어나야 한다. 이쯤 되면 그야말로 섬섬옥수 같은 전족이 아니겠는가!

여자아이가 네다섯 살이 되면, 엄지발가락만 남기고 긴 천으로 발을 동여매어 자라지 못하게 함으로써, 발을 조그마한 삼각형으로 만들던 전족(纏足)이라는 중국의 옛 풍습이 있었다. 포소저(抱小姐)는 발이 너무 작은 탓으로 사람이 안아주지 않으면 걷지도 못할 정도였다고 하며, 상류가정 부인들은 수레를 탈 때 3층 트랩을 사용하지 않으면 혼자서는 오르지도 못했다고 한다.

전족은 첫째, 중국의 전통적인 여성 압박과 남성의 여성 독점적 성격에 의해 비롯되었다는 설이 있다. 둘째로 전족을 미인의 조건으로 삼은 까닭에 장구한 세월 동안 이것이 유행할 수 있었다. 셋째로 남성의 성적 유희로 전족이 필요했기 때문에 쉽사리 이 악습이 없어지지 않았다.

전족 여인은 방사를 치를 때 붉은 신을 선물로 받는다. 이를 '만

(挽)'이라 한다. 침상에 들면 전족을 감싼 붉은 띠를 푼다. 이것이 '탈(脫)'이다. 다음에 발을 씻으니 '세(洗)'요, 발톱을 자르고 군살을 미니 '마(磨)'요, 씻은 후 향분을 뿌리니 '식(拭)'이요, 발톱에 색을 들이니 '도(塗)'다. 침상 속에 누워서 여인의 발을 찾아 이리저리 더듬는 것이 '색(索)'이요, 찾은 발을 번쩍 위로 올리는 게 '거(擧)'이며, 그것을 남자 다리에 올리는 게 '승(承)'이며, 두 발을 남자 가슴 쪽으로 당기는 게 '추(推)'이며, 좌우로 두 다리를 벌리고 그 사이로 몸을 밀어 넣는 것이 '도(挑)'이며, 한쪽 다리만을 어깨 위에 올리고 희롱하는 게 '연(捐)'이다.

붉은 색의 전족 신발, '만(挽)'

또한 전족을 이용한 성 유희에는 여섯 가지 방법이 있었다. 전족

전족 신발

을 감싸고 있는 긴 헝겊 띠를 풀어서 여자의 발목을 묶어 매달고 때로는 여자의 벗은 엉덩이를 때려보기도 하면서 성희를 즐기는 현(懸)이라는 방법을 비롯해서, '지(舐)'와 '소(搔)'라는 방법도 있고, '농(弄)'이라 하여 여자의 조그마한 발을 맞붙여 양쪽 발바닥으로 작은 공동을

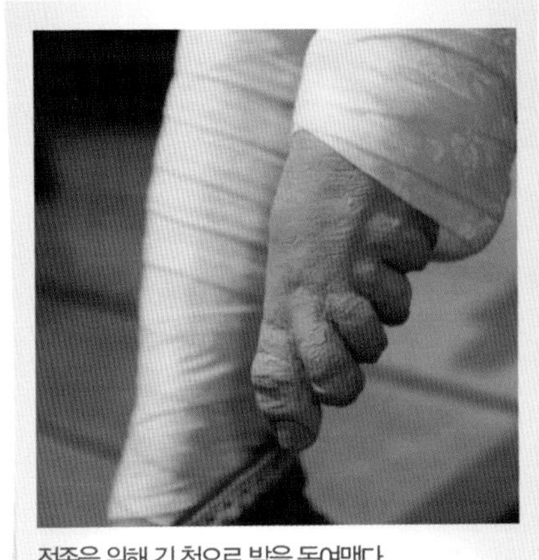

전족을 위해 긴 천으로 발을 동여맨다.

만든 다음 이 구멍을 즐기는 방법이 있으며, 전족한 여자 발가락을 빠는 '연(吮)'과 전족의 구부러진 발가락 사이에 수박씨를 넣어 두었다가 이것을 혓바닥으로 꺼내며 즐기는 '식(食)'이라는 방법들이 있었다.

전족, 그 앙증맞은 발로 아장아장 연꽃을 밟는 금련의 보폭에 남자들은 가슴 저리게 사랑했고, 그 앙증맞은 발을 끌어안고 아등아등 어쩔 줄 몰라 하면서 남자들은 가슴 터지는 욕정에 몸부림쳤던 것이다. 그래서 전족의 악습은 사라졌어도 여자의 작고 예쁜 발을 선망하는 남자들의 원초적 핏줄은 아직도 이어져 오고 있다.

이욱 왕, 나라는 망쳤어도 이 괴짜는 지금도 뭇 남자들 핏속에 영생하고 있다.

임사홍과 미인의 조건

임사홍(任士洪)은 간신일까, 아첨꾼일까, 소인배일까? 그는 지조 곧고 우아한 선비였다고 한다. 성종이 내불당을 설치할 때 감히 왕명에 맞섰고, 어진 신하를 가려 쓰고 간신을 분별해 물리치는 것이 정치의 요체라고 왕에게 간언하는가 하면, 고관대작이라도 범법하면 올곧게 대들고 상소하고 탄핵하는 등 소신을 굽히지 않고 바른 말을 해서 유배당하는 등 온갖 고초를 겪었던 지사였다고도 평가한다. 그러나 그가 비록 시대의 희생자라 두둔한들 보편

임사홍 묘 : 경기도 여주군 여주읍 능현리 산24-8에 위치.

적인 역사적 평가는 그렇지 않다.

임사홍은 명문 출신으로 효령대군의 손녀딸과 혼인하였는데, 아들 광재(光載)는 예종의 딸 현숙공주(顯肅公主)와 혼인시키고, 또 다른 아들 숭재(崇載)는 성종의 딸 휘숙옹주(徽淑翁主)와 혼인시킴으로써 왕실과의 밀착으로 그 세력이 무시할 수 없는 존재였다.

임사홍은 중국어에 놀랄 만큼 능통하여 승문원에서 중국어를 가르칠 정도였다고 한다. 일본어, 여진어도 능란하게 구사하였단다. 서예도 당대 으뜸으로 꼽혔는데, 특히 촉체(蜀體)와 해서(楷書)에 능했다고 한다.

이쯤 되면 천재라 할 터인데, 시대 탓을 할까 천성이라 할까, 임사홍은 그만 큰일을 벌리고 말았다. 연산군의 생모인 성종의 왕후 윤씨가 폐비되어 사약을 받고 죽은 사실을 연산군에게 고해바친 것이다. 그리고는 연산군과 폐비 윤씨의 어머니가 만나도록 주선했다. 이때 외할머니로부터 생모의 피 묻은 적삼을 받아든 연산군은 격노하여 피바람을 불러일으켰다. 임사홍이 작성한 살생부를 바탕으로 모조리 죽였다. 이미 죽은 자는 부관참시(剖棺斬屍)를 했다. 생모를 모함하여 죽게 했다는 죄목으로 아버지 성종의 총애를 받던 엄 귀인과 정 귀인은 연산군 자신이 직접 잔인하게 때려죽였다. 이것이 갑자사화다.

이것으로 끝이 아니었다. 임사홍은 이때부터 채홍사(採紅使)로 활약했으며 연산군의 황음과 횡포는 날로 심해져 갔다. 마침내 반정의 불길이 치솟았다. 반정세력은 연산군을 폐위시켜 강화도 교동

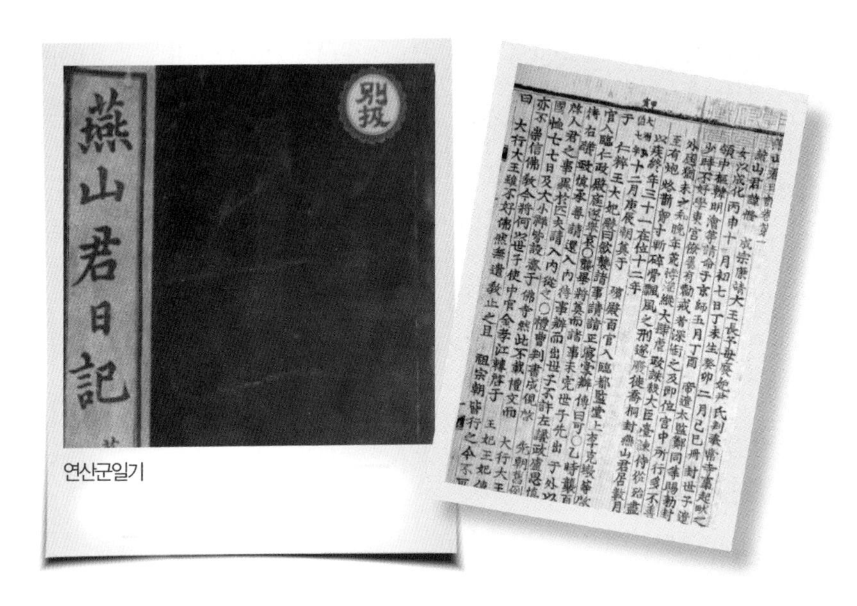

연산군일기

으로 유배시키고, 성종의 둘째부인인 정현왕후의 아들 진성대군을 옹립하였다. 이것이 중종반정이다. 임사홍도 이때 격살 당했고, 격살 당한 지 20일 만에 관에서 끄집어내어져 다시 처형당했다. 갑자사화 때처럼 임사홍 자신이 부관참시 당한 것이다.

여하간 임사홍의 생애 마지막 가장 화려한 무대는 채홍사였다. 임사홍과 그의 아들 임숭재 등 채홍사들은 전국 방방곡곡을 누비며 미모의 양반댁 처녀를 징발하였는데, 이때 징발된 처녀가 1만 여 명에 이르렀다고 한다. 그러고 보면 이들 채홍사들은 미인의 조건을 심득한 고수였던 모양이다.

각설하고 옛날의 미인의 조건은 어떠했을까?

《옥방비결(玉房秘訣)》을 보자.

① 얌전한 여자 ② 적당한 살갗에 적당한 키에 날씬한 몸매의 여

자 ③ 유방은 단단하고 ④ 살이 많고 머리가 검고 ⑤ 가는 눈에 흰자위와 검은 눈동자가 분명한 여자 ⑥ 얼굴과 몸에 윤택이 있어 반질반질하고 ⑦ 말소리가 곱고 낮은 여자 ⑧ 네 다리와 관절의 뼈가 풍요한 살에 싸이고 뼈가 굵지 않은 여자 ⑧ 음부와 겨드랑 밑의 털은 없거나 혹 있더라도 가늘고 보드라운 여자가 호녀(好女)라고 하였다.

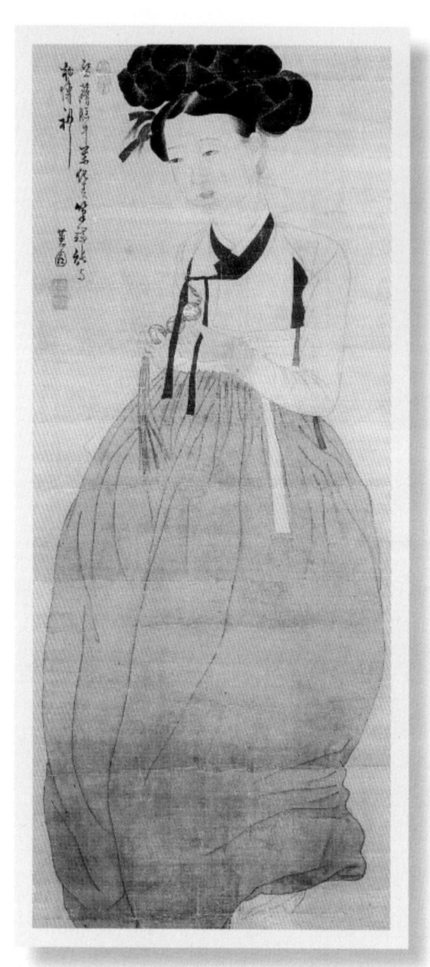

〈미인도(美人圖)〉 : 조선 후기의 화가 신윤복이 그린 대표적 미인도. 비단 바탕에 수묵담채. 세로 114㎝, 가로 45.2㎝. 간송미술관 소장. 옷주름과 노리개를 두 손으로 매만지며 생각에 잠긴 듯한 젊은 미인의 서 있는 모습을 약간 비껴선 위치에서 포착해 그린 것이다. 조선 후기 여인의 아름다운 자태와 순정이 신윤복 특유의 섬세하고 유려한 필선과 고운 색감, 정확한 묘사에 의해 사실적으로 표현되었다.

《대청경(大淸經)》을 보자.

가냘픈 뼈대에 부드러운 기육(肌肉), 고운 살결, 아름답고 희며 엷은 피부, 손가락 마디가 크지 않고 섬세하며, 귀나 입이 뚜렷이 솟아 분명하고, 적당한 키와 적당한 살갗, 단혈(丹穴)이 높직하니 있고, 주위의 살이 잘 발달되어 그 위에 음모가 적고, 몸이 부드러워 솜과 같이 폭신하고, 음부도 부드러운 여자가 호녀(好女)라고 하였다. 또 머리카락은 마치 옻칠한 듯 윤택해야 하며, 항상 미소를 띠고 온화한 성격이어야 하고 말씨도 얌전하고 고요해야 하며, 음혈(陰穴)이 앞을 향해 있으면서 높직한 게 좋다고 하였다.

그렇다면 미인도 아닐뿐더러 가까이 하면 해로운 여자의 조건은 어떠했을까? 이 조건을 거꾸로 하면 미인의 조건이 될 것이다. 《동의보감》 등 여러 의서를 정리, 요약하면 다음과 같다.

치아가 백골처럼 희고 끝이 쥐 이빨처럼 뾰족하며, 눈썹이 짧고 가늘며 눈썹 끝이 쥐가 파먹은 것 같거나 눈썹이 솟구쳐 있고, 입이 지나치게 크며 턱이 뾰족하게 빠졌고, 콧대나 코끝에 살집이 없고, 눈과 귀 사이 '태양혈' 부위가 너무 움푹 파인 경우는 안 좋다고 했다. 또 머리 뒤통수 복판의 살집이 없고, 입술이나 볼이 창백하며, 새끼손가락이 빈약하거나 휘어 있고, 복부가 너무 작거나 복벽이 무력하며, 허리가 지나치게 가늘고 엉덩이가 너무 작으며 처져 있고, 피부는 매끈하지만 피부 혈색이 안 좋으면 가까이 하기에는 좋지 않은 여자라고 했다.

태양 경혈

조양자와 복분자

중국 춘추시대 12개 열국의 하나로 진(晋)나라가 있었다. 12개 열국 중 진(秦)·초(楚)·제(齊)와 더불어 4강에 속하는 큰 나라였다. 그런데 어느 날부터 진나라가 쪼개지기 시작했다. 6경(卿)이라 불리는 위세 좋은 여섯 가문, 즉 범씨·중행씨·지씨 · 한씨·위씨·조씨 중에서 세 가문이 떨치고 일어나 나라를 세 조각으로 나누어 차지한 것이다. 그 세 나라가 한(韓)나라, 위(魏)나라, 조(趙)나라다. 이 세 나라를 3진(晋)이라 불렀지만 세월이 지나 주나라가 이들 세 나라를 제후로 인정함으로써 진나라는 완전히 이름마저 사라지게 되었다. 이때가 기원전 403년이다. 이 해를 기준으로 그 이전은 춘추

조양자(趙襄子 ; ?~기원전 425년)는 조나라의 종주(趙氏宗主)이다. 이름은 무휼(毋卹).

시대라 하고, 그 이후를 전국시대라 한다.

춘추시대 4강 중 진나라가 한·위·조 세 나라로 나뉘어졌고, 여기에 연나라가 가세하여 일곱 나라를 '전국칠웅'이라 한다. 전국시대 7강에 속하는 나라들인 셈이다.

전국칠웅 중 조나라의 조양자(趙襄子)는 위세 당당하던 지백씨를 죽이고 나라의 기틀을 다진 제후다. 조양자는 지백씨를 죽인 후 두개골만 잘라서, 그 해골을 장인(匠人)에게 주어 요강을 만들게 했다. 장인은 해골의 눈구멍을 은으로 메우고 해골의 이빨 사이를 금으로 메웠다. 소변이 샐 수 없이 틈을 다 메운 후 해골을 거꾸로 하여 정수리 쪽이 밑으로 오게 하고 좌대를 만들어 앉혔다. 그리고 해골의 겉에 옻칠을 하였다. 장인이 이렇게 지백씨의 두개골을 멋진 요강으로 만들어 조양자에게 바치자 감격한 조양자는 이 해골 요강에 소변을 보았다고 한다.

원수를 저주하는 요강이 없었던 것은 아니다. 영국의 경우 원수인 나폴레옹을 우스개로 풍자하여 요강 바닥에 그림을 그린 요강이 있어서 나폴레옹의 얼굴에 소변을 갈겼다는 이야기가 있다. 그러나 원수의 두개골을 요강으로 만든 예는 흔치 않았다.

요강은 동·서양에서 오래 전부터 사용해 왔다. 서양의 경우 기원전 22년경에 매춘부가 손님에게 요강 속의 소변을 쏟아 붓는 엽기적인 쾌락을 즐기는 풍습이 있었다고 한다. 서양의 요강은 대개 점토나 주석으로 만들었고 나중에는 도기로 만들었는데, 때로 금이나 은으로 요강을 만들기도 했고 자물쇠로 잠글 수 있는 뚜껑이 붙은 요강도 있었다고 한다. 그래서 '황금병' 또는 '황금사발'로 불리기도 했다고 한다. 물론 요강이 꼭 요강으로만 사용되었던 것은 아니다. 연회석상에서는 요강을 술잔으로 사용하기도 했단다. 바로크 시대의 이야기다.

여기에 비해 중국에서는 요강을 주로 도자기나 청동으로 만들었다. 요강을 '야호(夜壺)'라 했는데, 그렇다고 요강을 꼭 밤에만 사용했던 것은 아니다. 낮에도 요강을 사용했으며, 낮에는 주인이 소변을 볼 때 여자 하인이 손 씻을 물과 수건을 들고 뒤에 서 있는 습관까지 있었다. 이런 습관 때문에 한나라의 성제나 당나라의 고종은 손 씻을 물과 수건을 들고 있던 여인을 총애했었다. 조황후와 측천무후가 바로 이런 여인이었다.

흔히 복분자를 이야기할 때, 복분자를 먹으면 어찌나 정력이 강해지고 소변줄기가 세어지는지 요강이 뒤집어진다 하여 요강[盆]이 뒤집어지는[覆] 열매[子]라 해서 복분자(覆盆子)라 한다고 말들을 한다. 이때의 요강은 휴대용의 작은 요강이 아니라 붙박이의 높고 큰 요강을 가리킨다. 이토록 높고 큰 요강을 뒤집을 정도로 정력이 좋아진다

복분자(산딸기)

는 이야기다.

그러나 사실은 그렇지 않다. 원래는 '매자(莓子)'라 불렀던 것인데 《신농본초경》에서 복분자라 이름을 바꿔 부르게 되었으며, 그 까닭을 《본초몽전》에서는 "복용하면 익신하여 쉽게 소변을 수렴하기에 변기가 필요 없게 된다 하여 칭찬한 말이다"라고 설명하고 있다. 요강을 뒤엎는 힘이 생기는 것이 아니라 소변을 수렴하는 힘이 생긴 까닭이라는 것이다. 어쨌건 복분자가 익신(益腎), 즉 신 기능을 강화하는 것만은 확실하다는 이야기다.

복분자주

그래서 복분자는 양기부족에 약용한다. 정기를 도우는데, 정기가 충족되면 몸이 저절로 가벼워지며, 머리카락이 희어지지 않는다고 한다. 남자에게만 좋은 것이 아니다. 여자가 먹으면 임신할 수 있다고 했다. 소변이 잦거나 야뇨증이 있을 때, 또는 눈이 침침할 때도 좋다고 했다. 맛이 달면서 시다. 유기산, 당류, 비타민 C를 다량 함유하고 있다.

주왕과 곰 발바닥

은주왕(?~BC 1046년 추정) 초상화. 이름은 수(受), 수덕(受德), 시호(谥号)는 주(纣). 은주왕(殷纣王), 상주왕(商纣王)으로 일컬어진다.

오랜 옛날 중국에 상(商)나라가 있었다. 은(殷)나라라고도 부르는데, 이 나라의 마지막 왕이 주(紂)왕이다. 이름은 제신(帝辛)이고, 시호가 주(紂)이다. 하(夏)나라의 걸(桀)왕이 말희(妺喜)라는 여인과 향락을 일삼다가 나라가 망하고 세워진 나라가 상나라, 즉 은나라인데 주왕 역시 달기(妲己)라는 여인에 빠져 경궁요대라는 호사스러운 궁전에서 온갖 횡포와 황음에 빠졌다가 결국 나라를 망쳤다. 그래서 중국 역사상 제일가는 성군으로는 '요순(堯舜)'을 꼽고, 제일가는 폭군으로는 '걸주(桀紂)'를 꼽는다. 그만큼 역사상 유명한 괴짜가 주왕이다.

주왕은 머리가 뛰어났다고 한다. 청산유수의 말솜씨에 사물을 꿰뚫는 예리한 눈도 갖고 있었다고 한다. 무엇보다 맨주먹으로 맹수를 때려잡을 수 있는 괴력을 갖고 있었다고 한다. 그러던 주왕이 달기라는 여인에 빠져 나라를 그르쳤다.

주지육림(酒池肉林)의 주인공-은주왕과 달기.
은주왕은 미녀 달기에 빠져, 정사를 게을리하고, 달기와 보석과 상아로 장식한 사구의 별궁에서 옥으로 만든 침대에서 노는 것을 즐겼단다. 달기를 위해 녹대라는 주각에 재물을 모았고, 달기가 좋아하는 일이라면 약탈과 살인도 서슴지 않았다고 한다.

고기로 숲을 만들고 술로 연못을 만들고는 벌거벗은 남녀를 풀어놓고 술 마시고 고기를 뜯게 하며 진탕하게 노는 꼴을 주왕과 달기는 즐겨 구경했단다. '주지육림(酒池肉林)'이란 말이 여기서 나왔다. 또한 3,000근의 구리 기둥에 기름을 발라 미끈거리게 해놓고 밑에서 불을 때고는 구리 기둥 위를 걷게 하여 미끄러워 불구덩이에 떨어져 타서 죽는 것을 보며 주왕과 달기는 좋아했단다. '포락지형(炮烙之刑)'이란 말이 여기서 나왔다

또 이런 일도 있었다. 엄동설한에 가난한 촌부가 맨발로 걸어가는 것을 보고 발바닥이 참으로 단단하겠다고 생각해서 잡아다 양다리를 톱으로 자르고 골수를 꺼내 구경거리로 삼았는가 하면, 임신부의 뱃속이 궁금하다며 배를 갈라 태아를 꺼내 호기심을 채웠다. 간

기자(箕子)는 은나라 후기의 현인, 주왕의 숙부.

비간(比干)은 은나라 후기의 현인, 충신의 상징으로 전해지고 있다.

언하는 충신을 맷돌로 갈아 죽였으며 충신의 아들을 죽여 그 허벅지를 아비로 하여금 먹게까지 했다. "성인의 심장에는 일곱 개의 구멍이 뚫렸다는데 확인해 보시지 않겠습니까?"라고 총애하는 달기가 말을 하자 비간(比干)을 죽여 그의 심장을 꺼내 구경거리로 삼았다고도 한다.

주왕의 숙부인 기자(箕子)는 주왕이 상아 젓가락을 만들자 상아 젓가락을 쓰면 무소뿔이나 옥으로 만든 그릇만 사용하려 할 것이고, 그리하면 채소보다는 소나 코끼리나 표범고기를 먹으려 할 것이며, 그리하면 반드시 비단 옷을 입고 구중궁궐이나 넓은 집, 높은 누대가 있는 집에서 살려고 할 것이기에, 그 최후가 두렵다고 예언했다. 아니나 다를까 주왕은 나라를 망치고 죽임을 당했는데 훗날 기자는 폐허가 된 궁궐터에 보리만 웃자란 것을 보며 '맥수지가(麥秀之歌)'를 부르며 한탄했다고 한다.

여하간 주왕의 생전에 이런 일도 있었단다. 가난에 찌든 젊은이가 병든 어머니를 살리려고 주왕이 세운 사구(沙丘)의 동물원에 몰래 들어갔다고 한다. 곰 발바닥을 먹으면 병이 나을 것이라는 말을 듣고 엄청난 일을 저지른 것이었는데, 그만 붙들리고 말았다. 이를 알게 된 주왕이 젊은이를 궁궐로 불렀다. 젊은이의 효심에 왕이 탄복하였으리라 주위에서는 그렇게 알았는데, 주왕은 한주먹에 젊은이를 산산조각 내어 죽였다고 한다. 그만큼 완력이 센 폭군이었다는 이야기다.

웅담

곰의 발바닥

각설하고 곰의 발바닥이 정말 약효가 있는 것일까? 호사가들은 곰의 발바닥 중에도 앞 발바닥, 그것도 오른쪽 앞 발바닥이 효과가 있다고 한다. 곰 발바닥은 앞 발바닥이 약간 짧고 뒷 발바닥이 약간 길다. 앞 발바닥의 너비는 약간 넓고 장심은 모두 흑색이며, 두껍고 마른 살이 있는데, 그 살의 표면에는 털이 없다. 곰은 뒷발로 서서 걷기도 하며 앞발로는 꿀도 따 먹는다. 그것도 오른쪽 앞발을 주로 사용한다. 그래서 곰의 발바닥 중 앞 발바닥, 그것도 오른쪽 앞 발바닥이 약효가 더 좋고 약효도 더 있다고 알려지게 된 것이다.

곰 발바닥은 여덟 가지 진미 중 하나로 꼽히고 있다. 달고 짜다. 성질은 따뜻하며 독이 없다. 말린 곰 발바닥에는 지방이 43.9%, 조단백질이 55.23%이다. 곰을 잡은 후 발바닥을 잘라 내어 진흙을 발라서 바람이 잘 통하는 곳에 매달아 말리거나 혹은 약한 불에 말려서 약용한다. 주로 삶아서 복용하는데 풍기와 한기를 막고 지력을 돕는 것으로 알려져 있다. 비위가 허약할 때 특히 좋다. 또 끊어진 것을 이어준다고 했으니 뼈에 이상이 생겼을 때나 힘줄에 이상이 생겼을 때도 좋다.

곰은 발바닥뿐 아니라 고기, 힘줄, 뼈, 뇌, 지방도 약으로 쓰며 특히 쓸개의 효능은 널리 알려진 사실이다. 흑곰이나 불곰의 쓸개가 다 약으로 쓰인다. 겨울 동면 때 포획해 쓸개를 떼어내 나무판으로 끼워 편평하게 해서 통풍이 잘 되는 곳에 매달아 말려 약용한다. 처음에는 쓰다가 나중에 단 것을 '금당' 혹은 '동담'이라 하며, 검고 단단하며 쓴 것을 '흑담' 혹은 '철담'이라 하고, 황록색으로 질이 취약한 것을 '채화담'이라고 한다. '금담'이 상품임은 두말할 나위 없다. 곰의 쓸개, 즉 웅담은 곰의 발바닥, 즉 웅장과 달리 맛이 쓰고 성질이 차다. 그래서 열을 떨어뜨리며 경련을 진정시키는 효과가 있다.

지증마립간과 강정법

상상을 초월할 거양이 이 땅에도 있었다는 역사적 사실이 있다. p.20의 〈경문왕과 거근(巨根) 비방〉이라는 내용에서 잠깐 거론한 바 있는데, 경덕왕과 지증마립간이다. 《삼국유사》를 보자.

지증왕(智證王 ; 437년~514년, 재위 : 500년~514년)은 신라의 제22대 왕. 지증마립간(智證麻立干)이라고도 한다.

지증마립간(智證麻立干)은 신라 22대 왕인 지철로왕(智哲老王)을 가리킨다. 이 왕 때까지 국호가 확정되지 않은 상태여서 혹은 사라(斯羅)라 칭하고, 혹은 사로(斯盧)라 칭하고, 혹은 신라(新羅)라 부르기도 했는데, 이 왕에 이르러서 '덕업이 날로 새로워지고[新], 사방을 망라한다[羅]'는 뜻으로 나라 이름을 '신라'라 정했다고 한다. 또 왕을 '마립간'이라 부른 것도 이 왕으로부터 시작된 것

지증왕릉으로 추정되는 천마총

천마총에서 출토된 금관(왼쪽)과 금모(오른쪽).

이라고 한다(《삼국사기》에는 '마립간'이라는 칭호를 내물왕 때부터 사용했다고 한다). 64세에 왕위에 오른 그는 재위 중에 최초로 소를 밭갈이하는 데 사용하도록 하였으며, 이사부(異斯夫)로 하여금 우산국(于山國 ; 울릉도)을 정벌케 하는 등 큰 업적을 남겼다. 왕이 재위 15년 만에 돌아가자 시호(謚號)를 '지증'이라 했다. 신라에서 시호를 쓴 것은 이때부터 시작되었다고 하며, 그래서 이 왕을 후세에서는 '지증마립간'이라고 흔히 부른다.

여하간 이 지증마립간이 대단한 거양이었다고 한다. 《삼국유사》에 의하면 "왕의 음경의 길이가 1자 5치나 되어 배우자를 얻기 어려워 사자를 삼도에 보내어 구하였다. 사자가 모량부(牟梁部)의 동로수(冬老樹) 아래에 이르러 개 두 마리가 큰 북[鼓]만한 똥 덩어리 양

끝을 물고 다투는 것을 보고 마을 사람에게 물으니, 한 소녀가 말하기를 '이곳 상공(相公)의 딸이 여기서 빨래를 하다가 수풀 속에 숨어서 눈 것입니다.' 하였다. 그 집을 찾아가 보니 (그 여자의) 키가 7자 5치였다. 사실대로 아뢰니 왕이 수레를 보내어 그 여자를 궁중에 맞아들여 황후를 삼으니 여러 신하가 모두 하례하였다."고 한다. 왕의 음경의 길이가 1자 5치나 되었다고 하니 대강 45센티미터쯤 되는 거양이다. 그러니 배필 구하기가 쉽지 않았을 것이다.

옛 중국에 미앙이라 불리는 한 사내는 색정을 너무 좋아한 나머지 개의 음경을 자기에게 이식하고는 바람난 수캐 마냥 여자 속을 휘젓고 다녔다는 얘기가 《육포단(肉蒲團)》이라는 소설에 나온다. '미앙'이란 《시경》에서 따온 말로 '밤이 아직(未) 깊지(央) 않았다'는 뜻인데, 색을 탐하여 낮보다 밤을 좋아한다는 말이다. 아마도 인체의 거부 반응만 해소시킬 묘책이 연구된다면, 이 가공의 소설처럼 인면구신(人面狗腎)의 희한한 바람둥이도 실제로 등장할 수도 있을 것이다.

그렇다고 거양이라야 반드시 좋은 것일까? 명나라 때의 《소녀묘론(素女妙論)》은 자칭 홍도전천진(洪都全天眞)이라는 자의 편찬으로 이루어진 성 교본인데, 여기에 실린 소녀(素女)의 말이 이 질문에 대한 가장 정확한 답이 될 것이다. 소녀의 말의 요지는 이렇다.

"그것의 모양이 다른 것은 사람마다 얼굴이 다른 것과 같이 타고난 차이에 따라 대소장단과 부드럽고 딱딱한 구분이 있게 됩니다. 따라서 사람이 작으면 물건은 웅장하며, 사람이 건장하면 그것은 작으며, 사람이 마르고 쇠약할 경우에는 두툼하고 딱딱하며, 살이 쪘을 경우에는 부드럽고 작습니다. 형태가 같지 않아 크고 작거나 짧고 긴 차이는 겉모습이며 교접 때 쾌감을 얻는 것은 내적인 감정입니다. 사랑으로 둘이 연결되고 감정이 통하면 크고 작거나 길고 짧은 차이가 무슨 장애가 되겠습니까. 크고 길어도 위축되어 있는 남성의 상징은 짧고 작더라도 딱딱한 것에 미치지 못합니다. 딱딱하더라도 사나운 상징은 부드럽더라도 온화한 것에 미치지 못합니다. 능히 중용을 얻으면 더할 수 없이 좋습니다."

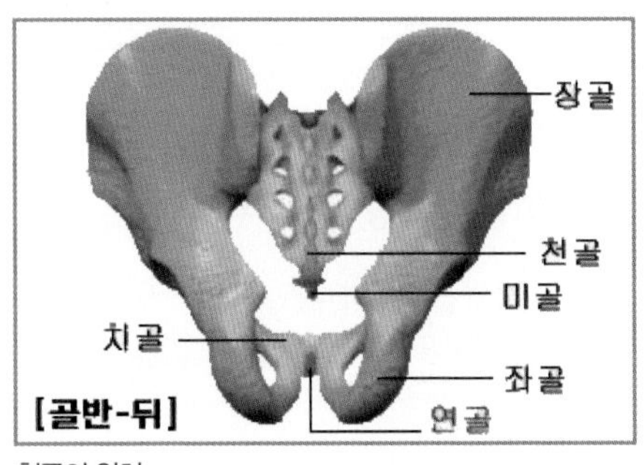

천골의 위치

훌륭한 음경이란 작고 단단한 것을 가리키며, 오히려 크고 길고 검은 음경은 천하게 여긴다. 그러나 음낭만은 검은 것이 좋고 여기에 가는 주름살이 있으면서 따스하고 양감(量感)이 있는 것을 최상으로 친다. 다만 평상시 길이가 4cm 이하이거나 발기 때의 길이가 5cm 이하이면 음경단소증으로 인정, 성생활에 적합하지 않은 것으로 알려져 있다.

그래서 옛 책에 보면 음경을 장대하게 하는 비방이 가끔 눈에 띄는데, 예를 들어 "음경에 물개의 생식기인 해구신을 바르면 3촌은 길어진다."는 등 남성의 거근선망욕을 충족시킬 수 있는 듯 부채질하며 허풍을 떨고 있다. 오히려 이런 허황한 방법보다는 강정단련법을 운동 삼아 해보는 것이 더 바람직하다.

이런 단련법 중의 하나가 '천골진공법'이다. 천골은 생식신경이 집중된 허리 밑의 꽁지 부분 뼈다. 그래서 천골이 강정단련에 중요한 것이요, 실제로 이 부위를 자극하면 흥분성을 높일 수 있다. 유고 출신의 베슬러 여사가 전세계를 놀라게 했던 강정비법도 다름 아닌 천골 자극법이었다. 이 부위를 두 손바닥으로 자꾸 문질러 주면서 부항을 붙이면 되는 참으로 간단한 방법이다. 천골을 문지를 때 신수(腎兪)라는 경혈에서부터 꽁무니뼈 끝까지 함께 마사지해 주면 더욱 좋다. 신수 경혈은 제2요추의 옆 3cm, 좌우 두 곳에 위치하고 있다.

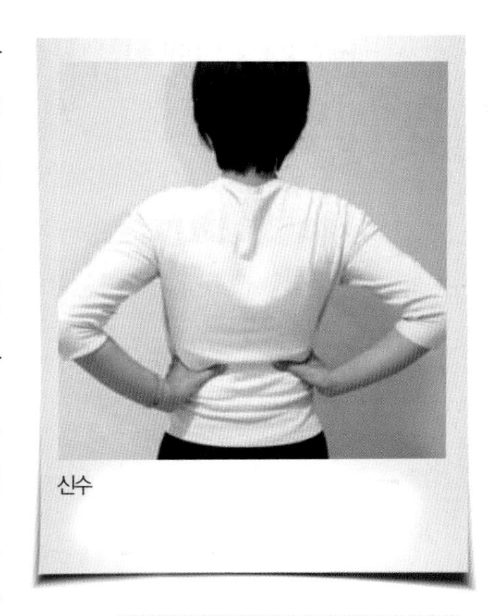
신수

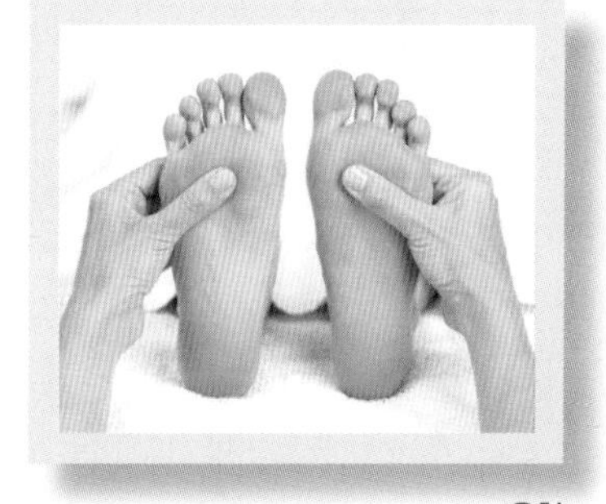
용천

아울러 성기와 항문의 중간에 있는 회음(會陰) 경혈을 가운데 손가락으로 천천히 부드럽게 문질러 주고, 배꼽 밑을 가볍게 문지른 뒤 치골 변두리를 지압하면 된다. 또 발바닥 중앙의 오목한 곳에 있는 용천(湧泉) 경혈이 따뜻해질 정도로 문지른다. 이런 강정단련법을 '미혈(媚穴)요법'이라고 한다.

진시황제와 자지초

진시황제는 괴짜다. 시황제만 그런 게 아니라 시황제를 둘러싸고 있는 모두가 괴짜들이다.

진시황(秦始皇 ; 기원전 259년 1월~기원전 210년 음력 7월 22일)은 전국 칠웅 진나라의 제31대 왕이자, 중국 최초의 황제. 성은 영(嬴), 이름은 정(政) 혹 조정(趙政)이다. 여불위의 아들이라는 설대로 여정(呂政)이라고도 한다.
(중국 시안[西安] 진시황제병마용박물관 내 진시황 상상 초상화를 벽면 청동부조로 장식.)

시황제의 진짜 아버지인 여불위(呂不韋)부터가 괴짜다. 허난[河南] 푸양[濮陽] 출신으로 우람한 귀골의 대부호였던 여불위는 자기의 아이를 임신한 애첩을 자초(子楚)의 짝으로 맺어주고는 갖가지 수단을 통해 자초를 진나라 장양왕(莊襄王)에 오르게 하고, 장양왕의 아들, 그러나 사실은 자기의 씨인 태자로 하여금 보위를 잇게 한다. 기원전 246년 왕위에 오른 영정(嬴政)이라는 이름의 이 아들이 훗날 인류 역사상 미증유의 웅대한 통일 전제국가를 이루어 낸 시황제이다. 시황제의 어머니나 가짜 아버지 장양왕 자초나 정신이 바로 박히지 않은 괴짜이기는 매한가지다.

진시황이 서불에게 불로초를 캐 오도록 하였으나 찾지 못하고 제주 정방폭포 벽에 새기고 돌아갔다는 글자, 서불과지(徐市過之).

시황제는 늙지 않고 싶었다. 죽지 않고 싶었다. 그래서 서불(徐市 : 일명 徐福)이라는 제나라 출신의 괴짜 방사(方士)의 꼬임에 넘어갔

서불에게 불로초를 구해오라고 한 중국 산동성 청도 남쪽의 교남시 해안에 있는 작은 언덕, 랑야타이[琅琊台]에서 출정 명령을 내리고 있는 장면의 진시황.

다. 바다 저 멀리 성스러운 산, 이름하여 봉래(蓬萊), 방장(方丈), 영주(瀛州)라는 삼신산(三神山)에 불로불사의 약초가 있다는, 발해(渤海)에 면한 해안지방에서 옛날부터 전해 내려오는 설화 이상의 신앙이었던 이 말을 시황제는 곧이곧대로 믿었다. 이미 예전에 제나라 임금 위왕(威王)과 그의 아들 선왕(宣王)이 사람을 보내 이 약초를 구하려고 했고, 비슷한 시기에 연나라의 소왕(昭王)도 사람을 보낸 일이 있었지 않았던가. 불행히도 사람을 보낼 때마다 번번이 폭풍으로 배가 뒤집혀서 삼신산에 근접도 못했다지만, 풍문에 듣기로는 실지로 삼신산에 가서 불로초를 캔 사람도 있다고 하고, 또 불로초를 캐 먹고는 신선이 되어 몇백 세가 되도록 잘 살고 있다고 하지 않던가. 시황제는 안달이 났다. 당장 배의 건조를 지시하고, 서불의 계획대로 배 100척에 동남동녀 각 3,000명씩, 도합 6,000명으로 구성된 대탐험대를 꾸리게 했다. 그러나 워낙 큰 규모여서 거의 10여 년이 흘렀다. 그리고 드디어 기원전 210년, 시황제의 나이 50이 되는 해, 배 85척에 동남동녀 등 도합 554명으로 구성된 서불의 탐험대를 출발시켰다.

서불의 탐험대는 어떻게 되었을까? 제주도 서귀포에 들렀다는 전설이 있는가 하면 이주(夷洲 : 대만), 단주(亶洲 : 일본)에 들렀다는 전설도 있다. 또 일설에는 서불이 태평양을 건너가 '서(徐)'씨 일가를 이루면서 아메리칸 인디언 '슈'족을 형성하여 살았다고 한다. 여하간 서불은 영원히 돌아오지 않았다.

시황제의 불로불사의 염원은 대단했다. 그래서 한때 안기생(安期

生)이라는 명의를 만나고 싶어 안달을 피운 적도 있었다. 안기생은 중국 동쪽 해변가에서 약을 팔던 의원이었는데, 그의 나이는 누구도 알 수 없었고 1,000년은 더 살았을 것이라고들 하여, 사람들이 그를 천년옹(千年翁)이라고 불렀다는 인물이다. 여하간 시황제는 금벽(金璧) 수천만 개를 안기생에게 뇌물로 주면서 3일 낮, 3일 밤을 만나달라고 애걸했단다. 그러나 안기생은 뇌물을 되돌려 보냈을 뿐 아니라 오히려 옥조(玉鳥) 한 쌍을 선물로 보내면서 "1,000년 후 나를 찾으러 삼신산 봉래산으로 오시오"라는 서신을 시황제에게 남기고는 어디론가 자취를 감추고 말았단다. 후일담이지만 한나라 무제 때의 명의였던 이소군(李少君)이 바다 가운데 외딴 섬에서 안기생을 만났는데, 그는 신선이 되어 박만큼이나 큰 대추를 먹으면서 시황제를 기다리고 있었노라는 글을 발표한 바 있다. 안기생이나 이소군이나 허풍쟁이 괴짜였음이 틀림없다.

자지초(지치)

결국 시황제는, 서불로부터도 안기생으로부터도 불로불사의 묘약을 손에 넣지 못했다. 그러고는 사구라는 땅에서 가장 고독한 객사를 맞았다. 시황제, 작달만한 키에 비쩍 말라서 생기가 없고 짧은

〈상산사호도(商山四皓圖 ; 상산의 머리가 하얀 네 노인)〉는 중국 상산에서 네 명의 신선과 같은 머리가 하얀 노인들이 노송 아래서 바둑을 두며 즐기는 모습을 그린 것. 상산사호(商山四皓)는 중국 진시황(秦始皇) 때 난리를 피하여 산시성[山西省] 상산(商山)에 들어가서 숨은 동원공(東園公) · 기리계(綺里季) · 하황공(夏黃公) · 녹리 선생(用里先生) 등 네 사람의 선비를 말하는데, 그들은 벼슬을 하지 않고, 오랜 세월 상산에서 숨어지내다가 하산했을 때는 다같이 80여 세가 되어 모두 눈썹과 수염이 흰 노인이어서 이렇게 불렀다.

목에 가슴마저 튀어나온 추물인 그는 죽어서도 은하수가 도도히 흐르는 무덤에 묻혔다지만, 끝내 불로장생을 할 수는 없었다.

한편 시황제 때 세상의 어지럼을 피하여 섬서성 상현 동쪽에 있는 상산(商山)에 들어가 숨은 네 사람의 은사가 있었다. 동원공(東園公)·기리계(綺里季)·하황공(夏黃公)·녹리(用里)인데, 이 네 은사들은 모두 수염과 눈썹이 희게 세어 있어서 '희다'는 뜻을 가진 '호(皓)'를 붙여, '사호(四皓)'라고 불렀는데, 이들은 그곳에서 자지초(紫芝草)를 캐어 술을 담가 마셨다고 한다. 아마도 시황제의 불로초는 구할 수 없는 삼신산에 있고, 사호의 불로초는 상산골 자지초에 있었는지도 모른다.

자지초는 지초 또는 자초라 불리며, 우리말로는 지치라고 한다. 한겨울 하얗게 쌓인 눈을 새빨간 핏빛으로 물들인다는 풀이다. 예전에는 자색의 물감으로 사용했던 풀이다. 자지초는 심장 기능을 강화하며 핏속의 열을 내리고 피를 깨끗하게 하여 귀한 약재로 쓰인다. 아세틸시코닌이라는 색소를 함유하고 있어서 이런 약효를 발휘하는 것으로 알려져 있다. 심혈관계질환이나 고혈압에 효과가 좋은 약초다. 그러니까 현대인에게 없어서는 안 될 불로초임에 틀림이 없다.

진도홍주

자지초를 잘게 썰어 2g씩을 여과통 있는 찻잔에 넣어 뜨거운 물을 붓고 우려내어 마시면 된다. 혹은 상산의 네 은사였던 사호처럼 자지초로 술을 담가 마셔도 좋다. 자지초로 담가 시판되는 술이 '진도홍주'다. 진돗개와 더불어 진도의 명물이다.

진시황제 궁녀들과 미약(媚藥)

진시황제의 아방궁은 대단했던 모양이다. 1만 여 명을 수용할 수 있는 장대무비한 규모였다고 한다. 항우(項羽)가 불을 지르자 무려 석 달 동안이나 탔다고 하니까 그 규모가 얼마나 대단했던가를 미루어 짐작할 수 있다.

이토록 아방궁이 거대했으니, 궁녀는 또 얼마나 많았겠는가. 전국에서 미녀라는 미녀는 모두 뽑아다가 그곳에서 살게 했다는데, 그

진시황의 아방궁(阿房宮). 중국 진(秦)나라 시황제(始皇帝)가 기원전 212년에 위수(渭水) 남쪽에 건립하기 시작한 동서의 길이 690m, 남북의 길이 115m의 호화롭고 거대한 대규모 황궁. 현재 남아 있는 것은 높이 7m, 길이 1km에 이르는 흙으로 쌓은 궁전 기초 부분과 전궁(前宮)의 흔적뿐이다.

중국 산시성[陝西省]의 서안 진시황릉 병마용갱(兵馬俑坑)에서 발굴된 진시황릉 청동기마(진시황 병마용 박물관(兵马俑博物馆) 소장). 불멸의 생을 꿈꿨던 진시황이 사후에 자신의 무덤을 지키게 하려는 목적으로 병사와 말의 모형을 흙으로 빚어 실물 크기로 제작한 병마용. 이는 세계 8대 불가사의로 꼽힐 만큼 거대한 규모와 정교함을 두루 갖추고 있다.

수는 3,000명을 넘었다고 한다. 백제 의자왕 때 낙화암에서 백마강에 뛰어들어 죽었다는 궁녀만도 3,000이나 된다는데, 명색이 시황제로서는 3,000명의 궁녀도 보잘것없는 것일지 모른다. 어쨌건 유방(劉邦)이 아방궁을 점령했을 때 넘쳐나는 어여쁜 궁녀들을 보고 눈이 휘둥그레졌고, 이들과 홍청대고 싶어 안달하자 참모들이 달래어 점잖게 물러나도록 하느라 애를 먹었다고 할 정도였단다.

시황제는 혼자고 궁녀들은 많으니, 자연히 궁녀들 간의 시샘과 쟁탈전이 많을 수밖에 없었다. 밤이면 시황제는 아방궁 뒤뜰을 소달구지로 누비고 다녔다. 소가 끄는 대로 덜컹거리며 누비고 돌다가 소가 멈추는 그곳의 궁녀와 밤일을 즐겼단다. 그래서 시황제의 총애를 받고자 애심초사하던 한 미녀는 한 가지 계교를 썼다고 한다. 소를 키우고 다루는 벼슬아치에게 뇌물을 주고 소에게 소금기가 전

가무승평(歌舞昇平) : 진시황이 6국의 미녀들을 모두 불러서 연회연에서 즐기는 모습.

혀 없는 먹이만을 먹이고 키우도록 간계를 썼던 것이다. 그리고는 자신의 방문 앞에 밤이면 소금을 한 줌 뿌려 놓았다고 한다. 아니나 다를까 아방궁 뒤뜰을 거닐던 소가 소금에 굶주리던 끝에 그곳에 멈춰 서서 소금을 핥기 시작했다고 한다. 당연히 시황제는 그곳에서 내려 그 궁녀와 하룻밤을 지냈고, 다음날 밤도 또 그 다음날 밤도 시황제는 소가 이끄는 대로 그 궁녀와 지내게 되었다고 한다.

그러나 소가 멈춘다고 시황제의 속마음마저 머물 수는 없을 터였다. 시황제를 옴짝달싹 못하게 묶어놓고 녹여낼 묘책은 없을까? 그래서 생긴 약이 「시황동녀단(始皇童女丹)」이다. 이 약을 솜에 싸서 질 속에 삽입하여 동녀들 질처럼 수축력 있게 만들면서 점막의 충혈을 꾀하여 정감을 풍부하게 했다는 약이다. 이렇게 해서 황제를 옭

아매어 총애를 독차지하려 했던 것이다.

이와 비슷한 약이 《옥방지요》라는 책에도 나온다. 비단주머니에 싸서 옥문 속에 넣거나 혹은 이 약을 끓여 그 온탕으로 뒷물하는 처방인데, 20여 일만에 12~13세의 소녀의 것같이 된다는 묘약이다. 《의심방》이라는 의서에는 「여의단(如意丹)」이라는 처방이 나오는데, 사용법만 다를 뿐 효과는 같다는 것이다. 즉 이 약을 가루 내어 남근에 바르고 교접하면 여성의 질이 긴장하고 묘한 자극이 점증되어 꽃즙이 절로 흐른다는 묘한 처방이다.

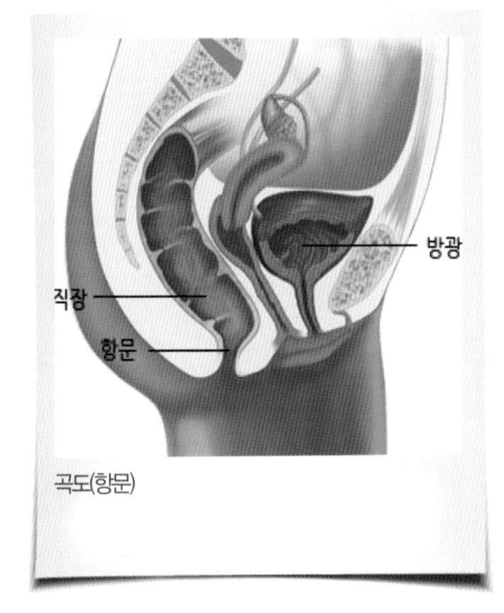

곡도(항문)

이런 약물들을 미약(媚藥)이라고 한다. 즉 미약은 욕정을 일으키는 신비로운 약효가 있다는 약물을 가리킨다. 미약은 마치 독버섯의 예쁜 색깔에 빨려 생명을 잃는 어리석음과 진배없는 약이다.

「시황동녀단」을 비롯해 항간에서 쓰고 있는 토란즙 등 거의 모든 미약들은 유해하다. 여성 생식기질환을 비롯하여 극히 위험한 갖가지 질병의 요인이 되는 것들이다. 절대로 해서는 안 되는 것들이다.

그렇다면 미약을 쓰지 않고도 질의 수축력을 높이는 방법은 없을까? 미약보다 곡도 긴장법을 꾸준히 습관화하는 것이 바람직하다.

'곡도'는 이름 그대로 '곡식이 나오는 길'이다. 즉 항문이다. 그러니까 곡도 긴장법은 항문 괄약근을 긴장, 수축시키는 운동법이다.

예로부터 건강을 증진시키는 열 가지 방법이 전해져 오는데, 그 중 하나가 곡도 긴장법이다. 항문을 조였다 풀었다 하기를 반복하는 것이다. 그냥 조였다 풀었다 하는 것이 아니라 조일 때도 천천히 조이고, 다 조였으면 항문을 수축 상태에서 유지시켜야 한다. 힘을 주는데도 항문이 금방 풀어질 것 같아도 참아야 한다. 참을 대로 참으면서 항문에 힘을 주어 수축 상태를 유지시켰다가 풀어 준다. 풀 때도 순간에 확 풀면 안 된다. 조일 때 그랬던 것처럼 풀 때도 천천히 조금씩 풀어 주어야 한다. 어느 곳, 어느 때든 상관 않고 한다. 더운물을 세숫대야에 담아 놓고 엉덩이를 푹 담근 채 하면 더 좋다. 배가 부를 때 하지 말고 속이 꺼진 때에 하면 좋고, 대변이나 소변을 본 상태에서 하면 더 좋다.

곡도를 긴장하면 질이 수축이 된다. 그러니까 시쳇말로 예쁜이 수술한 것보다 효과가 더 있다는 것이다. 물론 방광도 수축한다. 그래서 오줌소태가 잦을 때 이 운동을 습관화하면 아주 좋다. 소변이 잦은 경우에도 좋다.

여성뿐 아니라 남성에게도 좋다. 야간빈뇨가 있는 남성, 전립선에 이상이 있는 남성, 조루증이 심한 남성이라면 꼭 권하고 싶은 운동법이다. 신기하게도 곡도를 긴장시키면 고환이 위로 치켜져 올라온다. 그래서 곡도 긴장법은 남성의 남근을 근원적으로 강화시키는 정력 강화의 묘법으로 알려져 오며, 회춘의 비법으로 알려져 오고 있다.

초왕과 질투 인상

옛날 얘기다. 중국의 춘추전국시대, 이합취산이 하늘의 구름만큼이나 변덕을 부려 한 치 앞도 장담할 수 없는 때였으니 힘만이 믿을 수 있을 뿐이었고, 힘을 기르자면 이웃나라와 우의를 다질 수밖에 없는 때였다. 위왕(魏王)도 그럴 수밖에 없었다. 그래서 강대국인 초왕(楚王)에게 여자를 선물했다. 미녀 한 명이 천군만마보다 큰 위력이 있음은 역사가 증명하는 바였으니 선물치고는 최상의 적절한 선물이었다.

중국 서주에 있는 초나라 왕의 동상.

아니나 다를까. 초왕은 이 미녀에게 빠졌고, 위왕은 이 미녀로서 나라의 안녕을 누릴 수 있었다. 그런데 문제가 생겼다. 초왕이 이 미녀의 미색에 미혹되어 오로

〈의자에 앉아 까치를 바라보는 여인 – 북경 고궁 박물관 소재〉 뒤에 보이는 것은 장수를 뜻하는 여러 가지 문자들. 여인은 궁정 생활에 행복해 보이지만, 동시에 갇힌 삶의 우수를 암시하기도 한다.

지 총애를 다 쏟자 초왕의 왕비 심사가 편할 수 없었다. 왕비는 현명하다 할까, 교활하다 할까. 이글거리는 질투와 분노를 드러내지 않고 초왕이 총애하는 이 미녀를 극진히 귀여워하였다. 속마음을 알 길 없는 이 미녀는 자신을 귀여워해 주는 왕비에게 고마움을 지니게 되었고 호감을 품게 되었다. 둘 사이는 더없이 가까워졌고 허물없는 사이가 되었다. 이때 왕비가 이 미녀에게 귀띔해 주었다. '대왕이 네 코를 제일 싫어하니 대왕을 뵐 때마다 코를 가리는 것이 좋을 거야'라고. 이 미녀는 크게 감사하고 감동하였다. 그 뒤부터 이 미녀는 초왕 앞에 나설 때마다 언제나 코를 가리게 되었다. 별일이다 싶었지만 초왕은 흘려 넘겼다. 그러던 어느 날, 초왕을 만난 왕비가 큰 비밀을 일러주듯 짐짓 이렇게 아뢰었다. "그 애는 대왕마마의 몸에서 나는 냄새가 싫다고 코를 가린대요" 라고. 초왕이 분노하였다. 당장 그 미녀를 붙들어 와 코를 베어 버리게 했다.

한편 우리나라는 예부터 본처가 첩을 질투하여 첩이 신는 베신이나 갖신의 코를 잘라오게 하는 무술적인 방법이 있었다. 잘라온 애첩의 신코를 태워 그 재를 남편에게 몰래 먹이면 사랑이 되돌아오고, 그 첩은 저주를 받아 앓아눕게 된다고 생각했던 것이다.

눈썹이 짧고 가늘며, 턱이 빠져 하관이 빠르고 비교적 콧방울에 살집이 적고 콧구멍이 크면 질투하는 타입이다.

원래 사랑과 질투는 안팎 관계라고들 한다. 밝고 건강하게 표현될 때 사랑이 되는 것이며, 그것이 어둡고 불건강하게 나타날 때 질투와 증오가 된다는 것이다. 그래서 사랑은 항상 진정한 질투로 해서 성장한다고들 말한다. 그러나 질투는 진정한 사랑의 표시가 아니고 오히려 병적 성향의 감정이다.

질투가 강한 부모 앞에서 자란 아이들이 자라면 역시 질투심이 강한 사람으로 그 반응을 나타낸다. 그래서 혼인할 때엔 그 가문을 중시해야 하는 것으로 가르쳐 왔으며, 아울러 후덕한 인상을 고르라고 예부터 일러왔다. 일반적으로 질투심이 강한 여자는 눈썹이 짧고 가늘며, 미간이 좁으며, 미간에 푸른빛이 감돈다. 눈썹 끝과 귀 사이에 도 푸른 핏줄이 보일 때가 많다. 입이 크고 치아 끝이 다소 뾰족하다. 턱이 빠져 하관이 빠르며, 뒤통수 복판의 살집이 좋지 않다. 뒤통수가 튀어나왔으면 화증을 겸한 질투가 심하고, 뒤통수가 빈약하면 울증을 겸한 질투가 심하다. 그러니까 뒤통수가 튀어나왔으면 불같이 화내고 때려 부수며 질투하고, 뒤통수가 빈약하면 우울해져서 말도 안하고 질투하는 타입이다. 머리카락은 검지 않고 붉은빛이 감돈다. 콧구멍이 넓고 코끝이 좁으며 콧방울에 살집이 적다.

이마가 좁은 편이지만 꼭 그런 것은 아닌데, 이마가 반반한 것 같지만 만지면 울퉁불퉁한 편이다. 광대뼈가 유달리 튀어나와 있거나 아니면 지나치게 움푹하다. 손가락이 가늘고 길다. 손바닥도 얇다. 손톱도 짧고 작다. 마치 물어뜯은 손톱처럼 손톱이 위축되어 있다. 손톱이 연분홍으로 곱지 않고 푸르거나 검은빛이 돈다. 손톱이 질기고 줄무늬도 많다. 그리고 혀가 부은 듯 입 안 가득하고 번들거린다.

질투심이 강할수록 피로를 많이 느낀다. 항상 나른해 한다. 손발이 저리고 손발에 땀이 고이기도 한다. 어깨가 굳는다. 눈이 뻑뻑하다. 머리가 무겁거나 어지럽다. 입이 쉽게 마르며, 항상 가슴에 열이 맺힌 듯 답답하다. 얼굴에 열이 달아오르는 느낌이 잘 들며, 걸핏하면 아랫배가 살살 아파오고, 대변 상태도 안 좋다.

그러나 이런 모양이 아닌데도 질투의 화신인 여자들도 많다. 질투는 생김새에서 오는 것이 아니라 마음에서 오며 병적 심성이기 때문이다.

팽생과 골병

중국의 춘추전국시대, 군웅이 할거하던 이 시대의 제(齊)나라 14대 양공(襄公) 때의 이야기이다.

양공은 태자 시절부터 여동생 문강(文姜)과 근친상간을 즐기던 인물이다. 물론 여러 여인을 통해 수많은 아들을 두기도 했다. 그 많은 아들 중에 팽생(彭生)이라는 아들은 힘이 엄청났다고 한다. 가공할 힘으로 맹수를 껴안아 조여서 갈비뼈를 부러뜨려 죽일 정도였다고 한다. 부러진 갈비뼈가 폐를 찔러 즉사케 했다는 것이다.

여동생 문강과 근친상간을 즐기는 양공.

어느 날, 양공의 여동생 문강이 15년 만에 고향 제나라로 남편과 함께 다니러 왔다. 그동안 문강은 노나라로 시집을 갔던 것인데, 친정에 들른 문강은 오빠 양공과 또다시 근친상간을 즐겼다. 그러다가 남편에게 들켰고, 노발대발한 남편은 문강을 버려두고 가겠노라고 했다. 양공은 아들 팽생을 불러 문강의 남편을 손보게 했다. 팽생은 화해의 술자리를 베풀고는 그 자리에서 문강의 남편을 간단히 해치웠다. 맹수를 껴안고 조여서 갈비뼈를 부러뜨린 수법을 쓴 것이다.

노나라 수행원들은 이런 사정을 알 리 없으니 주군이 여행의 피로와 과음으로 급사한 것으로 알았다. 그러다가 타살이라는 정보를 접하게 된 노나라 수행원들은 자세히 시신을 검안해 보았다. 그 결과 타살임을 밝혀냈다.

당연히 노나라는 화났고 전쟁도 불사할 태세였다. 다급해진 양공은 범인으로 지목된 팽생을 죽일 수밖에 없었다. 천하장사 팽생은 이렇게 제 아버지로부터 이용당했고, 제 아버지 손에 죽었다.

갈비뼈는 골절될 때가 간혹 있다. 팽생의 짓처럼 직접적인 외력에 의해 골절되기도 하고, 그렇지 않은 경우도 있다. 즉 간접 외력이나 근수축 등에 의해서도 생길 수 있다. 12개의 갈비뼈 중 주로 제4~제9갈비뼈의 골절이 일어나기 쉽다. 골절 부위의 통증, 변형 및 흉벽동요나 기이호흡 등이 나타나며 흉막이나 폐 손상 또는 흉부와 복부의 내장 손상이 합병될 수 있어 주의해야 한다.

참고로 뼈의 병, 즉 골병에 대해 《동의보감》을 살펴보기로 하자.

《동의보감》은 《황제내경》이라는 의서를 인용하여 "신장은 뼈를 주관한다"고 하였다. 신장 경맥이 속으로 운행하여 골수를 영양하여 준다고 하면서 "뼈는 골수가 저장되는 곳이다. 골수는 음식물의 정기이다. 골수가 비면 뼈가 허약해지는 것은 당연하다"고 하였다. 이렇게 되면 오래 서 있지 못하고, 걸을 때 후들후들 떨린다고 했는데, 골수가 비어 뼈가 허약해지면 골절도 쉽게 일어날 수밖에 없다. 뼈가 마르고 골수가 줄어드는 것을 '골위(骨痿)'라 한다. 뼈가 시린 경우도 있고, 뼈가 뜨겁고 치아가 마르는 경우도 있다. 여하간 골병이 들면 귀가 마르면서 때가 낀 것같이 된다.

《동의보감》에는 골병에 좋은 단방, 또는 골수를 보하고 뼈를 강하게 하는 데에 효과 좋은 단방을 14가지 소개하고 있다. 그 중에 가정에서 손쉽게 할 수 있는 것으로는 지황, 우슬, 석곡, 오미자, 지골피, 별갑, 녹용 등이 있다.

지황은 피를 보하는 보혈제인데 골수를 보하는 데는 생것보다 술

숙지황

우슬

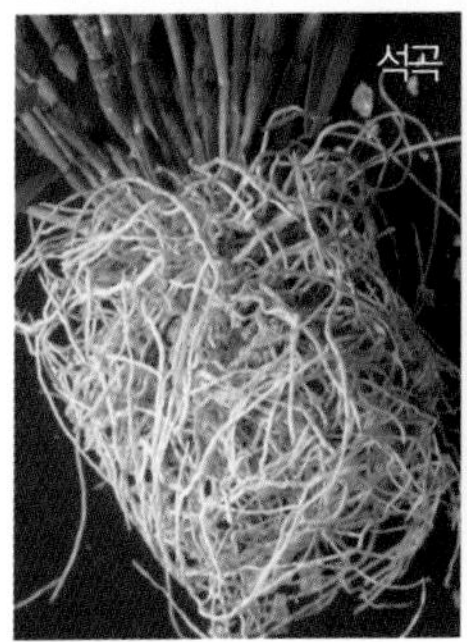
석곡

오미자

지골피(구기자나무의 뿌리껍질)

별갑

녹용

에 찐 것이 좋다. 이를 숙지황이라 한다. 우슬은 소의 무릎처럼 생겼다 해서 '쇠무릎지기'라 불리는 약초다. 골수를 보하는데 무릎이 시큰거리고 아플 때도 좋다. 지황이나 우슬은 달여 먹거나 알약을 만들어 먹거나 술을 빚어 먹거나 한다.

석곡은 뼛속이 오랫동안 차고 약한 것을 치료하는데, 알약을 만들어 먹거나 달여 먹는다. 《동의보감》에는 "오랫동안 먹으면 뼈가 영영 아프지 않게 된다"고 했다.

오미자나 지골피(구기자나무의 뿌리껍질)도 잘 알려진 약재다. 오미자는 힘줄과 뼈를 튼튼하게 하고, 지골피는 뼛속이 뜨거운 데 효과가 있다. 차로 달여 수시로 마신다.

별갑은 자라의 등딱지인데 노랗게 구워 가루를 내어 한 번에 4g씩 술로 먹는다. 자라고기는 국을 끓여 먹는다. 뼛속이 뜨거울 때 좋다. 녹용도 별갑처럼 구워서 가루를 내어 술에 타 먹는다. 힘줄과 뼈를 튼튼하게 한다.

함풍제와 사디즘

함풍제(咸豊帝)는 나이 서른을 갓 넘기고 죽은 청나라의 제9대 황제다. 문종 현황제(文宗顯皇帝)라 불리는데, 문종은 묘호이며, 현황제는 시호다. 휘는 혁저(奕詝)다. '혁저'는 크다, 아름답다, 슬기롭다는 뜻이다. 그러나 그의 본명의 원대한 뜻과는 달리 그는 슬기롭기는커녕 우둔했고, 괴짜였고, 고작 열한 해밖에 안 되는 재위기간 중 청나라 역사상 가장 다사다난함을 겪으면서 나라를 멸망의 길로 이끄는 역할밖에는 못했던 인물이었다.

함풍제(咸豊帝 ; 1831년 7월 17일~1861년 8월 22일)는 중국 청 왕조의 제9대 황제(재위 1850년~1861년). 휘는 혁저(奕詝), 묘호는 문종(文宗).

청나라는 여진족이 세운 나라다. 다섯 족속으로 흩어져 힘을 잃은 채 명나라에 복속되어 있던 여진족은 창바이 산맥[長白山脈] 지역에 살던 건주여진의 누르하치에 의해 통일되고, 누르하치는 팔기(八旗)라는 독특한 군대관료 조직을 이끌고 1618년 명나라를 침공했다. 그러나 누르하치는 대업을 이루지 못한 채 전쟁 때 입은 상처로 죽고, 그의 아들 도르곤 때에 이르러 명나라를 멸망시키고 베이징에 왕조를 세웠다. 청나라다. 때는 1644년, 누르하치의 거사 후 26년 만이었다.

이후 청나라는 순치제, 강희제, 옹정제, 건륭제를 거치며 괄목할 발전을 했다. 경제는 극에 다다랐고, 문화는 찬란히 꽃 피었으며, 영토는 중국 역사상 가장 확장되었다. 이렇게 하여 드디어 제9대 황제 함풍제의 시대에 이르렀다.

효정현황후(孝贞显皇后 ; 1837년 8월 20일~1881년 4월 8일)는 함풍제의 두 번째 황후. 동태후(东太后)나 자안황태후(慈安皇太后)로 알려져 있다. 그녀의 처소가 자금성 동쪽에 있었다 하여 서쪽에 거주한 서태후와 대비되어 동태후로 불렸다.

함풍제의 아버지 도광제의 아들은 제2계후 소생인 혁저를 비롯해서 서후 소생의 혁강(奕綱), 혁계(奕繼), 혁흔(奕訢) 등 아홉이 있었다. 아홉 아들 중 네 번째 아들이 혁저인데, 적자여서 당연히 후계자가 될 터였다. 그러나 세간의 평판은 여섯 번째 아들인 공친왕(恭親王) 혁흔이 영민하다고 알려져 있었고, 아버지 도광제 역시 그런 생각이었다. 그래서 도광제가 병석에 눕자 후계자를 정하기 위해 혁저와 혁흔, 두 아들을 불렀다고 한다. 도광제의 의중도 혁흔에게 많이 기울어져 있었다는 징조다. 그러자 당황하게 된 것은 혁저 측이었다. 국사에 대해 논하면 똑똑한 혁흔과 달리 혁저는 변변히 말을 못할 것이 뻔하고, 그렇게 되면 후계자 자리를 놓칠 게 뻔했기 때문이다. 그래서 혁저의 사부는 꾀를 짜냈다. 황제가 뭘 묻든지 아무 말도 하지 말고 그저 눈물만 펑펑 흘리면서 황제의 병세가 이토록 극중하니 다 자식인 자신의 잘못이라고 울기만 하라고 했단다. 과연 이 작전은 성공했다. 혁저의 눈물 어린 효심에 도광제의 마음이 움직여 혁저를 후계자로 낙점했다. 그렇게 해서 혁저는 20세 나이에 즉위하게 되었고, 이 새 황제가 바로 함풍제, 즉 문종이다.

서태후(西太后 ; 1835년 11월 29일~1908년 11월 15일)는 함풍제의 세 번째 황후. 동치제의 생모이자 광서제의 이모. 일명 자희태후(慈禧太后), 노불야(老佛爺)라고 지칭.

허약하고 유약하며 슬기롭지 못한 함풍제는 홍수전(洪秀全)이 일으킨 태평천국의 난과 제2차 아편전쟁이라는 내우외환 속에서도 향락을 일삼았다. 결국 영국군과 프랑스군이 베이징에 침입하자 러허

동치제(同治帝, 1856년 4월 27일~1875년 1월 12일)는 중국 청 왕조의 제10대 황제(재위 1861년~1875년)이다. 휘는 재순(載淳) 동치(同治)는 그의 연호이며, 14년 동안 서태후가 집권.

[熱河]의 이궁으로 피난한 함풍제는 그곳에서 병사하였다.

함풍제의 계후는 자안(慈安) 황태후, 즉 동태후(東太后)다. 그리고 서후는 자희(慈禧) 황태후, 즉 서태후(西太后)이다. 함풍제가 죽자, 서태후는 이때부터 섭정에 나섰다. 여섯 살 된 아들을 즉위시켰는데, 목종(동치제)이다. 이때 청나라는 잠시 안정을 찾았으며, 이를 '동치중흥'이라 한다. 그런데 목종이 급사했다. 그러자 서태후는 자신의 여동생이 함풍제의 이복동생인 혁현(奕譞, 醇賢親王)과의 사이에서 낳은 아들인 조카를 즉위시켰다. 네 살짜리 이 황제는 서태후에 의해 훗날 유폐 당했는데, 덕종(광서제)이다. 서태후는 이렇게 해서 47년 동안 실권을 쥐락펴락했다. 그러나 이 여걸도 죽음을 맞게 되었다. 서태후는 덕종(광서제)의 이복동생인 순친왕(醇賢王)의 아들 푸이(溥儀)를 새 황제로 정하고, 그 다음날 죽었다. 태어난 지 2년 10개월밖에 안 되어 황제에 오른 이 푸이가 청나라의 마지막 황제인 선통황제(宣統皇帝)다.

이렇게 해서 누르하치에 의해 둥지를 틀고 현군의 연이은 등장으로 번영하던 청나라는 함풍제 때부터 걷잡을 수 없이 기울더니 기어코 푸이를 끝으로 역사에서 사라지고 말았다.

함풍제, 그의 야사 한 토막을 읽어보자.

당시 모피상 황아계(黃阿桂)라는 사내가 있었다. 아내의 볼기를 때림으로써 성적 쾌감을 얻고 있던 사내였다. 그의 아내 벽왕(碧王)도 결혼 석 달 동안 반복되는 가해에 어느덧 익숙해지고 역시 쾌감을 얻고 있었다. 벽왕은 그 뛰어난 미모 때문에 함풍제에게 끌려온 몸이 되었는데, 황제는 모피상 황아계의 흉내를 내어 침상에 늘어뜨린 흰 천으로 벽왕의 발목을 벌려 묶고 엉덩이가 들릴 정도로 높직하게 매달고는 새빨간 핏자국이 나도록 힘껏 매질을 하곤 했다. 그러면서 함풍제는 새로운 사디즘의 쾌감을 음미하게 되었다고 한다.

사디즘은 분명 병이다. 그러기에 함풍제도 병자다. 그리고 한쪽이 사디즘이면 다른 쪽에는 마조히즘이 자연히 형성된다는 이론처럼 마조히즘 역시 병이고, 따라서 모피상 황아계의 아내 벽왕도 역시 병자다.

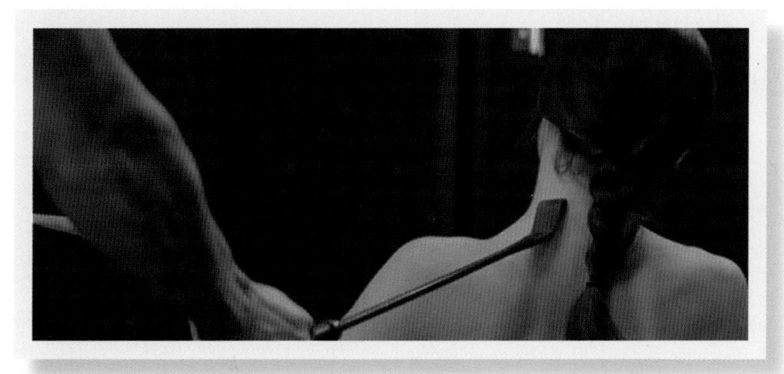

영화 〈그레이의 50가지 그림자〉 중 사디즘을 그려낸 내용 스틸컷

허균과 삽주

살인강도 사건이 조령 험난한 길목에서 일어났다. 광해군 때 나라를 온통 뒤흔든 이 사건은 조령을 넘던 상인을 죽이고 은자 수백 냥을 털어 도주한 사건이었는데, 놀라운 것은 범인들이 소위 식자인 문장가들이었다는 점이요, 또 명문가의 자제였다는 점이다. 다만 그들은 명문가의 자제였으나 '아버지를 아버지라 부를 수 없는' 서자들이었다. 그래서 그들은 소외감을 느껴 여주 강변에서 공동생활을 하면서 부조리한 사회를 개혁하

허균(許筠 ; 1569년 12월 10일(음력 11월 3일)~1618년 10월 12일(음력 8월 24일))은 조선 중기의 문인으로 학자이자 작가, 정치가, 시인.

고자 하였다. 그들은 자금을 마련하여 쿠데타를 시도하려고 살인강도 사건을 저지른 것이었다.

그러니 이 사건은 엄청난 파장을 불러올 수밖에 없었고, 일망타진의 철퇴를 맞았다. 이 과정에서 허균(許筠)도 동참했음이 밝혀졌다.

허균, 그는 열 살 무렵부터 '신동'으로 불리던 불세출의 천재였다. 허난설헌(許蘭雪軒)과 함께 오누이가 다 천재였다. 그러나 허균, 그는 시대의 반역아요 이단자였다. 유교사회에서 불교를 숭상했던 그는 신분타파의 혁명을 꿈꿔 왔다. 조령 살인강도 사건의 주모자 서양갑을 키웠던 것도 그였고, 무사와 승려까지 규합하고 민심교란 작전을 주도했던 것도 그였었다. 그러나 시대는 그를 받아들이지 않았고, 그래서 결국 그는 죽임을 당했고, 이로써 그의 신분타파 혁명은 실패로 끝났다. 한마디로 불우한 천재 괴짜였던 셈이었다.

교산(蛟山) 허균은 동인의 거두였으며 세도가 등등했던 허엽(許曄)의 아들로 태어났기 때문에 어릴 적부터 유성룡을 비롯해서 명문 양반집 자제들과 어울리며 부러울 게 없이 자랐다. 그러다가 이달(李達)에게서 글을 배웠다. 이달은 손곡(蓀谷) 땅에 묻혀 살던 이인(異人)이었다. 오언절구에 뛰어났던 이 괴짜 기인의 시를 허균은 한마디로 '청신아려(淸新雅麗)'하다고 평했다. '맑고 새롭고 우아하고 곱다'는 뜻이다. 그런데 허균은 이런 이달로부터 글만 배운 게 아니었다. 서자들의 울분도 배우게 되었던 것이다. 이달이 서자 출신이었기 때문이었다. 허균의 타고난 자유분방한 기질에 사회의 부조리에 반항하는 불길이 치솟았다. 유교를 숭상하고 예교(禮敎)를 중시하는 사회인데도 군수 신분에 관아에 부처를 모시고 염불을 하는가 하면 어머니의 상중인데도 고기를 먹고 기생을 끼고 놀았고, 핍박받는 서자나 불우한 문사나 세상에서 버림받은 자들이나 승려, 무사들과 어울려 노래를 부르고 술로 나날을 지냈다. 그러다가 조령 살인사건에 연루되고, 그래서 결국 죽임을 당한 것이었다. 이때 허균의 나이 쉰 살이었다.

허균의 대표작은 《홍길동전》이다. 그리고 《도문대작(屠門大嚼)》도 그의 걸작이다. 잘 안 알려진 글도 있는데 〈임노인 양생설〉이라는 수필 형식의 짧은 글도 있다. 허균은 생전에 강원도 일원을 떠돈 적이 있었는데, 이때 한 노인을 만났고, 이 노인으로부터 장생의 비결을 들은 적이 있어, 그 내용을 적은 글이 바로 〈임노인 양생설〉이라는 글이다. 이 글에 임씨라는 노인이 장수했던 비결 몇 가지가 밝혀져 있는데, 그 중 하나가 임씨 노인이 삽주를 즐겨 먹고 건강하게 오래 살 수 있었다는 내용이다.

삽주, 삽주 뿌리

삽주는 바로 그런 장수의 묘약이요, 강정의 비약이다. 《신농약경》에 장생하려면 마땅히 이것을 먹어야 한다고 했을 정도다. 삽주는

'하늘의 정령(천정)'이니 '산의 정령(산정)'이니 하고 불리는데, 신선들이 즐겨 먹었다 해서 '선출'이라고도 불린다.

지골피(구기자나무 뿌리껍질)

오디

삽주는 국화과에 딸린 여러해살이풀이다. 여린 잎은 아주 향긋하고 맛이 좋아 나물로 무치거나 국, 쌈 등으로 조리하여 먹으면 일품이다. 뿌리는 쌀뜨물에 반나절 가량 담갔다가, 다시 쌀뜨물을 갈고 하루 동안 담근 다음 차로 끓여 마시거나 가루 내어 복용한다. 만성 위장병이나 소화불량, 설사, 복통 등에도 좋다. 삽주뿌리와 인삼, 오미자를 배합하면 무기력증의 회복에 좋다. 《동의보감》에는 「삼정환」이라는 처방이 있는데 삽주뿌리와 지골피, 오디, 이렇게 세 가지 약재로 만든 것이다. 장복하면 몸이 가벼워지고 연년익수하며, 얼굴빛도 어린아이와 같아지며 눈의 피로가 풀어진다고 했다.

홍수전과 연꽃

예수 그리스도의 동생이라는 자가 있었다. 여호와의 둘째아들이라고 자칭했던 이 사람은 청나라가 멸망의 길로 치닫던 때의 풍운아였던 홍수전(洪秀全)이다. 그는 여러 차례 과거에 낙방하여 벼슬길이 막연하던 처지가 되자 중국 고유사상에 기독교를 접목시켜 비밀조직을 결성하였고, 자신을 예수 그리스도의 동생이라고 주장했다. 그가 결성한 비밀결사는 '상제회(上帝會)'였다. '상제'는 하느님이니, 곧 기독교적 기치를 내건 비밀결사였다.

홍수전(洪秀全 ; 1814년 1월 1일~1864년 6월 1일)은 청 대 종교가, 혁명가. 태평천국(太平天國)을 건국.

청나라는 부패할 대로 부패했고, 아편전쟁 이후 열강의 탐욕은 더욱 기승해 갔다. 연이은 가뭄 등의 천재지변으로 유랑민이 들끓는 상황이 되자 비밀결사의 하나였던 백련교도들이 난을 일으켰듯이, 홍수전 역시 상제회를 이끌고 멸만흥한(滅滿興漢) - 즉, 만주족 청국을 타도하고 한족을 부흥하자 - 을 부르짖으며 난을 일으켰다. 3,000여 명으로 광시성에서 발기하여 태평천국의 기틀을 마련한 홍수전은 북상하여 여러 성읍을 격파했다. 양자강을 따라 수백 척의 배로 진격하며 곳곳을 점령하여 결국 난징을 수도로 정해 자리 잡고 베이징 함락을 목전에 둘 정도였다.

태평천국의 홍수전 삽화도.

하비죽

이제 남자 병사가 180만여 명, 여자 병사가 30만 여 명에 이르자 홍수전은 모세의 십계명처럼 '천조십관'이라는 것을 만들어 이 거대한 조직을 운영하기도 했다. 그러나 열강의 의용군까지 합세한 진압군에 의해 홍수전의 꿈은 좌절되었다. 결국 홍수전은 자살로 생을 마감했다.

풍운아 홍수전, 전해오는 말에 의하면, 그는 절대절륜의 정력가였다고 한다. 수많은 여성을 거느리고도 지칠 줄 몰랐다고 한다. 그 비결은 어디에 있었을까? '하비죽'을 즐겨 먹었기 때문이라고 한다. 연잎으로 만든 죽이 하비죽이다.

이름난 정력제가 수두룩하지만 연꽃만한 것이 없다 싶을 정도로 연꽃의 모든 것은 대단한 정력제다. 잎을 비롯해서 꽃, 열매, 뿌리 등 어느 것 하나 버릴 것이 없다.

연꽃의 잎을 하엽이라 하고, 잎 꼭지를 하엽체 또는 하비라고 한다. 그러니까 홍수전이 즐겨 먹고 정력을 키웠다는 '하비죽'은 연잎은 물론이지만 잎꼭지를 함께 넣어 만든 죽인 것이다. 잎꼭지는 쓰며, 열기나 습기도 내리고 지혈도 시킨다. 연잎도 잎꼭지와 효능이 같다. 그러나 맛이 쓰면서도

연잎과 연꽃

연꽃 수술과 연꽃씨방

연꽃씨

떫다. 그러니까 수렴 작용이 더 강하다. 그래서 출혈성질환 때 지혈도 잘 시키고 고지혈증을 개선하며 조루증이나 몽정을 수렴시키는 효과가 크다. 잎이나 잎꼭지를 씻어 말려 차로 끓여 마시거나 가루내어 먹거나, 혹은 가루 낸 것을 쌀과 함께 죽을 쒀 먹어도 좋다.

연꽃 꽃봉오리도 약효가 있지만 꽃수술의 강정 작용은 놀라울 정도다. 꽃수술을 연화예 또는 연화수라고 하는데, 맛이 달면서 수렴 작용이 크다. 마음을 편케 하며 비뇨생식기 기능을 견고하게 한다. 그래서 생각만 해도 정액이 흘러내리거나 부부관계를 하면 금방 사정하는 경우, 혹은 소변이 잦고 급박뇨의 증세가 있는 경우에 아주 좋다. 물론 수렴 작용이 있기 때문에 각종 출혈질환이나 대하증에도 도움이 크다.

연꽃씨, 즉 연밥을 연자 또는 연육이라고 한다. 맛이 달고, 역시 수렴 작용이 있다. 신경안정 효과가 있어서 괜히 가슴이 뛰고 잠을 잘 이루지 못하며 불안, 초조, 우울할 때 좋다. 조루, 몽정 등에 좋으며, 신경이 약해서 오는 성신경쇠약증에 좋다. 비위도 돕는다. 따라서 소화도 잘 되게 하고 대변도 좋게 하기 때문에 평소에 야위고 소화가 덜 되고 장이 약하며, 입맛도 별로 없고 늘 피곤해 하며 만사에 의욕이 없고, 걸핏하면 우울해지고 잠도 잘 이루지 못하면서 성욕도 저하되거나, 혹은 성욕이 이상항진 되지만 쾌감

연자육(껍질 벗긴 연꽃씨)

연뿌리(연근)

연잎차

연뿌리생즙

이나 성교의 질이 떨어져 만족스럽지 못한 남성의 강정제로 쓰면 좋다.

연꽃씨의 겉은 붉은 껍질로 덮여 있다. 이 껍질을 벗겨내면 하얀 알갱이가 나온다. 이것을 반으로 가르면 속에 파란 심이 보인다. 이 심을 빼내어 버린다. 이렇게 손질한 연꽃씨를 쌀과 같은 비율로 배합해서 하룻밤 물에 담갔다가 아침마다 믹서에 갈아 죽을 쒀 먹는다. 맛은 약간의 소금으로 내고, 뜨거울 때 먹는다.

한편 연뿌리도 좋으니 조림을 해 먹어도 되지만 생뿌리를 오렌지주스 등과 함께 믹서에 갈아 한 잔씩 연꽃씨로 만든 죽을 먹은 후 마시면 금상첨화의 정력제가 된다.

휘종과 개미취

휘종(徽宗)은 금나라의 공격을 받아 수도인 개봉이 함락되고 포로가 되어 북만주 벽지로 끌려가, 그곳에서 쉰네 살로 죽은 중국 송나라의 황제였다. 그가 죽기 전에 읊었던 시가 있다.

밤새도록 찬바람은 싸리문을 흔들고
쓸쓸한 외딴 방엔 등불마저 희미하네
고개 들어 바라보니 고국 땅은 삼천리
눈 빠진 듯 고대하는 소식은 묘연하네

휘종은 적지에서 한을 품고 죽었을 정도로 비운의 황제였으나 실로 그만큼 풍류를 알고 즐겼던 천자도 중국 역사상 별로 없었을 것이다. 휘종은 바둑·장기·글씨·그림·공던지기·제기차기·거문고·춤·노래 등 못하는 것이 없는 팔방미인이어서, 지금도 그의 어필인 〈비둘기와 복숭아〉라는 그림이 전해져 오고 있다. 당시에는 화원을 세워 예술가를 우대하였기 때문에 예술 전성시대를 이루기도 했다.

송휘종(宋徽宗 ; 1082년 11월 2일~1135년 6월 4일)은 북송의 제8대 황제(재위 : 1100년~1125년). 휘는 길(佶). 제6대 황제 신종의 아들이자 철종의 동생.

휘종 때는 의학의 전성시대이기도 했다. 유학자 출신의 유의(儒醫)가 출현한 것도 이때이며, 의학사에 기라성 같은 명의들이 많이 배출된 것도 이때다. 그 중 특히 양개(楊介)는 해부학을 연구하여, 그 해부학적 지식을 명당(경맥과 경혈을 그린 그림)과 대조해 가면서 새로운 연구를 시도했던 명의였다. 당시에는 사형수의 사체의 복부를 절개한 후 내장을 관찰하였으며, 의생과 화공으로 하여금 그 모양과 관찰 소견을 그림으로 그리게 하였는데, 양개는 그 그림을 일일이 교정하면서 연구하고 직접 체득한 지식을 전해져 오는 명당과 결부시켜 실증적이고 합리적인 경혈학 저서인 《존진환중도》를 저술했다. '존진'은 '(해부학적) 장부'를 의미하고, '환중'은 '경락'을 의미한다. 이밖에 휘종 때

휘종 황제의 작품 〈복숭아와 비둘기[桃鳩圖]〉

는 태의국을 국자감에 귀속시키는 등 정책적으로 여러 방면에서 의학 발전을 촉구하였으며, 후세에 길이 남는 《대관본초》라는 약물학 서적도 간행하였다. 이 약물학 서적은 대단히 세밀한 분류에 방대한 분량의 도해까지 곁들여 편집된 불후의 명저다.

휘종의 음악 사랑을 알려주는 그림. 나무 밑에서의 고금연주를 고관대작이 경청하고 있다.

'휘종' 하면 《수호지(水湖志)》가 떠오른다. 《수호지》는 중국 4대 기서 중 하나로 휘종 때 송강 이하 108명의 호걸이 산동성의 양산박에 모여 큰 사건을 일으킨 족적을 그린 소설이다. 이 소설에 등장하는 주요인물로 채경 나리가 있다. 그는 당시의 재상으로 16년 동안을 재임하면서 휘종 황제에게 아첨하고 사치를 권하여 나라를 궁핍에 몰아넣은 책략가였다. 그는 후일 국난을 초래케 한 여섯 괴수의 우두머리로 몰려 실각하고, 유형 도중 병사했다. 금은 10만 관을 긁어모아 채경에게 바친 양중서는 그의 사위였으며, 수호지의 두령 송강이 강주 땅에서 사형당할 뻔했을 때, 그곳 태수는 채경

《수호지(水滸誌)》는 중국 원나라 때 시내암(施耐庵)이 쓰고, 명나라의 나관중(羅貫中)이 다듬은 통속소설. 송(宋)나라 때의 도둑 송강(宋江) 등 108인이 산둥성[山東省] 양산박(梁山泊)에 모여 의(義)를 맹세하고 조정의 부패와 관료의 비행에 반항하여 민중의 갈채를 받는 이야기이다.

의 아들이었다. 이렇게 채경의 일족들은 모두 관록을 먹고 사치스럽게 살았다. 여하간 이 채경이 한때 복부가 팽팽해지면서 변비로 고생한 적이 있다고 한다. 이때 명의 사감(史堪)이라는 분이 진찰하더니, 약재를 준비하게 돈을 좀 달라고 했다. 필요하다고 청구한 액수가 너무 하잘것없어서 채경은 기가 막혔다. 10만 관의 금은을 선물로 받을 정도인 귀하신 몸을 치료하는데, 고작 거지에게 동냥으로 던져줄 그런 돈을 달라니 채경은 무시당한 것 같아 심히 화를 냈다. 그러나 명의 사감은 내색하지 않고, 그 돈으로 시장에 나가 '개미취'라는 약을 사다가 채경에게 주었다. 값싸고 하찮은 약 한 가지로 채경의 병은 쉽게 치료되었는데, 여기에 등장하는 사감이라는 의사가 바로 《지남방》이라는 의서를 지은 명의였다.

또 이런 일도 있었다. 휘종이 총애하는 여자가 가래가 끓고 기침을 하면서 잠을 못 이루고 얼굴이 쟁반처럼 부어오르며 고통을 겪을 때의 일이다. 휘종은 내의원의 이방(李昉)을 불러 3일 내에 완쾌시키지 못하면 주살을 면치 못하리라고 안달을 부렸다. 이방은 근심이 태산 같아 그날 밤 마누라를 붙들고 통곡을 하였다. 이때 밖에서 약장수의 소리가 들려왔다.

咳嗽藥, 一文一呫, 喫了, 今夜睡得!
(한 첩만 복용해도 당장 기침이 멎고
그날 밤부터 수월하게 잠을 잘 수 있다!)

이방은 지푸라기라도 잡을 요량으로 이 약을 사서 바쳤는데, 환자는 거짓말처럼 하룻밤 새에 쾌차했다. 이 약이 바로 '개미취'라는 약이었다.

채경(蔡京 ; 1047년~1126년)은 북송 말의 정치가, 재상, 서도가. 자는 원장(元長). 복건성 복주 출신. 《수호전》에 등장하는 4간신 중 한 명으로 묘사되고 있다. 송나라 역사의 〈간신전〉에 기록되어 있으며, 일반 간신이 아닌 요마의 취급을 받았다. 참수할 처형수들에게 줄 꽃을 항상 머리에 한 송이 꽂고 다녀서 '일지화(한가닥의 꽃) 채경'이라고 불린다.

그렇다면 휘종이 총애하는 여자의 기침병을 고친 '개미취', 그리고 채경의 변비를 고친 '개미취'는 과연 어떤 약일까?

'자완(紫菀)'이라는 약이다. 자완은 탱알의 뿌리다. 탱알은 엉거시과에 딸린 여러해살이풀인데 웬만한 어

개미취

른의 키보다 웃자라며 뿌리 잎이 더부룩하게 나고 여름부터 초가을에 걸쳐 아주 예쁜 푸른 자줏빛 꽃이 핀다. 일명 '반혼초'라고 불리듯 죽은 사람도 살린다는 약초다. 뿌리를 캐어 햇볕에 말려 약용한다. 자완의 '자'는 '자줏빛'을 말하며, '완'은 '유연하다'는 뜻으로 《동의보감》에도 자완은 "자줏빛이 나면서 눅눅하고 연한 것이 좋다."고 하였다. 약으로 쓸 때는 그냥 쓰거나 '밀자완'을 만들어 쓰는데, 자른 자완 4에 물 적당량을 섞은 정제한 벌꿀 1의 비율로 넣고 물이 약간 스며든 다음 약한 불에 끈기가 생기지 않을 정도로 볶은 다음 꺼내어 식힌 것이 「밀자완」이다.

자완은 폐를 보하고, 폐의 열을 내린다. 실험에 의하면 기도의 분비를 증가시켜 가래를 희석시켜서 각출을 용이하게 한다. 특히 항결핵 작용도 있고, 대장균을 비롯해서 여러 균에 대해 상당한 억제 작용이 있다. 또 인플루엔자 바이러스에 대한 억제 작용도 있다. 항암 작용, 이뇨 작용도 있다. 또 피부를 윤택하게 하며, 골수를 보충해 준다.

기침이 심하고 각혈까지 할 때는 자완과 오미자를 같은 양씩 배합해서 곱게 가루 내어 꿀로 반죽해서 알약을 만들어 입에 물고 녹여 먹는다. 폐결핵이나 만성의 기관지확장증일 경우에는 자완, 오미자 외에 패모, 아교 등을 함께 배합한다. 여성이 잔뇨 증세로 고통을 받는 경우에는 자완 한 가지만을 가루로 내어 1일 3회, 1회 4g씩 온수로 복용한다. 임신 중 기침이 심할 때도 자완을 넣은 처방을 쓸 정도로 자완은 무해무독한 약초다. 향기가 약간 있고, 맛은 쓴 데 약간 달기도 하고, 성질은 따뜻하다.

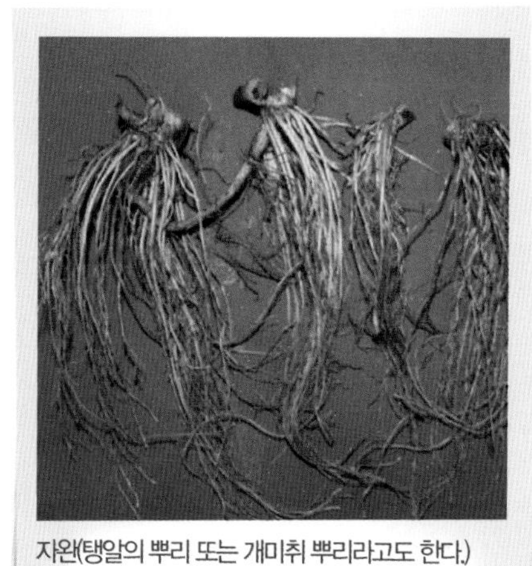

자완(탱알의 뿌리 또는 개미취 뿌리라고도 한다.)

오미자

패모

아교

곽재우와 신선음식
관운장과 꿈풀이
관중과 괴질
김수환과 인중
도산과 웃음건강
동방삭과 신비 베개
사마염과 댓잎
성종과 식체
세종대왕과 당뇨병
수양대군과 목욕법
숙종과 고구마
신립과 잉어
왕건과 환정법(還精法)
요 임금과 복부 마사지
원효와 밤
유비와 뚱뚱이증후군
유일한과 천식
유척기와 장수인상
이성계와 우황청심원
이순신과 땀
이원익과 산삼
이윤과 약식동원
이자겸과 굴비
이장곤과 더위
장량과 잘 사는 법
제갈량과 폐결핵
조조와 두통 베개
태종과 메뚜기
한무제와 목숙(苜蓿)
황희와 눈 보호

제2부

거인들의 호방천하

곽재우와 신선음식

임진왜란으로 국토가 유린당하고 애꿎은 백성들은 왜군들에게 무참히 죽음을 당했다. 겨우 목숨을 살렸어도 굶어 죽거나 창궐하는 전염병으로 죽어갔다. 온 나라의 참혹함은 차마 눈뜨고 볼 수 없을 정도였다. 곳곳에서 의병이 일어섰다. 사명대사가 승병을 이끌었고, 천하장사 김덕령 장군과 곽재우(郭再祐)가 이끄는 의병의 활약도 대단했다.

곽재우(郭再祐 ; 1552년 8월 28일~1617년 4월 10일)는 조선 중기의 무신, 정치인, 군인으로 임진왜란에서 크게 활약한 의병장.

곽재우는 왜병의 간담을 서늘케 했던 의병장이었는데 별칭이 '홍의장군'이다. 그는 붉은 옷을 입고 백마에 올라 그야말로 신출귀몰했던 하늘이 내린 장군이었다. 스스로도 '천강홍의장군(天降紅衣將軍)'이라 자칭하였는데, 그는 실로 명실상부한 위

엄과 문무를 겸비한 맹장이요 덕장이며 지장이었다. 말 한 필을 몰아 적진을 뚫는 용맹을 지녔으며, 사재를 털어 의병을 먹이고 입히며 감싸는 덕을 베풀었으며, 너무나 다양하여 측량키 어려운 전법으로 적진을 교란하고 섬멸시켰던 장군이었다.

2012년 2월, 한국조폐공사에서 '한국의 인물 시리즈 메달' 48차 주인공으로 곽재우 장군의 초상화를 앞면에, 장군의 자작시를 뒷면에 배치한 메달을 발행했다.

그의 전법은 때로 척후병을 활용하거나 위장전술을 펴는 등 매우 통쾌했으며, 매복 작전이나 유격전을 감행하는 등 매우 용감무쌍했다고 한다. 또 전승에 의하면 때로 유쾌한 전법도 구사했다고 한다. 곽재우는 바가지에 검은 옻칠을 하여 부하들에게 허리춤에 차고 다니게 하다가 어느 날에는 무쇠로 만든 바가지를 몇 개 버렸다고 한다. 왜병들이 이를 발견하고 들어보니 들기 어려울 만큼 무거워 어쩌면 이렇게 무거운 것을 허리에 차고 다닐 수 있느냐며 곽재우 부대를 겁내했다고 한다. 어느 때는 큰 상자를 버려둔 채 도망치니 왜병들이 보물이라도 들어 있나 하여 신이 나 상자를 열었다가 쏟아져 나온 벌떼에 혼비백산했다고 하며, 그런 지 며칠 후 또 길에 상자를 버려둔 채 도망치니 왜병들이 두 번 속지 않겠다면서 불을 질렀다가 난데없이 상자가 폭발하여 일개 부대가 풍비박산했다고 한다. 이렇게 여러 차례 혼쭐나자 왜병들은 곽재우라는 이름만 들어도 겁을 먹고 전의를 상실했다고 하며, 이때부터 곽재우를 '꽉쥐'라고 불렀다고 한다. 그래서 한때 경상도에선 아기가 울 때 "꽉쥐 온다! 꽉쥐!"라고 하면 아기가 울음을 뚝 그쳤다고 한다.

곽재우는 왜란 후 깊은 산중에 숨어 송화(일설에는 솔잎이라고 한다)를 먹고 도를 닦으며 지냈는데, 우레가 요란하게 울리다가 문득 하늘이 맑게 개이던 날 마치 하얀 날개를 단 듯 훨훨 날아 우화등선했다고 한다. 송화 가루만 먹으며 깊은 산중에서 도만 닦던 곽재우는 이렇게 신선이 되어 승천했다는 것이다. 그의 나이 68세 때이며, 광해 9년이다.

그렇다면 곽재우가 먹었다는 송화는 어떤 효능이 있으며 어떻게 먹는 것이 좋을까?

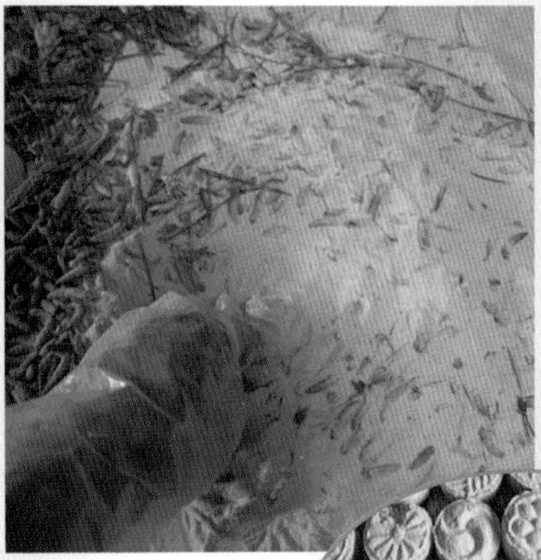

송화(소나무의 꽃가루)

송화다식

송화는 소나무의 꽃가루다. 4~5월 꽃이 필 때에 덩이진 꽃을 따서 햇볕에 말리고 부수어 꽃가루를 털어 낸다. 이물질을 제거하고 약용 또는 식용하는데, 부들 꽃가루(포황)와 흡사하게 빛이 노랗기 때문에 '송황'이라고도 한다. 연한 황색의 부드러운 이 가루를 "확대경으로 관찰하면 균일하고 작고 둥근 입자이다. 가벼워

바람에 쉽게 날리고 손으로 만지면 윤활한 느낌이 들며 물에 가라앉지 않는다"는 표현이 있듯이 정말로 보드랍고 가벼우며 매끈하고 예쁘다. 달착지근한 향내도 좋다. 맛도 달다. 성질은 따뜻하다.

《동의보감》에는 송화의 약효를 '경신료병(輕身療病)'이라 했는데, 이 말은 '몸을 가볍게 하고 병을 치료한다'는 뜻이다. 송화를 먹으면 몸이 가벼워진다는 말이며, 한 가지가 아니라 여러 가지 병을 두루 치료할 수 있다는 말이다. 체력증강과 신경안정에도 효험이 크다. 기가 허하고 불안, 초조, 불면, 어지럼증으로 고생할 때 좋으며 신경성소화기 장애, 설사, 만성변비, 소화성궤양 등에도 좋다. 특히 혈중 헤모글로빈을 증가시킨다. 송화 가루를 꿀에 반죽하여 다식판에 박아 낸 '송화다식'이나 송화를 무명주머니에 넣고 뜨거운 물에 우려낸 '송화차', 또는 송화를 꿀물에 타 먹는 '송화밀수', 송화를 묻혀 만든 유밀과인 '송화강정', 그리고 송화를 술로 담근 '송화주' 등 어느 것이든 다 좋다.

곽재우가 송화를 먹었다고 하지만 일설에는 솔잎이었다고 한다고도 앞에서 밝힌 바 있다. 송화나 솔잎이나 신선처럼 살 수 있는 선식(仙食)으로 첫손에 꼽히는 식품들이다.

솔잎은 콜레스테롤을 줄여 주고 말초혈관을 확장하며 호르몬 분비를 늘리는 작용을 한다. 그리고 혈당을 낮추고 모세혈관을 튼튼하게 하며 니코틴 독을 없애는 효과가 뛰어난 여러 성분도 듬뿍 들어 있다. 마르지 않은 생솔잎 10~20g을 흐르는 물에 잘 씻은 뒤 찬물 100~150cc와 함께 믹서에 갈아 거즈에 부어 즙만 걸러 내고 단맛

솔잎

솔잎생즙

을 적당히 섞어 하루에 두 번, 빈속에 한 잔씩 마신다. 《동의보감》에는 "솔잎을 따서 잘게 썰어 그늘에서 말려 다시 가루 내어 술로 12g씩 복용하거나 죽에 타서 먹어도 좋고, 큰 검은콩을 볶아서 함께 가루 내어 따끈한 물로 복용해도 더욱 좋다"고 했다. 곡식을 안 먹고 송화나 솔잎, 또는 대추나 밤 등을 날로 조금씩 먹고 사는 것을 '벽곡(辟穀)'이라 하는데, 솔잎을 날로 먹기 힘들면 술로 담가 먹어도 좋다. 송화를 줄거리째 넣고 술을 빚은 '송화주', 솔방울로 술을 빚은 '송자주', 송순(소나무의 새순)으로 술을 빚은 '송순주'와 마찬가지로 솔잎으로 술을 빚은 '송엽주' 역시 모두 신선들이 즐기던 불로장생의 술로 널리 알려진 것들이다.

솔잎을 먹다 보면 속이 거북하고 식욕이 떨어지면서 소화가 안 되며 눈앞이 깜깜해지면서 어지러워지는 경우도 있는데, 이것은 증세가 나아지면서 나타나는 현상이므로 전혀 걱정할 것이 없다. 그러나 증세가 심해 견디기 어려우면 빈속에 마시지 말고 식후 30분에 마시거나 찬물 대신 찬 두유와 함께 마시면 나아진다.

관운장과 꿈풀이

관운장(關雲長)의 원명은 관우(關羽)로 유비를 도와 무훈을 세운 긴 수염을 가진 장수다. 유비와는 탁군에서 만나 장비와 더불어 의형제를 맺었는데, 원소 휘하의 맹장인 안양과 문추를

관우(關羽 ; ?~219년 음력 12월)는 중국 후한 말의 무장, 자는 운장(雲長)이며 장비(張飛)와 더불어 유비(劉備)를 오랫동안 섬기며 촉한(蜀漢) 건국에 지대한 공로를 세웠다. 의리(義理)의 화신(化身)으로 중국의 민담(民譚)이나 민간전승(民間傳承), 민간전설(民間傳說)에서 널리 이야기되었고 나중에는 신격화(神格化)되어 관제묘(關帝墓)가 세워졌다. 오늘날에도 관우는 중국인들이 숭배(崇拜)하는 대상 가운데 하나이다.
사진은 관우의 고향 산서성 남부 운성시에 있는 관제묘(관우를 모신 사당) 뒷산에 서 있는 68m짜리 관우의 동상.

차례로 거꾸러뜨렸는가 하면 유비의 부인을 모시고 철옹성의 다섯 관문을 뚫고 여섯 장수의 목을 베면서 유비를 찾아 나섰던 무공과 의리를 겸비한 덕장이었다. 그의 의리는 적벽대전에서 패주하던 조조의 생명마저 살려줄 정도로 드높고도 드넓었기에 살아생전에도 추앙을 받았으며, 죽었을 때는 오나라가 관우의 수급을 오동나무 상자에 넣어 조조에게 보내자 조조는 관우의 잘려진 목에 몸통을 만들어 붙인 후 정중히 장례를 치러줄 정도였다.

긴 수염을 가진 관우.

무른 대춧빛 얼굴에 청룡언월도를 휘두르던 명장 관우가 죽자 다음 해에는 조조가 죽고, 오나라 여몽과 손호도 급사하자 관우의 원한 맺힌 혼이 이들을 데려갔다고 믿게 되었으며, 그래서 관우의 영혼은 뭇 선한 생명들을 지켜줄 것이라고 믿게 되었다. 생명만 지켜주는 것이 아니라 재산도 지켜줄 것으로 믿었다. 그래서 관우는 무운과 재운의 수호신으로 모셔져서 관성제군, 또는 관보살로 추앙되는 등 민중의 신앙 대상이 되었다. 이런 신앙을 '신장(神將) 신앙'이라고 한다.

명나라의 영락제가 타타르 정벌에 나설 때나 청나라의 강희제가 타이완 폭동 진압에 나선 때도 관우 사당에서 제를 올렸다고 할 정도로, 그 신앙은 확고했다. 우리나라에서는 임진왜란 때 관우의 혼이 때때로 싸움터에 나타나 도와주었다 하여 동대문 밖과 남대문 밖에 그를 제사지내는 사당을 세우기까지 하였다.

여하간 관우는 생전이나 사후에도 추앙을 받았는데, 전해져 오는 야사에 의하면 관우는 소만큼 큰 돼지가 발을 물기에 크게 화가 나서 칼로 베니 비단 찢어지는 소리를 내며 돼지가 죽는 꿈을 꾸고 난 뒤, 형주 양양 땅의 도둑벼슬을 하였다고 한다. 그래서 그 후부터 민중 사이에서는 돼지꿈을 길몽으로 생각하게 되었다고 한다.

동관왕묘(보물 142호, 1601년(선조 34년)-서울특별시 종로구 숭인동 소재) : 동관왕묘는 서울의 동쪽에 있는 관왕묘라는 뜻으로, 관왕묘는 중국의 장수 관우의 조각상을 두고 제사를 드리는 사당이다. 사진은 관우의 목조상을 비롯한 4명의 상을 모시고 있는 동묘 정전 내부.

꿈풀이는 민중의 큰 관심사였다. 길몽인지 흉몽인지, 꿈이 계시하는 것이 무엇인지 사람들은 알고 싶어 했다. 프로이트와 융 같은 정신의학자들이 꿈풀이에 관심을 두었던 것도 그렇고, 한의학에서도 꿈풀이를 의학적으로 연계시키려고 했던 것도 다 이런 연유 때문이다. 그렇다면 한의학에서는 꿈을 어떻게 풀이하고 있을까?

인체의 상부에 기가 성하면 공중을 나는 꿈을 꾸고, 인체의 하부

양기가 성하면 큰 불이 활활 타는 꿈을 꾼다.

에 기가 성하면 깊은 곳에 떨어지는 꿈을 꾼다. 양기가 성하면 큰 불을 만나 타는 꿈을 꾸고, 음기가 성하면 큰 강을 걸어서 건너며 공포에 떠는 꿈을 꾼다. 음양의 기가 모두 성하면 서로 죽이는 꿈을 꾼다.

나쁜 기운이 심장에 머물면 산에 불기둥이 솟고 연기가 나는 꿈을 꾸고, 폐장에 머물면 뛰어오르거나 또는 금속이 나타나는 꿈을 꾼다. 간장에 머물면 산림의 수풀을 꿈에서 보며, 비장에 머물면 언덕이나 늪 혹은 쓰러지는 집에서 비바람을 맞는 꿈을 꾼다. 신장에 머물면 깊은 연못을 들여다보거나 물속에 가라앉는 꿈을 꾼다. 방광에 머물면 여행하는 꿈을 꾼다. 위장에 머물면 음식 먹는 꿈을 꾸고, 대장에 머물면 꿈에서 논밭이나 들판을 보며, 소장에 머물면 꿈에서 도시의 시가지를 본다. 담낭에 머물면 남과 싸워서 부상을 입는 꿈을 꾸며, 생식기에 머물면 성교하는 꿈을 꾼다. 또 방광과 직장에 머물면 대·소변을 보는 꿈을 꾼다.

나쁜 기운이 비장에 머물면 언덕이나 늪 혹은 쓰러지는 집에서 비바람을 맞는 꿈을 꾼다.

이렇게 나쁜 기운이 어느 장기에 머물러 있느냐에 따라 꿈의 내용이 달라지는데, 마찬가지로 나쁜 기운이 어느 부위에 머물러 있느냐에 따라 꿈이 달라진다. 예를 들어 나쁜 기운이 목덜미에 머물면 목이 잘리는 꿈을 꾸고, 종아리에 머물면 앞으로 나아가려 해도 도무지 발이 떨어지지 않거나 혹은 깊은 동굴 속에 있는 꿈을 꾼다.

또 배가 고플 때는 무엇을 약탈하는 꿈을 꾸고, 포식했을 때는 무엇을 타인에게 주는 꿈을 꾼다.

이상의 예는 모두 『영추』「음사발몽편」에 나오는 것인데, 꿈풀이는 일반적으로 이상과 같이 장기 기능과 연계시키는 방법이 있고, 이외에는 어떤 표상을 찾아서 풀이하는 방법이 있다. 관우의 돼지꿈을 길몽으로 풀이하는 것이 표상에 의한 꿈풀이 방법인 것이다.

관중과 괴질

관중(管仲)은 중국 춘추시대 제나라의 명재상이었다. 관중은 군사력을 강화하고 상업과 수공업을 육성하는 등 부국강병책을 써서 제나라를 맹주의 자리에 올려놓은 인물이다. 관중이 이토록 큰 재상이 될 수 있었던 것은 친구인 포숙아(鮑叔牙)의 도움이 있었기 때문이다. 그 사연은 이렇다.

관이오(管夷吾 ; 기원전 725년?~기원전 645년)는 중국 춘추시대 초기 제나라의 정치가이자 사상가로, 자는 중(仲). 보통 성씨와 자를 합쳐 관중(管仲)으로 불리며, 제환공을 춘추오패의 첫 번째 패자로 만드는 데 큰 역할을 했다.

제나라 희공의 맏아들은 제아, 그 아우는 규, 막내는 소백인데, 제아가 희공의 뒤를 이어 군주에 오르니, 즉 양공이었다. 규의 스승인 관중, 소백의 스승인 포숙아는 정세가 위험해지자 각각 제나라를 떠나 몸을 숨겼다. 또한 규는 노나라에, 소백은 거나라에 숨었다. 그러다 가 양공이 죽자 경쟁적으로 귀국길에 올랐다. 관중은 규의 즉위를 돕기 위해 소백의 귀국 길목을 지키다가 소백에게 독화살을 쏘았다. 다행히 화살은 소백의 허리띠 쇠붙이 장식에 박혔으나, 관중은 소백이 죽은 줄 알고 규를 모시고 느긋하게 행군하여 고국의 수도 임치에 다다랐다. 그런데 이때는 이미 소백이 먼저 도착하여 군주에 오른 후였다. 바로 환공(桓公)이다. 관중은 노나라에서 군사를 빌려 도전했다. 그러나 이마저 패전으로 실패하자 관중은 노나라로 망명하였다. 이때 포숙아가 환공에게 관중을 재상으로 천거하였고, 이렇게 해서 관중은 제나라의 명재상으로 이름을 떨치게 된 것이다. 후세에 관중과 포숙아의 이토록 깊은

제환공상.

제환공, 관중, 포숙아.

우정을 '관포지교(管鮑之交)'라 하여 귀히 기렸다.

관중의 저서로 알려진 《관자》라는 책이 있다. 이 책에 "교룡득수, 이신가립야(蛟龍得水, 而神可立也)"라는 말이 나온다. "교룡이 물만 얻으면 힘차게 일어날 신통력이 생긴다"는 말이다. 다시 말해서 영웅도 때를 만나야 의지할 곳을 얻는다는 뜻이다.

교룡화

교룡은 전설상의 용의 한 가지라고 한다. 모양은 뱀 같으며 길이가 한 길이 넘고, 네 발이 넓적하고 머리가 작으며, 가슴이 붉고 등에는 푸른 무늬가 있으며, 옆구리와 배는 비단처럼 부드럽고, 눈썹으로 교접하여 알을 낳는다고 한다.

이렇게 교룡은 분명히 전설상의 존재일 뿐 실재하지는 않는다. 그런데 《동의보감》에는 교룡가(蛟龍瘕)라는 병명이 나온다. 봄, 가을에 교룡이 교미하여 미나리 속에 들어가 알을 스는데, 미나리와 함께 그 알을 먹으면, 얼굴이 누렇게 뜨거나 푸르게 되고 배가 부어올라서 아픈 병이라고 했다. 일종의 채독에 의한 병 같은데, 이런 병을 《동의보감》에서는 괴질(怪疾)이라고 했다.

《동의보감》에는 "증세가 보통 앓는 병과 다른 것을 괴질이라 한다"고 하면서 별별 희한한 괴질이 다 소개되어 있다. 믿지 못할 희한한 병이니까 괴질이라 했겠지만 그래도 정말 이런 병이 있을까 싶은 병들이 수두룩하다.

술과 관계된 괴질도 여러 개 소개되어 있다. 그 중에는 '주징(酒癥)'이라는 병도 있다고 했다. 《동의보감》에는 주징이라는 병의 재미있는 임상 케이스를 다음과 같이 소개하고 있다.

'주징(酒癥)'은 술로 비롯되어 앓게 되는 괴질이다.

"한 남자가 어릴 때부터 술 먹기를 좋아하였는데, 하루에 1~2말씩 먹었다. 그는 술이 없으면 계속 소리를 지르면서 전혀 음식을 먹지 않아 날로 여위었다. 그리하여 그 집안에서 한 가지 대책을 생각하였는데, 그것은 다음과 같다. 사람을 시켜 그 사람의 손발을 수건으로 단단히 동여매도록 한 다음 술 한 단지를 그의 입 가까이에 대고 마개를 열어놓아 술기운이 입으로 들어가게 하였다. 그러자 그는 그 술을 마시겠다고 애를 썼다. 그러나 끝끝내 주지 않았다. 그런데 조금 있다가 갑자기 작은 덩어리를 토했는데, 그것이 곧바로 술단지 속으로 들어갔다. 그리하여 즉시 병마개를 막고 센 불에 술이 절반 정도 줄도록 끓여서 열어보니 돼지 간 같은 것이 있었다."

《동의보감》은 주징이라는 괴질에 걸린 한 남자의 임상 케이스를 이렇게 소개했는데, 그 결과는 어떠했을까?

이렇게 치료한 다음부터 그 남자는 술을 한 방울도 먹지 않았다고 《동의보감》은 소개하고 있다. 알코올 중독자를 심리치료로 고친 예라고 하겠다.

사족

중국에서는 언제부터 전문적인 유곽이 세워졌을까? 바로 관중 때부터라고 한다. 관중이 제나라 환공 밑에서 정치를 맡고 있을 때 국가의 수입을 늘릴 목적으로 수많은 공공숙소를 세웠다고 한다. 물론 이설도 있다. 환공 자신이 자신을 위해서 그의 궁전에 여자들을 위한 700채의 집이 있는 7개의 시장을 설치했는데, 이것이 공공의 유곽이 세워진 계기라는 설이다.

중국 유곽의 역사는 제나라 때 관중 시절부터라고 말하기도 한다. 또한 제환공으로부터 시작된 것이라는 이설도 있다. 사진은 청나라 말기 민국 초기 시절의 중국 유곽여인

그러나 관중으로부터 연유되었다는 설이 설득력이 있다. 어쨌건 관중은 명재상이었던 모양이다.

김수환과 인중

김수환(金壽煥) 스테파노 추기경은 어떤 분이셨던가?

김수환(金壽煥 ; 1922년 6월 3일~2009년 2월 16일)은 대한민국의 성직자이자 사회운동가. 기독교인 가정에서 막내로 태어나 서울대교구장을 역임하였으며, 서울대교구의 2번째 대주교이자 추기경으로는 한국인 최초로 서임되었다. 세례명은 스테파노, 아호는 옹기.

"너희와 모든 이를 위하여" 자신의 모든 것을 내어주셨던 '사랑의 별'이셨던 분이었다. "평화는 내가 남에게 '밥'이 되어줄 때 이뤄진다"고 하셨던 '참 바보'이셨던 분이었다. "세상에서는 죽고 그리스도 안에서 살겠노라" 하셨던 '사랑의 등불'이셨던 분이었다. 평생을 그리스도를 생활로써 증거하시며 우리 곁에서 선하신 목자로서 항상 함께 하셨다가 선종하신 분이었다. 가난한 옹기장수 집의 여덟 자녀 중 막내로 태어났던 추기경의 향년은 87세. 그러나 추기경은 한평생 가난하게 사셨고 가난한 자와 함께 사셨기에 가장 복된 삶을 사셨던 분이었다.

그렇게 사시느라고 추기경께서는 진실로 고뇌의 짐을 짊어지지 않을 수 없었다. 어느 주교의 회고에 의하면 추기경께서는 "무엇에 노여워하시는 법이 없었습니다. 마음이 아파도 받아들이고 말없이 기다리셨습니다. 이 포용력은 자신의 부족함을 통절하게 느끼신 데서 나온 힘입니다."라고 하였으니 홀로 짊어지신 십자가의 고통이 얼마나 크셨을까!

추기경 스스로가 "십자가 앞에 서면 '하느님, 제가 어떻게 하면 좋겠습니까?'라고 묻기만 했다"고 괴로운 심정을 토로한 바 있었으며, 이러한 고통 때문에 허구한 날 잠을 제대로 이루지 못하셨다고 한다. 이것이 바로 추기경의 '30년 불치병'이라 일컬어지는 불면증이었다.

이런 고통 속에서도 비교적 건강하게, 비교적 장수할 수 있었던 것은 하느님의 은총 가운데 믿음의 생활과 사랑의 실천으로 마음의 평화를 유지해 온 까닭이 아닐까 싶다. 아울러 추기경의 인상 덕이 아니었을까 여겨진다. 추기경은 귀가 잘 생겼고 이마와 인중이 잘 생겼기 때문이다.

추기경의 귀는 크고 두툼하게 잘 생겼다. 귓불도 크면서 축 늘어지게 잘 생겼다. 귀가 잘 생기고 하악골(말발굽처럼 생긴 뼈로 아래턱뼈를 이르는 말) 앞에 단정하게 자리 잡고 있으면 신장도 단정해서 건강한 편이다. 귀가 크고 귓불이 축 늘어지도록 살집이 좋고 색택이 선명하며 단단하면 성격도 담대하고 의지가 강하며 기력이 좋고 건강하게 오래 살 수 있다. 그런데 추기경의 양쪽 귀의 귓불에

귀, 이마, 인중이 참으로 잘 생긴 김수환 스테파노 추기경.

빗금 그은 듯 뚜렷하게 주름이 져 있다. 심장이 약할 때 귓불에 이런 주름이 잘 생긴다. 그러나 추기경의 공식 사인(死因)이 '폐렴에 의한 급성 호흡부전'이므로 심장이 심각할 정도로 나쁘지는 않았다는 것이다.

추기경의 인상 중 가장 멋지고 두드러진 강점은 이마와 인중에 있다.

이마 상단 좌우의 뼈 생김이 정말 잘 생겼다. 뿔이 솟듯이 도톰하다. 이를 보고 일각(日角 ; '해' 뿔)과 월각(月角 ; '달' 뿔)이 솟았다고 한다. 매우 귀한 인상이다. 무릇 존경을 받을 상이며, 해와 달이 우주를 밝히듯이 찬란한 빛을 발하며 삼라만상을 아우를 상이다.

이마는 너무 두드러져도 안 좋고, 너무 꺼져도 안 좋으며, 색이 곱고 윤택해야 한다. 이마가 너무 두드러져 있으면 고혈압, 열성질환, 경련성질환, 정신분열증, 간질, 두통, 비후성 비염 등이 잦을 수 있다. 이마가 너무 빈약하면 안면부종, 현훈, 저혈압, 신경쇠약, 불면, 심계, 감기, 해수천식, 비뇨생식기질환 등이 잘 올 수 있고 피부와 소화기가 약해질 수 있다. 이마가 넓고 반반한 것 같지만 만지면 울퉁불퉁하면 신경성질환을 잘 앓을 수 있다. 또 이마의 상부가 검거나 탁한 반점이 있으면 신허(腎虛)의 징조이며, 방광이 약한 징조이다. 이런 경우에는 소변이상이 잘 온다.

긴 인중과 마치 뿔이 솟은 듯한 이마.

추기경의 인상 중 가장 멋지고 두드러진 강점은 이마와 인중에 있다고 앞에서 말했는데, 추기경의 인중은 정말 뚜렷하면서 길다. 길어도 보통 긴 것이 아니다. 인중은 이렇게 길고 곧아야 한다.

인중이 길어도 좁거나 어둡거나 칙칙하면 안 좋다. 심장병이나 관상동맥질환 때 인중이 이렇게 된다. 특히 인중이 짧거나 휘거나 색택이 안 좋아지면 건강이 나빠진다. 《동의보감》에 "인중이 뚜렷치 못해지면 며칠 못가 사망한다"고 했듯이 멀쩡하던 인중이 갑자기 흐릿해지면 건강이 나빠지고 사망할 수 있다. 인중이 갑자기 얕아지고 짧아지면 신장 기능의 이상증후다. 단, 신증후군일 때는 인중이 검다. 방광이 안 좋고 소변이 불리할 때도 인중이 검어진다. 방광결석일 때는 인중이 얕고 희어진다.

여성의 경우 자궁발육부전 때는 인중이 짧고 평평하며 얕고 넓은 경향이 있다.

남성의 경우 인중이 얕고 짧으며 평평하거나, 혹 비틀어져 있거나, 혹 색이 엷거나 암회색이고 빛을 잃으면 발기부전을 의심할 수 있다. 고환발육부전일 때도 인중이 짧고 평평하며 색이 엷어진다. 정자결핍, 불임증 등일 때도 인중이 같은 모양을 띨 수 있다. 전립선염일 때는 인중에 구진이 있다. 여성의 경우 자궁발육부전 때는 인중이 짧고 평평하며 얕고 넓으며 색이 엷다. 인중이 좁고 길며 가장자리가 뚜렷하거나 인중이 얕고 좁을수록 월경통이 심하거나 월경이 불규칙하고 월경 양이 감소되는 경향이 있다. 자궁하수 때는 인중이 축 늘어진 것처럼 길게 보인다. 자궁후굴 때는 인중이 굽거나 인중의 위가 좁고 아래가 넓다. 자궁전굴 때는 인중이 얕거나 인중의 위가 넓고 아래가 좁다. 자궁경관미란, 자궁부속기염 때는 인중 가운데가 불룩하게 융기되거나 구진이 나타나거나 암회색을 띠고 빛을 잃는다.

도산과 웃음건강

도산(島山) 안창호(安昌浩)는 대동강 하류의 작은 섬인 도롱섬에서 태어난 농부의 아들이다. 아호 '도산'은 바로 이 도롱섬에서 따서 지은 것이다. 도산은 약관의 나이에 고향에 독립협회 관서지부를 설립하는 데 앞장선다. 이 땅이 열강의 각축장이 되어 평양이 처절히 파괴되는 것을 직접 목도하였기에, 그 충격이 실로 컸던 청년 도산은 이 모든 불행은 나라가 힘이 없기 때문이라고 인식하고 독립협회 지부의 설립에 앞장서게 된 것이다.

안창호(安昌浩 ; 1878년 11월 9일~1938년 3월 10일)는 대한제국의 개혁, 계몽운동가이자 일제 강점기의 독립운동가, 교육자, 정치가. 호는 도산(島山).

도산은 이어 고향에 학교와 교회를 설립한다. 이미 '밀러학당'에서 신학문을 교육받고 기독교도가 된 도산은 이때부터 교육과 선

신민회가 세운 평양의 대성학교

교 활동에 전념한다. 그러다 미국 유학길에 올랐다. 하지만 재미 한인들과 만나면서 이들을 결집하는 것이 더 우선이고 더 절실하다고 절감하고 '샌프란시스코 한인친목회'를 결성하여 열성을 쏟는다. 당시 샌프란시스코의 재미 한인들은 공동체 의식은커녕 아귀다툼을 일삼았으며, 따라서 대우도 제대로 받지 못한 채 궁핍하게 생계를 꾸려가는 형편이었다. 심지어 길거리에서 서로 상투를 붙잡고 싸우는 짓까지 했다. 그래서 도산은 한인친목회라는 구심점을 결성하

1904년, 한인들이 일거리를 찾아 오렌지 농장이 많은 LA 인근 리버사이드로 몰려갔는데, 도산도 함께 따라가 오렌지 농장에서 일을 했다.

여 우리 민족이 문명인으로서의 소양을 갖추게끔 노력한 것이다.

이후 귀국한 도산은 학교를 설립한다. 독립방략은 무력이나 요행이나 공담(空談)보다는 스스로 힘과 실력을 키우고 그 실력을 기반으로 할 때만이 스스로 자립할 수 있다는 신념에서 도산은 "독립을 하려면 먼저 독립국가 공민이 될 만한 자질을 갖추어야 한다"고 주장하면서 교육의 필요성을 역설했고, 민중의 의식개선을 위해 자아혁신과 자립정신 고취에 전념했다. 그러다 망명의 길을 떠난다. "간다 간다 나는 간다 너를 두고 나는 간다"로 시작하여 "간다 한들 영 갈소냐 나의 사랑 한반도(韓半島)야"로 이어지는 〈거국가(去國歌)〉라는 비장한 노래를 남기고 정처 없는 길을 떠난다. 이 〈거국가〉를 춘원 이광수는 "필자의 뼈를 깎아 붓을 삼고 가슴을 찔러 그 피로 먹을 삼아 조국 강산과 동포에게 보내는 하소연"이라 평했다.

일제강점기의 서대문형무소 감옥 내부 전경

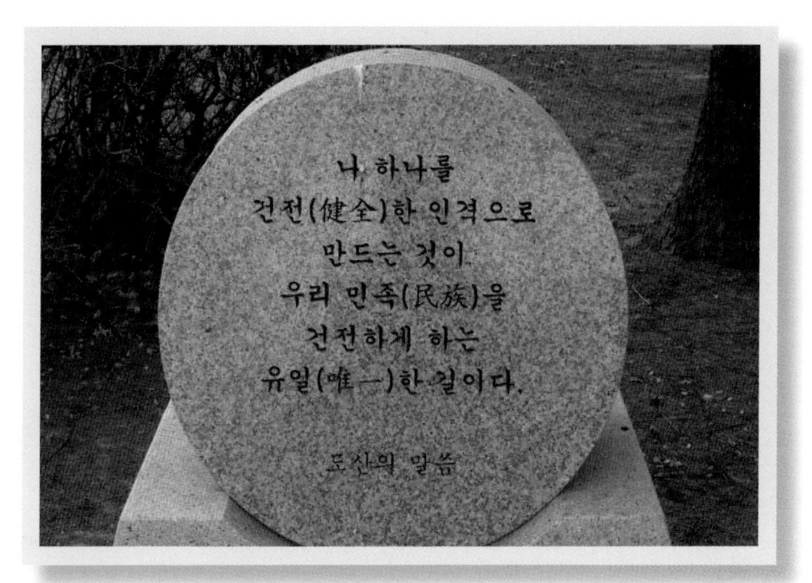

도산의 교육관은 덕(德), 체(體), 지(智)를 겸비해야 건전한 인격을 갖추게 된다고 강조했다.

이후 미국에서는 한인단체의 통합에 힘쓰고, 중국에서는 대한민국 임시정부의 중책을 맡아오던 중 상하이 홍커우 공원에서 일어난 윤봉길 의사의 의거가 있던 날, 도산은 사건의 관련자로 지목되어 체포된다. 국내로 압송된 도산은 4년형을 받고 서대문형무소에 수감되었다가 이감되어 대전형무소에서 2년 6개월간의 옥고를 치르고 1935년 2월 10일 가출옥한다. 그러나 그것도 잠시, 1937년 6월 '동우회 사건'으로 검거되어 종로경찰서에서 극심한 고문을 당하고 서대문형무소에 수감된다. 이때 도산은 생명이 위독한 상태에 빠진다. 그래서 그해 12월 24일 병보석으로 출감하여 경성제대 부속병원으로 옮긴다. 당시 도산은 스스로 "나는 본래 심장병이 있는 중 대전 감옥에서 위까지 상한 몸으로 이번 다시 종로서 유치장에서 삼복염천 좁은 방에 10여 명이 가득 누웠으니, 내 몸은 견딜 수가 없었소. 의사의 말이 나는 지금 일곱 가지 병이 생겼다고 하오. 지금 이가 상하고 치아가 빠졌고, 폐·간이 상하고, 복막염·피부염 모두 성한 곳이 없소."라고 밝힌다. 도산은 끝내 간경화증에 의한 혼수에 빠진다. 그리고 결국은 1938년 3월 10일, 만 59년 4개월의 일기로 서거한다. 사망의 원인은 간경화와 폐렴 등의 합병증으로 밝혀진다.

갓난이의 방그레, 젊은이의 빙그레, 늙은이의 벙그레 웃음이 가득한 '도산의 빙그레운동'이 필요하다.

도산, 생전의 그의 교육관은 덕(德), 체(體), 지(智)를 근간으로 하고 있다. 다시 말해 '덕'을 최우선으로 삼고 '지'를 가장 나중에 두었던 것이다. 그래서 그는 항상 덕이 없는 자의 지식은 악의 힘이 되고, 건강이 없는 자의 지식은 불평 밖에 되지 못한다고 말하여 왔다. 덕을 닦고 체력을 다진 아래 지혜를 겸비해야 비로소 건전한 인격을 갖추게 되는 것이라고 본 것이다. 이렇게 해서 한 사람 한 사람의 건전한 인격과 그 건전한 인격들로 된 신성한 단결이 우리 민족을 힘 있게 만든다고 강조하였던 것이다.

그래서 도산은 덕을 갖춘 건전한 인격을 지닌 민족의 형성을 위해 "서로 사랑하는 마음으로 '빙그레' 웃는 세상을 만들어야 하겠소"

라는 말을 자주하였고, 실제로 그는 전국적으로 빙그레운동을 일으키기까지 했다. 도산은 "우리 2,000만 민족이 다 이 미소를 입 언저리, 눈시울에 띠게 되면 우리나라는 태평하고 창성하게 될 것이오" 라고 했다.

도산은 갓난이의 방그레, 젊은이의 빙그레, 늙은이의 벙그레를 우리 민족이 가져야 할 본연의 웃음이라고 강조하였다고 한다. 파안대소가 아니면 어떻고 박장대소가 아니면 또한 어떠랴. 그저 방그레, 빙그레, 벙그레, 그렇게 가벼운 미소만으로 건강해질 수 있다. 이런 웃음이야말로 화기(和氣) 있고 온기(溫氣) 넘치는 웃음이며, 그래서 이런 웃음이야말로 사랑의 웃음이고 천진난만한 맑고 밝은 마음에서 비롯된 웃음이다. 그래서 이런 웃음은 사람을 건강하게 만든다.

도산은 쓴 웃음, 빈정대는 웃음, 건방진 웃음, 어이없어 웃는 웃음, 아양을 떠는 웃음을 다 '부정한 물이 든 웃음'이라고 규정하였다고 한다. 이런 부정한 물이 든 웃음으로는 건강해질 리 없다. 범사에 감사하는 마음도 없고 사랑과 배려의 화기도 없고 온기도 잃은 채 냉기만 도는 웃음이기 때문에 이런 웃음은 사람을 건강하게 만들지 못한다.

건강을 위해서 도산의 빙그레운동을 다시금 우리가 펼쳐볼 계기인 것 같다.

동방삭과 신비 베개

동방삭(東方朔)이라면 세 살 먹은 아이도 안다는 삼천갑자 장수한 신선이다. 동방삭은 원래 서왕모(西王母)의 이웃집 아이였다고 한다.

서왕모는 이웃사촌의 정으로 동방삭을 태상선관이라는 높은 직책을 주어 자기를 돕게 했는데, 그는 놀기만 할 뿐 일을 돕지 않고 우레와 벼락을 가지고 노닐며 비바람을 일으켰다고 한다. 그래서 화가 난 서왕모가 드디어 그를 인간 세상에 폄적시켜 버렸다고 한다. 이렇게 해서 그는 중국 한나라 무제(武帝) 때에 벼슬이 금마문시중에 이르렀고, 재치와 해학과 변설로 이름을 떨치게 되었다고 한다.

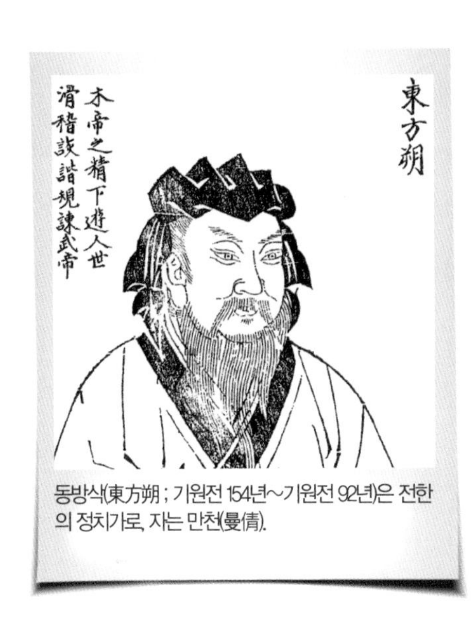

동방삭(東方朔 ; 기원전 154년~기원전 92년)은 전한의 정치가로, 자는 만천(曼倩).

한무제는 기원전 111년에 이미 식물원을 세울 만큼 뛰어난 감각의 지도자였다. 하루는 무제가 승화전에서 제를 올리는데 서왕모가 붉은 수레를 타고 나타나 2개의 선도(仙桃)를 주었다고 한다.

「낭원투도 : 낭원에서 복숭아를 훔치다」 김홍도, 종이에 담채, 49.8×102.1cm, 간송 미술관 소장

선도는 3,000년 만에 한 번씩 열린다는 영험한 복숭아다. 그래서 선도를 오래 먹으면 몸이 가벼워지고 빛이 나며 어두운 밤에도 달이 뜬 것처럼 밝아진다고 한다. 《서유기(西遊記)》의 손오공도 이 복숭아를 훔쳐 먹고 장수했다고 하며, 속설에 의하면 동방삭이도 서왕모의 이 복숭아를 훔쳐 먹고 삼천갑자가 될 정도로 장수했다고 한다. 삼천갑자란 꼭두각시놀음에 나오는 검은 머리의 늙은이를 말하는 것처럼, 동방삭이의 흰 머리카락이 다시 검어지기를 3,000번 반복할 정도로 장수했다는 것이다.

동방삭이가 이토록 장수할 수 있었던 것은 반드시 선도 때문만은 아니었다. 그는 불로장생의 양생법의 하나로 베개를 낫게 하다 못해 땅을 세 치나 파고 누워 잤기 때문이라고 한다.

그래서 그는 백짓장을 베고도 너무 높다고 투덜거렸다는 것이다.

'삼천갑자 동방삭은 백짓장도 높다고 하였다'는 속담은 여기에서 비롯된 것이다.

그러나 동방삭이가 베고 잤다는 베개는 백짓장보다 더 낮고 얇은 게 아니었다. 그는 길이가 1자 2치에 높이가 4치인 '신침(神枕)'이라는 베개를 베고 잤기 때문이다.

신침(神枕)

신침은 말 그대로 신비로운 베개다. 100일을 사용하면 얼굴빛이 광택이 나고, 1년이면 체내의 온갖 질병이 모두 다 치유되고 전신이 향기로워지며, 4년을 사용하면 백발이 검어지고 빠진 치아가 다시 나며 귀와 눈이 밝아진다는 베개다.

이 베개에는 다음과 같은 일화가 있다.

옛날 태산 아래 한 노인이 살았는데, 노인의 등에서 흰빛이 아주 높이 뻗어 올랐단다. 한무제가 이를 보고 이상하게 생각되어 무슨 도술이 있느냐고 묻자 이렇게 대답하였단다.

"소인은 나이 85세 때 노쇠가 너무 심해 머리카락이 빠지고 치아가 다 빠져서 거의 죽게 되었는데, 어느 날 한 도사가 소인에게 가르쳐 주기를, 대추를 먹고 물을 마시되 곡식은 끊으라 하면서 '신침법'을 알려주었습니다. …… 소인이 그대로 행하였더니 몸이 점점 젊어지면서 백발이 검어지고 빠진 치아가 다시 나왔으며 하루에 300리를 걸었으니, 지금 나이 180세인데 세상을 버리고 입산하지 못하는 것은 자손들에게 정이 끌려 이대로 있는 것입니다. 다시 곡식을 먹고 사는지도 벌써 20여 년이 되었으나 '신침'의 힘이 남아서 이 이상 더 노쇠하지 않나이다."

무제가 노인의 대답을 듣고 그의 얼굴을 살펴보니 50세 정도가 되는 보통 사람 같으므로 그 동리 사람들에게 사실을 물어본 즉 과연 그 노인의 말과 같았다고 한다. 무제는 이 '신침법'에 대해 동방삭에게 물었다고 한다. 그러자 동방삭은 이렇게 대답했다고 한다.

"옛날에 여렴(女廉)이 이 비방을 옥청(玉靑)에게 전하고, 옥청은 광성자(廣成子)에게 전하고, 광성자는 황제(黃帝)에게 전하였는데, 근래에 곡성도사 순우공(穀城道士 淳于公)이 이 비법을 이용하여 100여 세에도 머리카락이 희어지지 않았다고 합니다"라고.

'신침'은 이렇게 만든다.

5월 5일 단오날이나 7월 7일 칠석날 깊은 산속의 잣나무를 베어 목침을 만든다. 목침의 길이는 1자 2치로 하고, 높이는 4치로 하되, 그 속에 1말 2되의 용량을 넣을 수 있도록 한다.

베개의 베는 쪽 뚜껑은 잣나무 속의 색이 붉은 부분을 택하여 그 두께를 2푼으로 하되, 열고 닫을 수 있게 한다. 그 뚜껑에다 석 줄의 구멍을 뚫는데, 한 줄에 40구멍씩이 되도록 하여 모두가 120 구멍을 뚫으며, 구멍의 크기는 좁쌀이 들어갈 정도로 한다.

그 속에 넣을 약물로는 당귀(當歸), 두충(杜冲), 백출(白朮), 인삼(人參) 같은 24가지 약물로 24기(氣)에 응하게 한다. 여기에 부자(附子), 반하(半夏), 세신(細辛) 등 독한 약재 8가지를 함께 넣어 팔풍(八風)에 응하도록 한다. 이상 32가지 약재를 각 1냥씩 썰어서 8가지 종류의 독약을 알맞게 배치하여 베갯속을 채운 다음 포낭을 만들어 베개에 입혀서 사용한다.

인삼

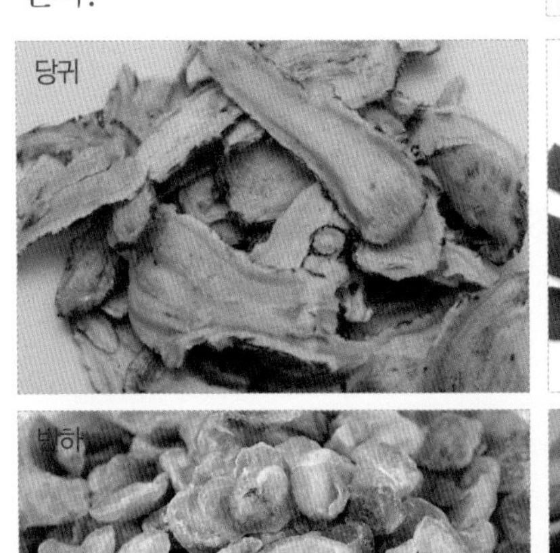
당귀

두충

반하

백출

부자

세신

사마염과 댓잎

제갈량(諸葛亮)과 오장원 벌판에서 대치했던 위(魏)나라 총사령관 사마의(司馬懿)는 제갈량 못지않은 지략가였다. 그는 쿠데타를 일으켜 왕을 갈아치우고 허수아비 왕 뒤에서 실제적인 권력을 행사했다. 그러다가 그의 손자 사마염(司馬炎)은 선양의 형식을 갖춰 허수아비 왕인 원제(元帝) 조환(曹奐)마저 없애고, 낙양에서 스스로 왕위에 오르면서 나라 이름을 진(晉)으로 바꿨다. 이로써 조조(曹操)와 조조의 후손이 다스리던 위나라는 멸망했다. 이때가 서기 265년이다.

사마염(司馬炎 ; 236년~290년)은 서진의 초대 황제. 조부는 사마의, 백부는 사마사, 아버지는 사마소이다.

사마염은 위(魏)·촉(蜀)·오(吳)의 삼국 중 마지막 남은 오나라까지 멸망시켜 삼국을 통일하는 위업을 달성했으나 이후 기강이 해이해졌다. 또한 영지를 나누어 받고 군왕으로 봉해진 사마염의 아들들과 황족들의 세력이 막강해졌고, 사마염에 이어 즉위한 사마충(司馬衷)이 인물이 불민한 데다가 며느리인 가남풍(賈南風)의 전횡으로 나라는 급격히 기울어져 갔다. 《천하인물과 의학의 만남 2》 p.156의 〈가남풍과 원발성 불임증〉 내용을 참고하기 바란다.

이 틈을 타 '팔왕의 난'이 일어난다. 사마염의 숙부를 비롯해 사마염의 아들 등 8명의 군왕들이 권력투쟁을 벌린 것이다. 이래서 통치 기반이 급속히 약화되고 흉노족이 난입하여, 결국 사마염의 진나라는 36년 만에 망하고 만다. 이로써 역사상 가장 암울한 시기인 소위 '5호16국시대'가 열리고 수나라에 의해 통일될 때까지 극심한 혼란이 이어졌다.

'팔왕의 난'을 일으킨 주인공들의 분포

이제 다시 사마염 때로 가 보자.

진나라 무제로 불리는 사마염 때는 사치와 향락이 극에 달했던 때였다. 황제의 외삼촌인 왕개(王愷)는 사람의 젖을 먹여 키운 암퇘지의 뱃속에 든 새끼를 통구이하여 먹기를 즐겼다고 하며, 왕개에 버금가는 갑부 석숭(石崇)은 비단 옷을 한 번 입고 버렸다고 할 정도였다. 석숭은 《춘향전》에도 등장할 정도이니, 당시의 세습호족의 사치와 향락이 얼마나 지나쳤는지 짐작할 수 있을 것이다.

황제가 사치와 쾌락에 빠졌으니 이런 풍토는 자연스러웠을 것이다. 황제의 궁에는 무려 1만 명의 궁녀들이 있었다고 한다. 그러니 밤이면 밤마다 황제는 어느 궁녀를 택해야 할지 고민하지 않을 수 없었다. 그래서 황제는 양들이 끄는 수레를 타고 한 바퀴 돌았다고 한다. 그러다가 양들이 멈추는 곳의 궁녀 방에 들려 은총을 베풀었다. 그런데 어느 날부터 이상한 일이 벌어졌다고 한다. 양들이 매일 똑같은 장소에 머물더라는 것이다. 그러니 황제는 매일 밤 똑같은 궁녀와 밤을 지내게 되었다는 것인데, 그 사연은 이랬다.

사마염의 양수레.

그 궁녀가 꾀를 내어 소금과 댓잎을 구해 방 앞에 뿌려 놓았단다. 양들이 소금과 댓잎을 좋아하는 것을 알고 그렇게 했다는 것인데, 과연 양들이 소금과 댓잎을 먹으려고 그 자리에 머물렀다는 것이며, 그래서 황제는 매일 밤마다 그 궁녀와 지내게 되었다는 것이다.

대나무는 꽃을 피우고 나면 말라 죽는다고 하는 여러해살이 늘푸른식물이다. 땅속줄기는 옆으로 뻗어 마디에서 뿌리와 순이 나는데, 이 뿌리줄기와 어린 순은 약으로 쓰인다. 땅윗줄기는 꼿꼿하고 속이 비었으며 군데군데 마디를 이루고, 이 마디에서 가지가 어긋나며, 잎이 달린다. 땅윗줄기의 바깥층 껍질을 벗긴 다음 중간층만 긁

댓잎
대나무 꽃
죽권심
댓잎차

어모은 것을 약으로 쓰고 땅윗줄기를 불로 구운 후 흘러나온 즙을 모은 것도 약으로 쓰며, 또 잎도 약으로 쓴다. 그러니까 대나무는 버릴 것 하나 없는 귀한 약용 덩어리라고 할 수 있다.

댓잎은 좁은 피침형으로 길쭉하고 빳빳하며 끝이 빨고, 기부는 무디고 잎자루가 짧다. 말린 채 아직 펼쳐지지 않은 어린잎은 죽권심(竹捲心)이라 하고 진한 녹색으로 반질반질하게 잎 모양새를 갖추고 있는 댓잎은 죽엽(竹葉)이라 한다. 둘 다 성질이 차다. 죽권심이 죽엽보다 쓰다. 죽엽은 다소 쓰지만 달고 싱겁다.

댓잎은 열을 내린다. 열에 의한 번조증과 갈증을 없애고, 열이 인체 상부로 치솟아 올라 입 안이 헐고 혓바늘이 돋으며 혀가 패이면서 아픈 것을 가라앉힌다. 상열로 얼굴이 벌겋게 되고 눈이 잘 충혈되며 코피를 잘 흘리고 잇몸이 잘 붓거나 잇몸에서 출혈도 잦은 데도 좋다. 혹은 기침으로 피를 토하거나 얼굴이 벌겋게 되도록 힘겹게 기침하는 것을 다스리기도 한다.

댓잎은 마음을 안정시키는 효능도 있다. 가슴에 울화가 맺힌 듯 답답하여 들이쉬는 숨보다 내쉬는 숨이 더 크며 혹은 열이 솟구치면 미친 듯 걷잡을 수 없는 열광증은 물론 소아의 열성경기 등에도 효과가 있고, 부인의 화병을 비롯해서 스트레스에 의한 불면증, 두통, 어지럼증 등에도 약이 된다.

댓잎은 이뇨의 효능도 있다. 그래서 소변이 시원치 않거나 농축이 되어 색이 진하고 냄새가 나며 배뇨 때 뻑뻑할 때도 좋다.

위와 같은 증세가 있을 때 댓잎을 녹차 마시듯 그렇게 멀겋게 우려내어 수시로 차로 마시면 된다.

성종과 식체

성종(成宗)은 조선의 제9대 왕이다. 수양대군인 세조의 손자로 13세에 왕위에 올랐으며, 세종과 세조가 이룩한 치적을 바탕으로 큰 업적을 남긴 왕이었다. 성군 세종대왕을 꼭 빼닮았다는 성종은 성품이 너그럽고 인자했으며, 학문을 숭상하여 많은 인재를

성종(成宗 ; 1457년 8월 19일(음력 7월 30일)~1495년 1월 20일(1494년 음력 12월 24일), 재위 1469년~1495년)은 조선의 제9대 왕. 휘는 혈(娎). 〈성종 어진〉 (우승우 화백).

키웠다. 슬기롭게 정사를 잘 돌보았기 때문에 조선 왕조를 유교적 법치국가가 되도록 기초를 다지고 이를 이룩하였으며, 조선 초기의 문물제도를 거의 완성했다고 할 정도로 성군이었다고 한다. 그래서 그의 치세 기간이 조선조 개국 이래 제일 태평성세를 누린 시절이었다고 한다. 그의 아들 연산군이 등극하기까지 25년 동안 재위하

선릉(사적 제199호) : 서울특별시 강남구 삼성동에 있는 조선시대의 성종과 정현왕후 윤씨의 능.

고 38세의 한창 나이에 승하하여, 지금의 서울 강남구 삼성동에 있는 선릉에 정현왕후 윤씨와 함께 모셔졌다.

성종은 옥체를 돌보지 않고 정사에 무리하여 젊은 나이인데도 잦은 병으로 날로 수척해 갔다고 한다. 그런 중에도 정사를 돌보기를 한시도 게을리하지 않으니 더욱 옥체가 나빠졌다고 한다. 어의들이 갖가지로 애를 썼지만 백약이 무효라 몸져누웠다고 하는데, 이때 신하들이 '즉어'라는 물고기가 병환에 좋다고 하며 드실 것을 권했다고 한다. 즉어는 붕어다. 그러자 성종은 "지금은 장마철이라 어부가 위험하니 폐를 끼칠 수 없느니라" 하며, 신하들의 간청을 물리쳤다고 한다. 성종은 그만큼 백성을 아끼며 선정했다.

얼마나 백성을 아끼고 선정을 베풀었는지는 성종의 미행에 얽힌 이야기를 보면 절감할 수 있다. 이런 이야기가 있다.

어느 날 밤 미행 때다. 광통교 다리 밑에 쭈그리고 앉아 있는 한 남자를 발견했다고 한다. 알아보니 경상도 사는 김희동이라는 사람이었는데, 임금님이 하도 성군이시기에 드리려고 해삼과 전복을 들고 한양에 올라왔다는 것이었다. 성종은 감격하여 후한 상을 내리고 충의라는 벼슬까지 내렸다고 한다.

《성종대왕실록》

성종의 미행에 얽힌 또 하나, 이런 이야기도 있다.

어느 해 몹시 추운 날 밤, 이토록 추운 날이면 백성들이 어찌 살아갈 수 있을까 걱정이 된 성종이 미행에 나섰는데, 그날 밤에는 가난한 선비들이 많이 산다는 남산골로 발길을 옮겼다. 어느 골목에 접어들자 선비의 글 읽는 소리가 들렸다. 그리고 아낙의 소리도 들렸는데, 아낙이 걱정하는 소리였다. 사흘이나 꼬박 굶은 양반이 냉방에서 무슨 글 읽을 기운이 나겠느냐? 그러니 그만 주무시라는 소리였다. 그러자 대꾸하는 선비의 소리도 들렸는데, 배가 곯은 채 냉방에 누우니 잠이 오지 않아 글이나 읽을 수밖에 없다는 얘기였다. 이런 소리, 저런 소리 다 듣고 난 성종은 지나가는 나그네인데 잠시 쉬어 가자 청하고는 냉방에서 선비와 마주 앉았다. 그리고는 이야기를 나누었는데, 성종이 어찌 여태 급제를 못했느냐고 묻자 선비는 우둔한 탓도 있지만 과거는 명수에도 달려 있는 것 같다고 말하였다. 성종은 선비에게 그의 사집(私集)을 보여주기를 청했다. 사집은 사사로이 엮은 문집이다. 성종이 보니 시 하나하나가 모두 주옥같은 명문이었다. 그날 이후 성종은 여러 차례 쌀과 고기를 담 너머로 전해주었다. 그리고는 과거령을 내렸다. 그 선비를 급제시키기 위한 과거였다. 성종은 시제로 그 선비의 사집에서 본 문구를 택했다. 답안 중에는 바로 그 사집에 실렸던 글이 적혀 있었다. 성종은 기뻐서 그 답안을 장원으로 뽑았다. 그런데 이 어찌된 일인가. 장원으로 뽑혀 불려온 이는 그 선비가 아니고 젊은이였다. 사연을 묻자 젊은이의 대답이 기가 막혔다. 그 선비는 자기의 스승인데, 스승이 굶주림 끝에 먹은 고기에 체해 과거에 응시하지 못하게 되자 스승이 자기에게 이 글을 보여주며 응시하라고 일렀다는 것이다. 그러면서 스승인 그 선비는 지금쯤 돌아가셨을 거라는 것이었다. 성종은 매우 애석하게 여기며 자신이 쌀과 고기를 준 것이 오히려 일찍 죽게 했다고 한탄했다고 한다.

체하면 이렇게 죽을 수도 있다.

급체하면 윗배가 몹시 아프고, 명치 밑을 누르면 더 아프다. 메스껍거나 토하고 설사를 한다. 《동의보감》에서 표현한 대로 소위 '패란기취(敗卵氣臭)'라 불리는 썩은 달걀 냄새 같은 구취가 난다. 위장의 점막이 벌겋게 붓고 때로 간장이나 담도의 질병이 속발하기도 한다.

식체

급체를 일으킨 경우에는 어떤 음식물에 급체했는지 알 필요가 있다. 예를 들어 육류에 체한 경우에는 아가위차가 좋다. 어떤 육류에 체했든 그 육류의 종류에 관계없이 아가위차를 끓여 먹으면 낫는다. 아가위는 산사나무의 열매로 약의 이름을 '산사육'이라고 한다. 육류를 소화시키는 데 뚜렷한 효과가 있다. 1일 8~12g을 물 300~500cc로 끓여 반으로 줄인 것을 하루 동안 차처럼 나누어 마신다. 그리고 육류 중에서도 돼지고기에 체한 데는 아가위차 외에 새우젓을 태운 가루 2~4g을 온수로 1일 2~3회 복용하고, 개고기에 체한 데는 아가위차 외에 살구씨 또는 해바라기 줄기와 잎을 달여 먹는다.

생선에 체한 데는 차조기잎을 끓여 차처럼 먹는다. 차조기잎은 약의 이름을 '소엽'이라고 하는데, 특히 자색깔이 선명한 것이 좋아 이를 '자소엽'이라고 한다. 1일 8~12g을 물 300~500cc를 붓고 반으로 줄 때까지 끓여 차처럼 마신다. 깻잎 같은 향기가 있어 먹기에도 좋다.

아가위(산사나무 열매)

아가위차

과일에 체한 데는 참외껍질을 끓여 먹거나 건강(말린 생강)차를 먹는다. 수박을 먹고 체한 데는 수박껍질을 달여 마시거나 묵은 김치를 끓여 먹는다. 참외를 먹고 체한 데는 돼지고기를 태운 가루가

차조기잎 건강(말린 생강) 참외 엿기름

좋다.

떡을 먹고 체한 데는 설탕에 물을 부어서 묽은 꿀같이 될 때까지 끓여 먹는다. 밥에 체한 데는 엿기름을 끓여 먹는다. 엿기름은 국수를 먹고 체한 데에도 좋다. 엿기름은 곡물을 소화시키는 약효가 뛰어나다. 엿기름을 우려낸 물을 먹어도 좋고, 엿기름을 가루로 만들어 4g을 온수에 먹어도 좋고 혹은 식혜로 만들어 먹어도 좋다.

세종대왕과 당뇨병

세종대왕(世宗大王)의 치적에 대해서는 새삼 말할 것이 없다. 세종대왕의 공은 물론이요 과에 대해서도 왈가(曰可)할 것도 왈부(曰否)할 것도 없다. 오로지 '성군', 이 한마디로 각필하기로 하고, 여기서는 대왕의 건강에 대해 잠시 이야기해 보기로 한다.

세종대왕은 대단한 정력가였다고 전한다. 슬하에 무려 18남4녀의 많은 자녀를 둔 것도 그렇지만 스물두 살에 즉위한 이래 지칠 줄 모르는 정력으로 나라를 잘 다스려 조선조 519년 동안 27명의 임금 중 가장 손꼽히는 명군이 된 것도 그렇다.

세종(世宗 ; 1397년 5월 7일(음력 4월 10일)~1450년 3월 30일(음력 2월 17일), 재위 1418년~1450년)은 조선의 제4대 왕. 휘(諱)는 도(祹), 자(字)는 원정(元正). 세종은 묘호(廟號).
세종대왕 어진(김기창, 1971년)

그러나 대왕은 갖가지 병마에 시달렸다고 《세종장헌

〈세종장헌대왕실록〉, 활자본(을해자본), 서울대학교 규장각 소장

대왕실록》에 기록되어 있다. 눈이 짓무르고 침침하고 잘 보이지 않아 곁에 앉은 사람도 알아볼 수 없을 만큼의 만성적인 안질에 시달렸을 뿐만 아니라 종기가 그치지 않고 나서 고생하였다. 오래 앉아 있으면 눌린 자리가 곪고, 온몸이 가려워 견딜 수가 없었고, 다리가 약하고 아파서 보행하는 데 어려움이 있었다고 하며, 조갈증까지 심하여 물을 달고 지내는데도 갈증을 해소할 수 없었다고 한다.

심한 허기와 갈증, 그리고 피로 등 이토록 심한 병고에 시달리자 왕실과 조정은 세종대왕의 환후를 염려하여 흑염소를 다려서 드실 것을 지성으로 청하였으나, 세종대왕은 흑염소가 다른 나라에서 들여온 귀한 짐승이라 약으로 써서 멸종케 할 수 없다면서 완곡히 사양하였다고 한다.

명군 세종대왕, 그러나 개인적으로는 질병으로 오랫동안 시달렸던 분, 그 대표적인 질병이 '소갈증'이었다. 소갈증에 대해서는 《천하인물과 의학의 만남 2》 p. 290 〈사마상여와 소갈증〉의 내용을 참고하기 바란다.

소갈증이란, 한마디로 소모성 질환이라는 뜻이다. 소변이 잦아 체내의 수분을 소모시키고, 그래서 이를 보충하려고 갈증이 심해지고, 체력이 소모되어 피로가 심하며, 체지방이 소모되어 체중이 주는 등 여러 가지로 소모되는 질환이라는 뜻이다. 요샛말로 당뇨병에 해당한다. 소갈증, 즉 당뇨병은 합병증도 많이 생긴다. 3대 합병증은 신장의 병변과 눈의 병변, 신경의 병변이다. 그러니까 신장도 나빠지고 눈도 나빠지고 좌골신경통으로 고생도 하고 발기부전이 되거나 역류성 사정으로 남성적 기능을 상실할 수 있다는 것이다.

한의학에서는 위와 대장에 열이 축적된 때, 신장 기능이 허해진 때, 심장에 열이 맺힌 때에 소갈증이 일어난다고 하면서 육체적 과로나 심리적 과로 및 과음과 과색 등이 근본적인 원인이라고 본다. 따라서 유전적인 소인이 없어도 이러한 근원적 원인이 클 경우에는 소갈증을 일으킬 뿐만 아니라 합병증도 쉽게 오고, 또 그 정도가 심해진다고 보고 있다. 그래서 세종대왕도 곁에 앉은 사람을 알아볼 수 없을 만큼의 만성 안질을 비롯해서 종창, 풍질, 각기 같은 온갖 병증으로 시달렸던 것이다.

소갈증은 춘추전국시대에 쓰여진 의서에 기록되었고, 당뇨병은 이집트의 파피루스에 기록되어 있을 만큼 오래된 질병이다. 흔히 유전적인 소인이 있을 때 쉽게 나타난다. 이런 경우는 어릴 때부터 증세가 생기며, 인슐린이 아니면

심한 소갈증일 때는 물을 계속 마시게 된다.

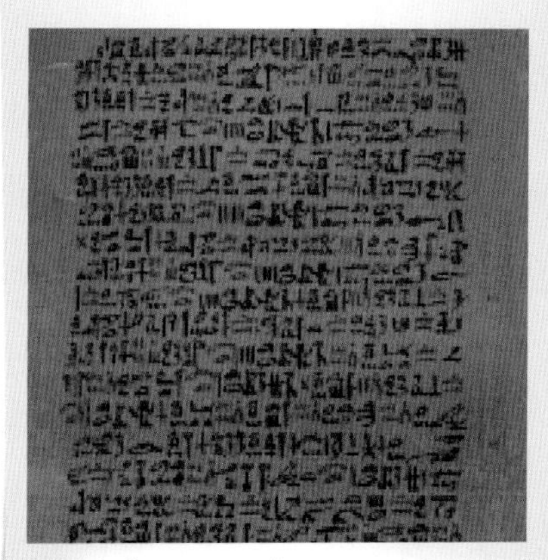

《치병의 서(Ebers papyrus)》: BC 1550년경에 작성된 이집트의 의학관계 문서. 현재까지 알려진 것 중 가장 오래된 의학관계 저술에 속한다. 이 책에서 너무 많은 양의 소변 배출(Polyuria)에 대한 기록을 볼 수 있다.

도저히 컨트롤할 수가 없다. 그래서 이 경우를 '인슐린 의존성 당뇨병'이라고 한다.

한편 스트레스, 임신, 어떤 약물, 또는 어떤 질병 때문에 오는 경우도 있다. 췌장에서 분비되는 인슐린의 양이 부족하거나 충분한 활동을 하지 못해 발생하는 것으로 대부분 40대를 전후한 중년 성인에게 많이 나타난다. 그래서 대표적인 성인병의 하나로 꼽히고 있으며, 이 경우에는 대부분 식이요법과 운동으로도 어느 정도 개선할 수 있기 때문에 '인슐린 비의존성 당뇨병'이라고 한다.

소갈증, 즉 당뇨병에는 운동과 식이요법이 예방과 치료에 절대적이다. 운동은 반드시 식후에 해야 한다. 공복의 운동은 저혈당을 일으킬 수 있기 때문에 극히 위험하다. 식후 30분쯤 후에 시작하여 30분 이상 60분 안팎으로 하는 것이 좋다. 또 다칠 위험이 많은 운동은 안 된다. 원래 당뇨병에는 소위 '당뇨병성 발괴저'라 하여 발에 염증이 생기는 경우가 흔하기 때문에 평소에 발을 청결히 하고 상처가 나지 않게 주의를 줄 정도이므로 손발의 끝이 다치지 않게 주의해야 한다.

식이요법은 칼로리를 지나치지 않게 하는 것이 관건이다. 한꺼번에 과식하지 말고, 규칙적인 식사를 하며, 하루에 필요한 칼로리를 세 끼에 고루 나누어 섭취할 수 있도록 식단을 꾸미는 것이 필요하다. 그리고 톳나물, 표고버섯, 모시조개, 시금치, 두릅뿌리, 완두콩 및 콩이나 콩으로 만든 제품 등을 많이 섭취하도록 한다. 구기자차, 달개비차 등도 좋다.

톳나물은 칼로리가 거의 없어 비만, 당뇨에 좋다. 혈압과 혈중 콜

당뇨병의 예방·치료에 좋은 식품들

레스테롤도 떨어뜨린다. 표고버섯은 당뇨합병증을 예방하며, 모시조개는 당뇨 조갈증을 없애고, 시금치도 당뇨 조갈증에 더없이 좋다. 두릅의 뿌리는 혈당강화 작용이 있으므로 1일 20~30g씩을 물 300cc로 끓여 반으로 줄면 하루 동안 나누어 마시도록 한다. 완두콩이나 콩은 사포닌 성분을 갖고 있어서 장의 융모가 커지는 것을 억제시키므로 당뇨의 예방과 치료에 매우 유효하다. 또 구기자차나 달개비 역시 혈당강화 작용을 하는데, 특히 달개비는 일명 '닭의 장풀' 또는 '압척초'라고 하여 플라보노이드의 일종인 성분을 함유하고 있어서 아주 효과적이다.

이외에도 브로콜리나 양파도 당뇨에 좋으며, 모과를 거칠게 가루를 내어 1일 3회, 1회에 4g을 온수로 복용해도 좋다. 또 장미뿌리를 차로 끓여 마셔도 좋다. 장미뿌리는 알록산으로 당뇨를 일으킨 동물의 혈당을 떨어뜨리는 효과가 있는 것이 실험적으로 인정된 바 있다.

수양대군과 목욕법

수양대군(首陽大君)은 김종서 등을 역적모의로 몰아 죽인 후 조카인 단종을 보호한다는 미명 아래 대궐을 장악한다. 그날 밤으로 어명을 빌려 모든 대신을 입궐케 하여 궐문에서 한명회가 작성한 생사부(生死簿)에 따라 수많은 정적들을 참살함과 아울러 영의정과 병권을 거머쥠으로써 실권을 완전 장악한다. 이후 수양대군은 단종을 핍박하여 선위(禪位)의 형식을 빌려 용상을 뺏고 즉위하니, 조선 제7대 왕인 세조(世祖)다.

세조(世祖 ; 1417년 11월 2일(음력 9월 24일)~1468년 9월 23일(음력 9월 8일), 재위 1455년~1468년)는 조선의 제7대 임금. 휘는 유(瑈), 자는 수지(粹之). 단종의 숙부. 즉위 전 호칭은 수양대군(首陽大君)이다. 세조(합천 해인사 성보박물관 소장).

세종의 18왕자 중 둘째인 수양대군은 할아버지인 태종을 많이 닮아 부릅뜬 눈이 두려울 정도로 생김까지 심성 못잖게 범같이 무서웠다

충북 영동 백화산 반야사에서 200여 m 위에 있는 반석 영천(靈川)으로 세조가 문수보살이 시키는 대로 이 영천의 물을 떠서 마신 다음 그 밑에서 기도를 하고 정성을 다하여 목욕을 하였다고 전한다.

고 한다. 세조는 무예에도 능했고 병서에도 밝았다고 한다. 그리고 영명한 왕으로 경국(經國), 제민(濟民)에 남긴 치적도 많았다는 평가를 받는다. 특히 의학 발전에 미친 영향도 컸다. 세조 9년 12월, 친히 《의약론》을 지었는데, 여기에서 세조는 의사의 자질을 8가지로 논하였다.

첫째, 병자로 하여금 마음이 편안케 하는 심의(心醫).

둘째, 병자로 하여금 병자의 입에 맞고 병에 맞게 음식을 먹도록 하는 식의(食醫).

셋째, 약 먹기만을 권하는 약의(藥醫).

넷째, 위급함에 임하여 의사가 먼저 혼란해지는 혼의(昏醫).

다섯째, 조심성 없이 함부로 준열한 치료를 하는 광의(狂醫).

여섯째, 약을 쓰는 데에 있어서 약이 맞는지 맞지 않는지조차 모르는 망의(妄醫).

일곱째, 그릇된 의술을 마다 않는 사의(詐醫).

여덟째, 병자를 측은히 여기는 마음이 없이 자기 총명이나 재주만 믿고 짐짓 호승(好勝)의 뜻만 부리는 살의(殺醫).

이것이 세조가 논한 8가지 의사의 자질이다.

세조는 단종을 노산군으로 강봉하고 영월로 쫓아낸 후 죽인다. 단종은 출생 사흘 후 어머니를 잃고, 여섯 살 때 할머니를, 열 살엔 할아버지인 세종을, 열두 살엔 부왕 문종마저 잃은 가엾은 어린 시절을 보냈는데, 결국에는 숙부의 손으로 겨우 열일곱 살에 죽임을 당한 것이었다.

여하간 세조가 단종을 죽였을 때의 일이라고 한다. 세조의 꿈에 단종의 어머니인 현덕왕후가 나타나 "흉악한 성품과 심술로 네가 내 아들을 죽였으니 나도 네 자식을 죽이겠노라." 하면서 침을 탁 뱉고 사라졌다고 한다. 세조가 꿈에서 화들짝 깬 그 순간에 스무 살이었던 세자가 급사했으며, 세조가 꿈속에서 침을 맞은 자리에는 피부병이 생겼다고 한다. 처음에는 침을 맞은 자리에만 생겼던 피부병이 점차 온몸에 번졌으며, 너무 괴로운 나머지 피부병에 좋은 물이 있다는 속리산까지 행차하는 등 백방으로 노력했지만 세조는 이 피부병으로 평생을 고생했다고 한다.

세조뿐 아니라 세종, 현종 등 조선의 왕들은 보양(保養)은 물론 치병을 위한 요양(療養)의 목적으로 온천을 입욕·음용·세정 등 여러

온천

방법으로 이용해왔다고 한다. 그래서 온천의 의학적 효능을 어의와 함께 연구하는 관리까지 있었다고 한다.

온천의 화학성분은 대개 이온 모양으로 녹아 있어 입욕을 통해 전신의 피부로 들어오면 피하에 변화를 일으키고 이것이 신경이나 운동기 등에 전신적 반응을 불러일으켜 치료 효과가 나타난다. 이 외에 온천수의 온도나 부력·압력·저항 등의 물리적 인자 및 여러 인자의 종합작용에 의해 저항력을 높이고 생활 활동을 조정한다는 온천의 치료적 효용이 인정되고 있다.

조선의 왕들이 즐겨 찾았다는 온양온천 같은 단순천은 류머티즘성 질환·신경마비·운동기장애 등에 효과가 있으며, 해운대온천 등 석고를 함유한 식염천은 류머티즘성 질환·만성습진·피부각화증·여성 성기 만성염증 등에 효과가 있는 등 온천의 수질에 따라 적응증이 다르다.

삼백초

박하

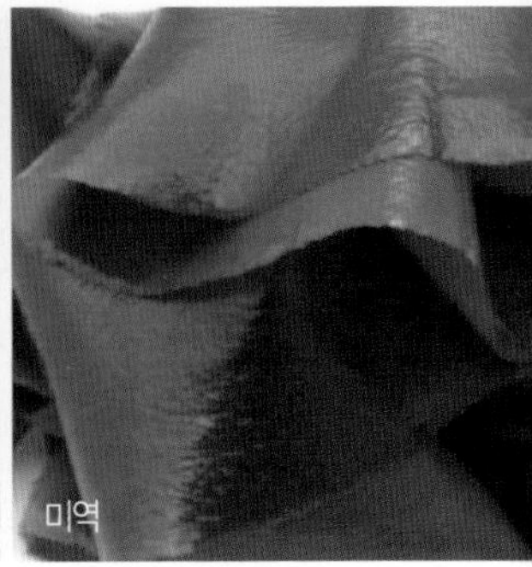
미역

그러나 온천욕이 좋다고 해도 모든 급성질환 때나 열성질환, 출혈성질환 및 일반적으로 병세가 진행 중인 질환일 때는 피해야 한다. 특히 악성종양, 중증 심장병, 고도의 빈혈, 임신 중일 때는 안 좋다.

온천욕이 여의치 못하면 가정에서 약초목욕을 해도 좋다.

피부가 안 좋을 때는 삼백초, 박하, 미역 등을 끓이거나 우려낸 물로 목욕하면 좋다. 삼백초는 보습 및 조직재생 작용이 뛰어난 소염성의 입욕제로 여드름이나 각종 피부 트러블에 효과가 있으며, 박하는 멘톨 성분이 있어서 피부 가려움과 염증까지 내려주고, 미역은 피부 트러블 중 특히 아토피 등 알레르기성 피부를 진정시키는 효과가 크다.

엄나무

두충

모과

쑥

홍화

천초

류머티즘성 질환이나 신경통, 관절통에는 엄나무·두충·모과 등을 끓이거나 우려낸 물로 목욕하면 좋다. 엄나무는 어깨뼈를 보강하며, 두충은 허리뼈를 보강하고, 모과는 무릎뼈를 보강한다.

부인과질환, 특히 생리통이나 냉이 심할 때는 쑥·홍화·천초 목욕이 좋다. 쑥은 혈액순환장애, 불면증, 만성 설사 및 노인성 피부건조로 소양증이 심한 데에도 좋다. 홍화는 수족냉증, 복부나 골반 냉증, 중풍 후유로 수족마비가 있을 때도 좋다. 천초는 노폐물이 체내에 축적되는 데에도 효과가 있는데, 신장 기능이 안 좋은 경우에는 천초로 족욕을 자주 한다.

이외에 욕조에 청주를 타서 목욕하거나 식초를 몇 방울 떨어뜨리거나 혹은 몰약(沒藥)을 식초에 7일간 우려내어 그 식초를 몇 방울 떨어뜨려 목욕을 하면 전신의 순환이 좋아져 피로회복이나 근육의 경직, 통증 등에 두루 효과가 있다.

숙종과 고구마

숙종(肅宗)은 효종, 현종의 뜻을 이어받아 국방을 튼튼히 하는 데에 힘을 많이 쏟았던 조선조 제19대 왕이었다. 유난히 능행이 잦았던 숙종은 이때마다 군사 훈련을 시켰으며, 거의 버려지다시피 했던 압록강변에 무창, 자성의 두 진을 신설하여 옛 영토 회복 운동을 시작하고, 백두산 정상에 정계비를 세워 국경선을 확정짓기도 했다. 한양 북쪽에 북한산성도 쌓았고, 강화도도 요새화하였다. 종래 4영(營)이던 군제에 금위영을 만들어 5영을 완성하기도 했다.

숙종(肅宗 ; 1661년 10월 7일(음력 8월 15일)~1720년 7월 12일(음력 6월 8일))은 조선의 제19대 왕이다. 휘는 순(焞). 열성어진에 실린 숙종 초상화.

숙종 때는 흉년과 전염병의 만연으로 인구가 141만 명이나 줄었다고 할 정도로 피폐했지만, 상평통보의 주전(鑄錢)을 본격적으로 시작하여 통용토록 하는 등 경제 시책의 결실을 보기도 했다. 그만큼 농산업과 시장 유통 등에서 발달을 이루었던 시기였다.

숙종 때는 조선 왕조 중 가장 당쟁이 격심했던 기간이다. 인현왕후를 폐출시키고 장희빈을 새 중전으로 맞았다가 인현황후를 복귀시키고 장희빈을 다시 강등시키는 등 그의 애증의 감정 노출이 심한 것을 당파 세력가들이 교묘히 조종하여 비참한 살육사건이 수차 유발되기도 했다. 비록 그의 재위기간 중 쟁쟁한 학자들이 배출되어 조선 후기 성리학의 전성기를 이루었다 하지만, 한편으로는 그의 재위기간 중에 수많은 인재들이 죽임을 당하기도 했다.

파란만장했던 숙종, 왕은 쉰 후반을 접어들면서 각종 병고에 시달렸다. 왼쪽 눈이 거의 보이지 않았는데, 오른쪽 눈마저 좋지 않아졌다. 이런 와중에 아들 연령군이 죽었다. 연잉군(후일의 영조)을 낳은 숙빈 최씨도 죽었다. 또한 인경왕후, 인현왕후, 장희빈 등 그가 사랑했던 여인들이 다 죽어 심리적 공황상태에 빠져 있었는데, 설상가상으로 세자(후일의 경종)의 빈이 죽어 새로 세자빈을 들여야 했다. 이러니 눈이 거의 보이지 않았을 것이다. 이렇게 눈이 거의 보이지 않는 상태로 몇 해를 보내던 중 배가 점점 불러오기 시작했다. 그 고통은 극심했고, 결국 숙종은 이 병으로 죽었다. 때는 숙종 46년 6월 8일, 향년 60세였다.

숙종 때는 농업이 발달했던 시기였다. 인삼·연초의 재배가 늘었고, 특히 고추 ·감자, 그리고 고구마의 재배가 시작되었다고 한다. 이렇게 해서 숙종 때부터 식생활이 보다 더 다양화해졌다고 한다.

한편 또다른 문헌에 의하면 고구마는 영조 39년 조엄(趙曮)이 일본에 사신으로 다녀올 때 쓰시마 섬(대마도)에서 종자를 들여온 것이 시초라고도 한다.

고구마

여하간 고구마는 오래 전부터 구황작물의 일종으로 재배되어 왔고, 그 품종도 많다. 고구마는 맛이 달다. 호박고구마(물고구마와 호박을 교접해 육성한 것)는 더 달고 부드럽다. 베타카로틴 성분이 많이 들어 있고, 비타민 B군도 많지만 비타민 C의 보유량은 뿌리채소 중에서 단연 으뜸이다.

따라서 고구마는 성인병 예방에 효과가 있으며, 항산화물질인 안토시아닌이 풍부해 노화를 막고 암 예방에도 도움이 된다고 한다. 안토시아닌은 고구마의 속보다 껍질에 더 많기 때문에 고구마는 껍질째 먹는 것이 좋다. 변통을 좋게 해주는 세라핀과 섬유질도 껍질에 많다. 또 껍질에 있는 미네랄이 당분의 이상발효를 억제해 주기 때문에 껍질째 먹으면 먹고 나서도 속이 쓰리지 않는다.

고구마는 김치와 함께 먹으면 좋다. 고구마의 질 좋은 섬유질과 칼륨은 콜레스테롤과 나트륨 배설을 촉진하기 때문에 김치와 함께 먹으면 김치에 다량 함유되어 있는 나트륨의 배설을 촉진한다.

고구마를 다시마와 함께 삶으면 다시마 성분이 고구마를 부드럽게 해줄 뿐 아니라 고구마의 아마이드 물질이 장내의 유산균이나 비피더스균의 번식을 촉진하면서 다시마 성분과 함께 변통을 더욱 좋게 해준다.

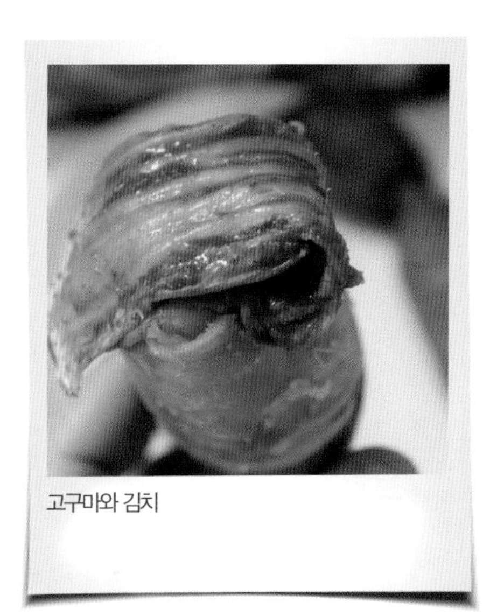

고구마와 김치

고구마와 마를 생으로 갈아 먹어도 좋다. 둘 다 쇠약해진 몸을 보양하고 기력을 늘리며 비위를 튼튼하게 해준다. 특히 고구마생즙은 발암물질인 스트론튬의 발생 및 흡수를 막아주는 효과까지 있다고 한다. 물론 고구마와 마를 같은 양씩 배합하여 잘게 썰어 절반은 볶고 절반은 날것으로 말려 가루 내어 미음에 타서 먹어도 좋다.

고구마와 마

신립과 잉어

신립(申砬 ; 1546년 10월 23일~1592년 4월)은 조선시대 무신, 장수. 임진왜란 첫 해에 충주 탄금대에서 배수진을 펼치고 왜군과 싸우다 전사한 장군. 신숭겸의 후손으로 시호는 충장(忠壯)이다.

나라가 흉흉해지면 천재지변이 자주 일어나고, 천재지변이 자주 일어나면 민심은 더욱 흉흉해진다.

조선 선조 때의 어느 해에 청천강이 홀연히 바닥을 드러냈다. 한강은 핏빛으로 변했다. 그것도 세 차례나 그랬다. 함경도 온성에선 한밤에 괴이한 불덩이가 어지러이 날아다녔다고 한다. 천둥 번개까지 요란했다고 한다. 지리산에서는 수백만 마리의 참새가 떼를 지어 싸워 죽은 후 썩어 고약한 냄새가 진동했다고 하며, 대궐에는 검은 기운이 몰려 엉키어 흩어지지 않고 여러 날 뒤덮였다고 한다. 그러니 민심은 더욱 흉흉해졌다.

그러던 어느 가을밤 선조가 꿈을 꾸었는데, 한 계집이 머리에 볏단을 이고 남쪽에서 날아와 대궐에 불을 질렀다고 한다. 대궐은 물론 한양 도성이 온통 불바다가 되는 꿈을 꾼 선조가 너무 불길한 생각에 점을 쳐 해몽해 보니, 계집[女]이 볏단[禾]을 이고 남쪽에서 날아온 것은 왜[倭]가 틀림없으니 장차 왜놈이 쳐들어올 조짐일 것이라 했다. 이때가 선조 24년이었다.

『북관유적도첩(北關遺蹟圖帖)』 8장면 중 〈일전해위도(一箭解圍圖)〉 17~18세기, 종이에 담채, 31cm×41.2cm, 고려대박물관 소장.
〈일전해위도(一箭解圍圖)〉는 신립이 화살 한 발로 두만강변의 오랑캐를 소탕한 고사를 그린 것이다.

이미 오래 전, 그러니까 선조가 즉위하기 전, 선왕인 명종 말년에 격암(格菴) 남사고(南師古)가 20년 후에 왜란이 일어날 것이라고 예언한 바 있었다. 만일 왜란이 진(辰)년에 일어나면 나라를 구할 수 있지만 사(巳)년에 일어나면 구하기 어려워 나라가 망할 것이라 하였다. 그런데 선조 25년 3월, 조선을 건국한 이성계의 묘인 건원릉에서 슬피 우는 소리가 연이어 들렸던 것이다. 어인 일로 이성계의 혼백마저 이토록 슬피 우는 것일까. 흉흉했던 민심은 극도로 불안과 공포로 변했다.

드디어 선조 25년, 즉 임진년 1592년 4월 13일 왜란이 일어났다.

왜군은 무인지경을 휩쓸듯 지쳐 올라왔다. 조정에서는 험한 요새인 조령에서 왜군을 막아내려고 신립(申砬) 장군을 내려보냈다. 당연히 쳐부수리라 믿었다. 신립 장군이 누구인가! 모든 백성들도 명장 신립이 나라를 구할 것이라고 믿었다.

그런데 신립 장군은 문경새재는 지세가 좋지 않으니 왜병을 넓은 들판으로 끌어내 기병으로 무찌르겠다며 충주 달래강 탄금대에서 배수진을 치고 왜병에 맞섰다. 기병의 귀재 신립 장군이었으나 그 결과는 참담했다. 조선의 부대는 거짓말처럼 전멸했고, 신립 장군도 달래강에 빠져 죽었다.

잉어

후일 전해지는 말에 의하면 달래강에서 잉어가 잡혔는데, 잉어의 뱃속에서 신립 장군의 옥관자가 나왔다고 한다. 그래서 신씨 후손들은 이후부터 잉어를 먹지 않는다고 한다.

신씨 말고도 잉어를 먹지 말아야 할 환자가 있다. 뱃속에 묵은 응어리가 있어 잡히는 환자, 그리고 유행성 전염병을 막 앓고 난 환자 등이다.

용봉탕

잉어는 맛이 달다. 질도 엄청 좋다. 비타민 A가 전혀 없는 다른 어류와는 달리 비타민 A가 엄청 많은, 정말 특이한 물고기다. 그래서 대단한 자양강장 효능이 있다고 한다. 남녀 모두의 성호르몬을 자극하는 효과가 있다고 한다. 정자의 양을 늘려주고 발기부전을 개선하며, 여성의 불임증이나 산후허약, 산후부종, 모유부족 등에도 도움이 된다고 할 정도다. 이뿐 아니다. 소화장애에도 좋고 당뇨병, 간질환, 소변불리 등에도 좋다.

잉어는 이렇게 효능이 다양하고, 그 효능이 뚜렷하다. 많이 먹어도 좋고 자주 먹어도 좋다. 그러나 회로 먹으면 안 된다. 간디스토마

잉어와 궁합이 맞지 않는 식품들

꿀

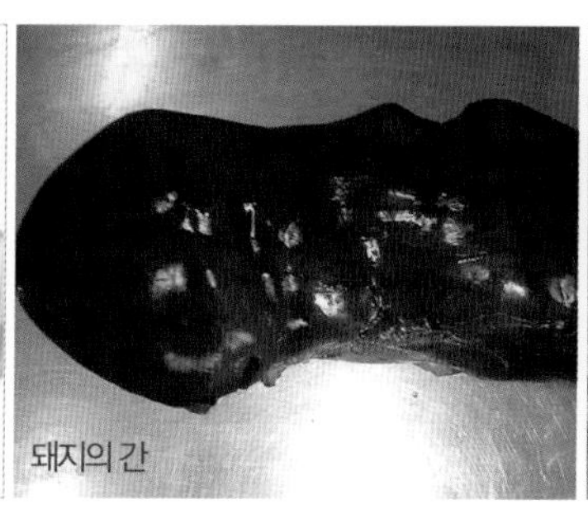
돼지의 간

아욱

유충에 감염될 수 있기 때문이다. 회만 아니라면 매운탕으로 끓여 먹든 기름에 튀겨 먹든 다 좋다. 단, 어느 경우든 비늘을 벗기지 말고 머리 위 정수리 부위에 칼집을 내어 검고 탁한 피를 빼내고, 담낭을 비롯해서 내장을 드러낸 후 요리해야 한다. 검고 탁한 피에는 독이 있기 때문이며, 내장에는 비타민 B_1을 파괴하는 아노이리나아제가 들어 있기 때문이다.

참고로 잉어를 요리할 때 아욱을 배합하면 안 된다. 돼지의 간과 배합해도 안 좋다. 꿀과 함께 먹어도 안 된다. 궁합이 맞지 않는다.

잉어와 닭을 배합한 '용봉탕'은 스태미나 요리로, 잉어 지느러미와 참개구리를 배합한 '어백전계편'은 소아허약의 보약으로 정평이 나 있는데, 부종에는 잉어 뱃속에 팥을 넣고 삶아 먹고, 발기부전에는 잉어 뱃속에 새삼씨(토사자) 한 줌을 넣고 고아 먹으면 아주 좋다.

왕건과 환정법(還精法)

왕건(王建)은 어떻게 생겼으며, 어떤 인물일까? 넓적한 얼굴에 둥근 이마, 그리고 모가 난 턱을 지닌 분으로 《고려사》 「태조 편」에 실린 왕건의 모습이다. 그리고 "기상이 탁월하고 음성이 웅장하여 세상을 건질 만한 도량이 있었다."고 한다. 분명 영웅호걸의 용모와 기상과 도량을 지녔던 인물임이 틀림없다. 그의 기상은 탁월한 지도력으로 발휘되었고, 그의 도량은 휘하를 배려하여 충성 세력을 견고케 하였다.

왕건(王建 ; 877년 1월 31일(음력 1월 14일)~943년 7월 4일(음력 5월 29일))은 후삼국시대 후고구려의 장군이자 고려의 초대 왕(재위기간 : 918년 7월 25일~943년 7월 4일). 휘는 건(建).

왕건은 궁예(弓裔)를 섬기는 장수로 태봉국의 영토와 세력을 확장해 나가 마흔도 안 되는 나이에 백관의 우두머리인 시중 벼슬에

공산 동수전투에서 신숭겸 장군(오른쪽에 선 이)과 태조 왕건(오른쪽에서 두 번째, 앉은 이)

올랐다. 그러다가 궁예의 전횡에 반기를 든 궁예 휘하의 장수들에 의해 추대되어 '고구려 부흥'이라는 웅지를 내걸고 고려를 창건한다. 후백제 견훤(甄萱)과의 공산동수전투(公山桐藪戰鬪)에서는 대격전 중, 죽음 직전에 신숭겸(申崇謙) 장군의 충성스러운 분사로 겨우 목숨을 건지는 수모도 당했다. 그러나 절치의 일념으로 권토중래하여 후백제와 신라를 아우르며 드디어 통일을 이룬다. 그리고 향년 67세에 임종한다.

왕건은 건국 초, 호족들을 회유하고 무마하는 포섭정책을 써서 호족들의 세력을 견제하는 한편, 여러 세력을 규합하면서 건국 초의 불안한 국가 기반을 다져 나갔다. 난세에는 호족들과 결연을 맺어야 살아남을 수 있고 신생국가를 유지할 수 있기 때문에 왕건은 호족가문의 딸들과의 혼인정책에 적극적이었다. 그래서 6명의 왕비를 포함해서 부인을 29명이나 두었다. 당연히 자녀도 많아서 25남9녀나 된다.

전남 나주시 완사천에 조형된 왕건과 장화왕후의 모습.

29명의 부인 중에 가장 미천한 출신의 부인이 둘째부인인 장화왕후(莊和王后) 오(吳)씨다. 이 부인과의 만남에는 특별한 것이 있다. 그 내용은 이렇다.

왕건이 군사를 이끌고 나주에 진주했을 때, 시냇가를 바라보니 오색구름이 떠 있어 이상하게 여겨 시냇가에 가보니 오씨가 빨래를 하고 있었단다. 이것이 왕건과 오씨의 만남이다. 그래서 동침했다. 그런데 왕건 입장에서는 생각이 달랐다. 가문이 한미한 탓에 임신시키고 싶지 않았던 것이다. 그래서 교접의 쾌락을 맛보되 임신을 시키

왕건과 오씨부인 장화왕후가 만났다는 이야기가 전해지는 나주의 완사천

경주 지역에서 출토된 신라시대(5~6세기경) 성애 토우

지 않으려니 질 밖에 정액을 사정할 수밖에 없었다. 왕건의 정액은 돗자리에 배설되었다. 순간, 오씨는 돗자리의 정액을 손으로 끌어모아 몸에 거두었단다. 이렇게 해서 오씨는 임신이 되어 아들을 낳았다. 이 아들이 왕무(王武)이며, 왕건의 뒤를 이은 혜종(惠宗)이다. 그런데 이상한 것은 혜종의 얼굴에 돗자리 무늬가 새겨져 있었다고 한다. 그래서 사람들은 혜종을 '주름살 임금님'이라고 불렀단다.

하여간 왕건처럼 질 외 사정을 하는 경우는 동서고금에 흔히 있어 왔던 방법이다. 물론 성교는 하되 질 외든 질 내든 아예 사정을 하지 않고 쾌감만 즐기는 방법도 있었다. 동양에서 오래 전부터 행해 왔던 환정법(還精法)이다. 사정 억제를 통해 정을 축적하여 건강을 증진시키려는 양생술의 하나이다.

환정법을 하면 교접을 과다히 즐긴다 해도 오히려 항상 기력이 넘치며 눈은 또렷해지고, 내장기가 모두 건강해지며, 혈관이 충만해지고, 신체의 빛깔이 좋아질 수 있다고 《동의보감》에도 그 필요성과 유익한 점을 강조한 바 있는 방법이다. 그러나 한편에서는 환정법의 유익함을 부정하는 경향도 있다. 사정을 통해 정액이 누설되었다고 해서 몸을 해치지도 않으며, 더구나 정을 몸 안에 축적했다고 해서 더 건강해지는 것도 아니라는 주장이다. 그러나 정액을 낭비하면 얼굴도 초췌해지고 머리카락도 윤택함을 잃게 되고 눈이 충혈되며 코나 입이 마르며 귓불이 푸르스름하게 변색이 된다. 뼈까지 약해져 허리와 다리가 새큰거리면서 아프기도 하고, 소변이 농축이 되고 대변이 굳어지며, 손바닥과 발바닥이 화끈거리며, 정신도 멍해져 기억력도 떨어지는 등 여러 증세가 나타나는 것을 어찌 무시할 수 있겠는가! 더구나 환정법은 정을 축적하려는 데만 의미가 있는 것이 아니라 교접을 하면서도 사정을 인내하는 능력을 키워주는 유효한 방법이니, 환정법을 잘 시행하면 조루증을 비롯한 각종 유정 병증을 근본적으로 해결할 수도 있다.

《선경(仙經)》이라는 방중술 책에는 "교접하여 매우 흥분되어 마침내 사정하려고 할 때 왼손의 2, 3지로써 음낭과 항문 사이를 누르고 길고 큰 숨을 내쉬며, 동시에 수십 번 이를 악물되 숨을 멈추지 않게 한다"고 환정법을 설명하고 있는데, 이렇게 단련된다면 조루증은 확실히 개선될 수 있을 것이다. 그만큼 환정법은 비의(秘義)에 가까운 양생술이다. 그래서 《선경》에는 "신선이 후진에게 전수할 때 피를 나누어 마시고 맹세한 정도이므로 남에게 전해서는 안 될 비법이다."라고 했을 정도다. 강한 남성을 위해 환정법을 익히고 실천해 볼 만하다.

요 임금과 복부 마사지

요(堯) 임금, 즉 제요(帝堯)는 순(舜) 임금, 즉 제순(帝舜)과 더불어 고대중국의 3황5제(三皇五帝) 중 가장 이상적인 임금으로 추앙되어 온 분으로, '덕으로 다스리는 태평시대'를 예로부터 '요순시대'라 일컬어 왔다.

요 임금은 아들 단주(丹朱)에게 왕위를 물려주지 않고, 신하들의 추천으로 가장 덕이 있는 자를 뽑아 자신의 두 딸을 시집보내 사람됨을 알아보고, 또 일을 맡겨 그 능력을 가늠한 후 천하를 맡겼다. 그 자가 순 임금이다. 순 임금은 가난 중에도 부지런했고, 계모의 박해와 모략과 살해의 위협 중에도 효성을 다했다는 인물인데, 역시 자

요(堯)는 중국 신화 속 군주. 중국의 삼황오제(三皇五帝) 신화 가운데 오제의 하나.

순(舜)은 중국 신화 속 군주로 중국의 삼황오제(三皇五帝) 신화 가운데 오제의 마지막 군주.

신의 아들 상균(商均) 대신에 홍수를 다스린 공이 큰 우(禹)에게 왕위를 물려주었다. 이렇게 요나 순, 모두 성군이었다.

요 임금은 1년을 366일로 정하고 농사를 계절에 올바로 맞춰 짓게 했으며, 요샛말로 '신문고' 같은 감간고(敢諫鼓)라는 북을 궁 문루에 달아 백성의 소리를 경청하며 백성과 소통을 소홀히 하지 않았던 임금이다.

이렇게 매일 태평무사한 나날을 보내던 요 임금 때의 어느 날 이야기이다.

요 임금은 문득 천하가 정말 잘 다스려지고 있으며 백성들이 평화롭고 행복하게 잘 살고 있는가 알아보기 위해 미행을 나갔다고 한다. 그때 백발이 성성한 한 노인이 땅바닥에 앉아서 배를 불쑥

중국 고대 요(堯)임금 대의 고복격양(鼓腹擊壤)의 고사 내용을 나타낸 그림으로, 배불리 먹고 배를 두드리고, 땅바닥을 치면서 박자에 맞추어 노래를 부른다는 뜻이 담겨 있다.

내밀고 배를 북 삼아 두드리면서 "해 뜨자 밭에 나가 일하고 해 떨어지자 집에 돌아와 쉰다. 우물을 파서 물을 마시고 농사 지어 밥을 먹는다. 천자의 힘 어찌 나에게 미치리오"라는 노래를 부르고 있었다고 한다. 이 노래를 듣자 요 임금의 눈은 비로소 기쁨에 빛났다고 한다.

이 이야기 속에 배를 북 삼아 두드리면서 노래를 불렀다는 대목이 나온다. 배 부르고 등 따뜻하면 세상에 부러울 게 없다는 이야기이다.

어쨌든 평소에 배를 자주 쓰다듬는 것은 건강에도 아주 좋다. 요 임금의 백발노인처럼 태평무사의 나날이 행복하다며 노래까지 곁들인다면 더할 나위 없이 좋을 것이다.

《동의보감》에는 건강을 지키기 위한 12가지 비결이 나온다.

① 머리카락을 자주 빗어라.

② 얼굴을 자주 만져라.

③ 눈을 자주 움직여라.

④ 귓불을 자주 만져라.

⑤ 혀를 입안에서 자꾸 굴려라.

⑥ 치아를 자주 두드려라.

⑦ 침을 자주 삼켜라.

⑧ 탁한 것은 버려라.

⑨ 등을 따뜻하게 하라.

⑩ 가슴을 따뜻하게 보호하라.

⑪ 항문을 긴장시켜서 안으로 자꾸 끌어들여라.

⑫ 배를 자꾸 만져라.

이렇게 12가지 건강비결을 제시하고 있다.

12가지 중 어느 하나 버릴 데 없이 귀한 계교이지만 이 중 "배를 자꾸 만져라"라는 금언은 황금률이다. 배를 자주 만지면 소화가 잘 되고 대·소변이 원활해지며, 기력이 솟고 정력이 강화된다. 특히 헛배가 부르고 속이 항상 더부룩하거나 걸핏하면 배가 아프다고 할 때 효과가 있다. 할머니가 "내 손은 약손이다! 내 손은 약손이다!" 하고 문지르면 아프던 배가 신기하게도 낫는 것은 사랑의 감정, 스킨십이 커다란 약효를 발휘해서 그런 것으로 여겨야겠지만 배를 문지르는 그 행위 자체도 약효가 뚜렷한 것만은 사실이다.

배를 자주 만지고 시계 방향으로 문질러 주면 소화도 잘 되고, 기력이 솟는다.

그렇다고 문지른다고 해서 아무렇게나 문질러도 다 좋은 건 아니다. 문지르는 데도 방법이 있다.

명치부터 치골까지 아래로 쭉쭉 문지르거나 아니면 시계바늘이 돌아가는 방향으로 문질러야 한다. 내장기는 시계바늘이 돌아가는 방향으로 배열되어 있기 때문이다. 그래서 배꼽을 중심으로 손바닥으로 시계바늘이 돌아가는 방향으로, 작은 원을 그리다가 점점 큰 원을 그려가며 마사지해 줘야 한다. 소화가 된 다음에 해야지 배부를 때 하면 안 되고, 소변을 본 후에 해야지 소변이 마려운데 참아가면서 하면 안 된다. 베개를 빼고 누워서 하되 다리를 뻗고 해야지 무릎을 세우고 하면 안 된다.

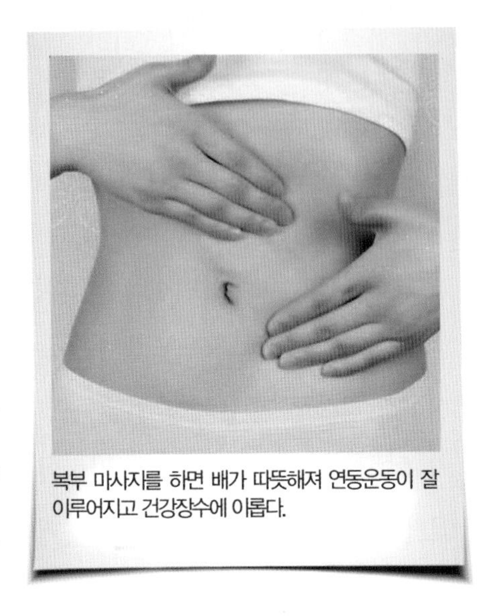
복부 마사지를 하면 배가 따뜻해져 연동운동이 잘 이루어지고 건강장수에 이롭다.

복부 마사지를 하면 당연히 복부가 따뜻해진다. 배가 부르고 등이 따뜻하면 세상에 부러울 게 없이 행복한 거라고 믿던 요 임금 때의 백발노인처럼 등이 따뜻하고 배가 따뜻하면 마땅히 건강장수하게 된다. 배가 차면 찰수록 장의 연동운동은 제대로 이루어질 수 없고, 장의 연동운동이 제대로 이루어지지 않을수록 복부에 가스가 찬 듯 속이 더부룩하고 때로 쓰릴 수도 있고, 배가 찰수록 남성은 정력이 떨어지고 여성은 불임증도 생길 수 있기 때문이다.

원효와 밤

원효(元曉)는 큰스님이다. 그래서 '대사'로 불린다. 《삼국유사》에는 '성사(聖師)'라고 했다. 그만큼 존경 받는 스님이다.

원효의 속성(俗姓)은 설(薛)씨다. '원효'란 '불교를 처음으로 빛나게 하였다'는 뜻이면서 방언으로 '새밝(새벽)'을 일컬은 말이다. 원효는 말년에 속복으로 바꿔 입고 스스로 '소성거사'라 칭하며, 큰 박을 두드리면서 노래하고 춤을 추며 마을을 돌아다니며 교화하였다. 여기에는 다음과 같은 사연이 있다.

원효(元曉 ; 617년~686년 4월 28일(음력 3월 30일))는 삼국시대와 신라의 고승이자 철학자, 작가, 시인, 정치인. 원효는 법명이고, 속성(俗姓)은 설(薛), 속명은 사(思) · 서당(誓幢) · 신당(新幢), 별명은 모(毛), 호는 화정(和淨). 법명을 따라 원효대사로 불린다.
원효 진영.(일본 교토 고산사 소장)

원효가 어느 날 거리에서 "누가 몰가부(沒柯斧)를 허하련고. 내가 지천주(支天柱)를 깎아볼 거나." 라고 노래를 부른다. '몰가부'란 '자루 빠진 도끼'다. 자루는 남자 생식기에 비유한 것이니 '자루 빠진 도끼'는 과부를 뜻한다. 그러니까 과부와 몸을 섞어 '지천주', 즉 하늘을 받칠 큰 인재를 낳고 싶다는 노래다. 태종 무열왕(太宗 武烈王)이 그 뜻을 알아채고 원효를 요석궁에서 과부로 홀로 사는 공주, 즉 요석공주(瑤石公主)와 맺어 주고자 한다. 이 공주는 무열왕 김춘추(金春秋)와 김유신(金分信)의 여동생 김보희(金寶姬) 사이에서 태어나 일찍이 백제와의 전투에서 남편이 죽어 과부가 된 채 요석궁에서 홀로 지내고 있던 터였다. 여하간 무열왕의 칙명을 받은 관리가 문천교 다리에서 원효를 만나는데, 이때 원효가 일부러 다리에서 떨어져 옷을 적시고, 관리는 원효를 요석궁으로 모시어 옷을 말리게 하고, 이런 인연으로 요석공주는 원효의 아이를 낳는다. 바로 설총(薛聰)이다. 원효가 승복을 벗고 스스로 소성거사라 칭하게 된 사연이다.

밤

《삼국유사》에는 원효의 탄생에 얽힌 전승을 기록했는데, 그 어머니가 별똥별이 품속에 들어오는 꿈을 꾸고 잉태하고, 만삭 때 밤나무 밑을 지나다가 갑자기 진통이 와서 남편의 옷을 밤나무에 걸고 거기에 누워 해산했다고 한다. 그래서 그 나무를 사라수(娑羅樹)라 하고, 그 고을을 율곡(栗谷)이라 부르게 되었다고 한다. 이때가 진평왕 39년이다.

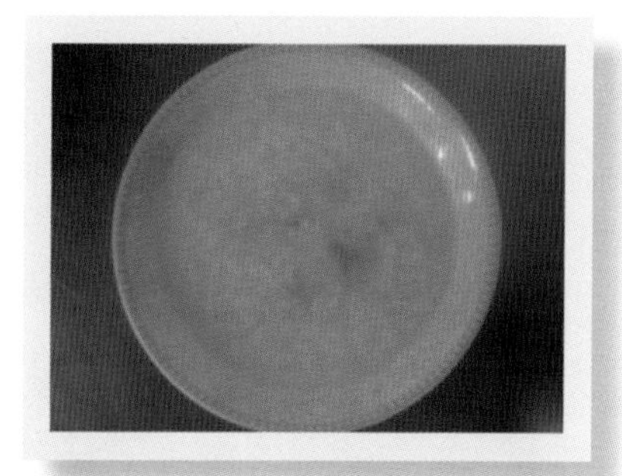
밤암죽

《삼국유사》에는, 사라수 곁에 사라사라는 절을 세웠는데, 이 절의 종이 저녁끼니로 밤을 2개씩만 먹는 것이 억울하다며 관가에 호소하여, 관리가 조사해 보니 밤 1개가 한 바리에 가득 찰 정도이기에, 도리어 1개씩만 주라고 판결을 내렸다는 이야기를 전해주고 있다.

원효 큰스님의 사라수 밤만 컸던 것이 아니다. 《한서》에 "마한에는 배[梨]만한 큰 밤이 나온다."고 했고, 《고려도경》에는 "고려엔 복숭아만큼 크고 맛이 좋은 밤이 있다."고 했다. 그만큼 우리나라 밤이 크고 맛있었다는 말이다.

밤은 비위를 튼튼하게 해준다. 그래서 소화불량, 구역, 설사를 치료해 준다. 밤은 또 신장 기능을 돕고 근골을 강하게 해준다. 그래서 허리와 다리에 힘이 없고 통증이 있는 경우에 좋다. 또 지혈 작용이 있어 토혈, 코피, 변혈 등에 효과가 있다. 폐 기능을 보하고 기침을 다스리기도 한다. 특히 연로한 자나 연소한 자의 만성 허증의 기침에 좋다.

밤으로 만드는 음식은 예로부터 여러 가지가 전해온다. 밤경단, 밤만두, 밤주악을 비롯해서 밤암죽, 밤편 등이 있다. '밤암죽'은 밤을

밤가시

밤꽃과 밤잎

갈고 물을 부으면서 체로 거른 것과 쌀을 곱게 갈아 체로 거른 것을 합쳐 죽을 쑨 것이다. '밤편'은 밤을 간 즙에 녹말과 꿀을 섞어 조려서 떡 모양을 만든 것이다. 밤암죽이나 밤편은 병후쇠약을 회복시키고 위장의 기능을 도우며 입맛이 떨어졌을 때 별미로 좋다. 또 어린이 이유식이나 노인들의 보양식으로도 좋은 것은 물론이다. 이외에 찰밥에 기름과 꿀을 섞고 다시 밤, 잣, 대추를 넣은 음식도 별미다. 이 별미는 약으로서의 효능을 지니고 있기 때문에 조선 때는 '약밥'으로 불렀으며 지금까지 전승되고 있다.

참고로 밤은 버릴 게 하나도 없다. 밤을 싸고 있는 떫은 내과피를 태워 그 가루를 목구멍에 불어 넣으면 생선가시가 목에 걸린 것을 녹일 수 있다. 밤의 딱딱한 외과피는 당뇨병에 의한 갈증이나 약물중독에 달여 마시면 좋다. 특히 인삼이 체질에 맞지 않아 두드러기가 생긴 데 즉효다. 밤알맹이 전체를 싸고 있는 가시 돋힌 털복숭이는 고질적인 기침을 다스린다. 밤꽃은 결핵성 림프선염에도 좋지만 소아의 소화불량으로 복통, 설사할 때 가루 내어 먹이면 좋다. 밤잎은 옻이 오른 데에 외용하고, 후두염이나 기침이나 약물중독에 내복한다.

유비와 뚱뚱이증후군

유비(劉備)는 촉한(蜀漢)을 건국한 황제다. 자를 따서 유현덕(劉玄德)이라 불리기도 하고, 유방(劉邦)이 세운 '한나라의 황손'이라 하여 유황숙(劉皇叔)이라 불리기도 한다. 고향에서 돗자리나 짜서 팔며 생계를 이어가던 유비는 황건적의 난이 일어나자 도원결의(桃園結義)로 의형제를 맺은 장비(張飛)와 관우(關羽)와 함께 의병에 가담했으나 빛을 보지 못하고 공손찬(公孫瓚)의 휘하로, 조조(曹操)의 휘하로, 원소(袁紹)의 휘하로 떠도는 신세를 면치 못했다. 그러다가 삼고초려(三顧草廬)로 제갈량(諸葛亮)을 얻은 후 비로소 형세를 갖춘 나라를 세울

유비(劉備 ; 161년 음력 6월 7일~223년 음력 4월 24일, 양력 6월 10일)는 중국 삼국시대 촉한의 초대 황제(재위 : 221년 음력 4월 6일~223년 음력 4월 24일). 자는 현덕(玄德). 유황숙(劉皇叔), 유예주(劉豫州), 유좌장군(劉左將軍), 의성정후(宜城亭侯)라고도 불렸다. 중국 지엔먼관[劍門關]의 유비 석상.

촉을 차지하기 위한 계책을 논하는 유비와 방통의 주조상(중국 쓰촨성 면양(綿陽)의 부락산(富樂山) 공원 소재).

수 있었다. 그러나 제갈량의 만류에도 불구하고 오나라를 치러 나갔다가 패한 후 홧병으로 죽었으니 그의 나이 63세 때다.

유비가 떠돌이 생활을 할 때다. 불운의 이 영웅은 의지할 데가 없자 형주 땅 유표(劉表)의 밑에 몸을 의지하여 신야에 은신하는 처지였다. 제갈량은 유비에게 유표를 쳐서 형주를 차지하라고 다그쳤으나 유비는 자신을 상빈으로 대우하며 걷어주는 유표의 은혜를 배반할 수 없다며 망설였다. 그런 낌새를 챈 유표의 부하 괴월(蒯越)과 채모(蔡瑁)는 유비를 죽이려 한다. 이런 와중이니 하루가 편할 리 없는 가련한 신세였다.

유비는 팔이 길어 쭉 뻗으면 무릎까지 닿았다고 한다. 귀는 어찌나 컸던지 자기가 자신의 귀를 볼 수 있었다고 한다. 그런 귀상(貴相)인데도 유비는 자주 울었다고 한다. 어찌나 잘 울었던지 "유비냐? 울기도 잘 운다"는 말이 있는가 하면 "유비의 강산은 울음으로 얻었다"는 중국 속담까지 있다고 한다. 유표에 의탁하고 그 밑에서 식객노릇을 하고 있던 유비가 어느 날 또 울었단다. 그날 유비는 뒤가 마려워 측간에 갔는데 엉덩이를 쓸어보니 살이 피둥피둥 쩌 있는 게 아닌가. 잠깐 놀란 유비는 자기의 신세를 한탄하며 하염없이

후한(後漢) 말 포악한 관료의 횡포로 정세가 어지러워지자 나라와 백성의 안녕을 위해 유비, 장비, 관우가 뜻을 모으고 장비의 집 뒤 복숭아 동산에서 하늘과 땅에 제사를 지내고 의형제를 맺었다.

눈물을 흘렸다는 것이다. 유표가 그 이유를 묻자 유비는 이렇게 대답했다. "나는 항상 전쟁터에 있으면서 말안장을 떠난 일이 없었소이다. 그래서 군살이 모두 빠졌었지요. 그런데 지금은 말도 타지 않고 할 일 없이 놀고 보내니 이렇게 군살이 생겼고 세월은 흘러 벌써 늘그막에 들어서고 이뤄 놓은 업적은 아무것도 없으니 이것을 슬퍼하고 있었소이다!"

유비의 이 일화에서 피둥피둥 살찐 넓적다리를 한탄한다는 뜻의 '비육지탄(髀肉之嘆)'이라는 말이 생겨났다.

뚱뚱이증후군의 첫 번째 증세는 유비의 '비육지탄'처럼 비만을 한탄하고 고민하며, 외모에 대한 열등감 내지 심리적 위축감은 물론 실제로 행동의 기민함이 떨어진다는 것이다.

뚱뚱이증후군의 두 번째 증세는 질병으로 고생하거나 단명할 수

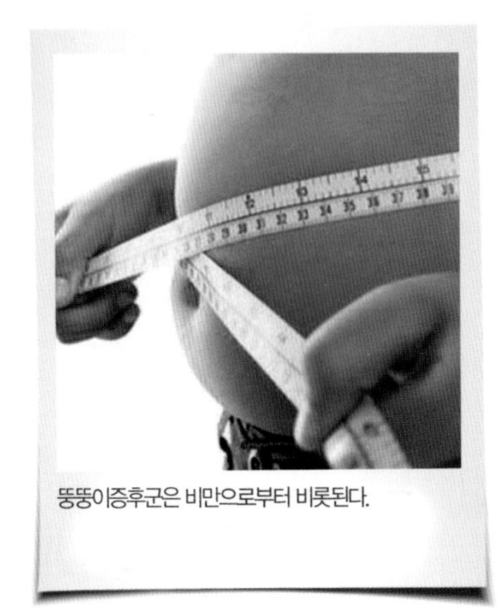
뚱뚱이증후군은 비만으로부터 비롯된다.

있다는 것이다. 허리띠 구멍이 늘어나는 만큼 수명이 단축된다는 말이 그래서 생겨난 말이다. 비만증은 그야말로 죽음을 부르는 저승사자나 다름없다.

뚱뚱이증후군의 세 번째 증세는 지나치거나 혹은 잘못된 다이어트의 결과로 후유증을 얻은 것이다. 소위 '거식증"이라는 것이 그것인데, 식욕부진으로부터 시작하여 구토 단계를 거쳐 식사하는 자체에 혐오감을 갖는 것이다.

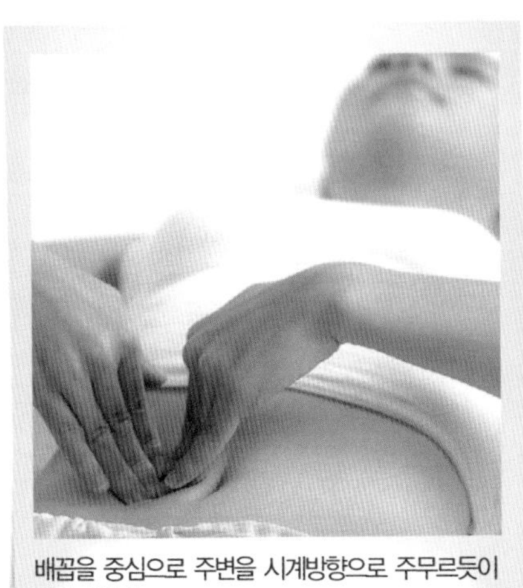
배꼽을 중심으로 주변을 시계방향으로 주무르듯이 마사지한다.

여하간 유비처럼 피둥피둥 다리에 살이 찌면 어떻게 해야 할까? 우선 배꼽 주위를 주무르기를 한다. 그러면서 다리를 함께 주무르기를 한다.

다리에는 '삼음교'라는 경혈이 있다. 비만에 깊이 관여하는 경락인 비장경락, 간장경락, 신장경락의 3개의 경락이 인체 내에서 유일하게 교차하는 지점이 바로 이 삼음교라는 경혈이다. 소화기질환, 간장질환, 정신신경계질환, 비뇨생식기질환 등에 폭넓게 응용되는 경혈이기도 하다. 우선 오른쪽 발을 왼쪽 무릎 위에 올린다. 다리를 꼬고 앉는 것이다. 엄지를 제외한 네 손가락을 가지런히 가로로 펴서 새끼손가락을 안쪽 복숭아뼈 윗선에 갖다 댄다. 안쪽 복숭아뼈에서 정중앙으로 직선을 그어 둘째손가락이 닿는 부위가 바로 삼음교다. 이 부위에 엄지를 대고 강하게 누른다. 허벅지 쪽을 향하듯 누르되, 3분 이상 자극하도록 한다. 이제 오른쪽을 끝냈으면 왼쪽 발을 오른쪽 무릎 위에 올리고 삼음교 경혈을 찾아 자극한다.

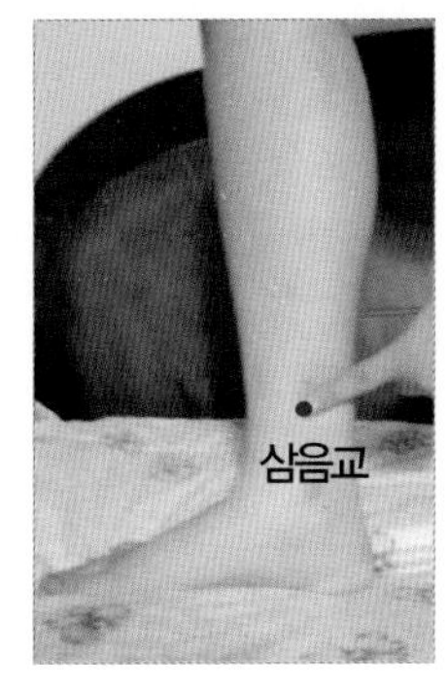

다리의 군살을 빼는 데는 삼음교 경혈만으로도 충분하지만 혹시나 이것 하나만으로는 성이 차지 않는다는 이들을 위해서 몇 개의 보조 경혈을 설명하기로 하자.

첫째 '풍시' 경혈이다. 곧바로 서서 팔을 대퇴부에 드리워 댔을 때 가운뎃손가락 끝이 대퇴부에 닿는 부위다. 이곳을 누른다. 누르기를 마친 후, 엄지와 4개의 손가락으로 작은 원을 만들어 이 경혈 주위를 부드럽게 마사지한다.

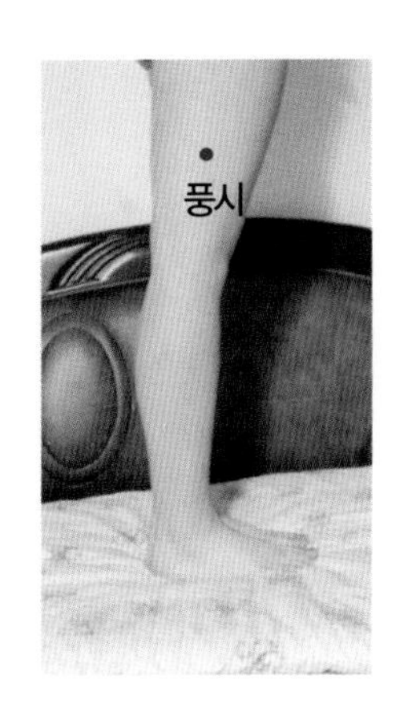

둘째 '족삼리' 경혈이 있다. 무릎을 60°로 굽혀 대퇴부, 하퇴부, 족저면을 삼각형으로 만들

고 하퇴부를 형성하고 있는 두 개의 뼈 사이에 위치하고 있다. 무릎에 손바닥을 얹고, 이 경혈을 누른 후, 무릎을 손바닥으로 둥글게 마사지한다. 무릎의 군살과 하퇴부 군살이 함께 빠진다.

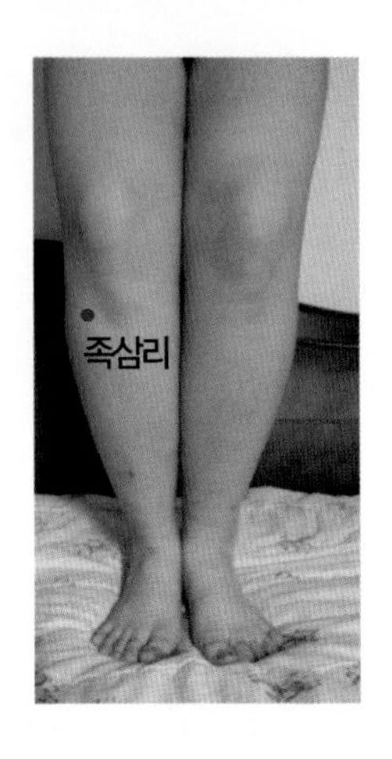

셋째 '위중' 경혈이 있다. 무릎 관절 뒤 오금에 생기는 가로주름의 가운데에 있다. 지압하여 전기가 오른 듯 짜릿하고 저린 느낌이 발바닥까지 확산되도록 한다. 이곳의 지압만으로도 뒷모습이 예뻐진다.

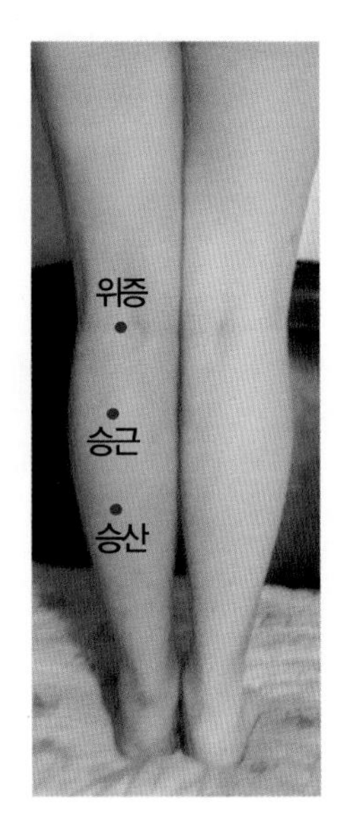

넷째 '승산' 경혈이 있다. 바깥 복사뼈와 같은 높이의 발뒤꿈치 부분과 위중 경혈(오금 중앙)을 직선으로 잇고 1/2 되는 점을 정한 후 여기에서 2cm 아래에 있다. 지압 후, 양손으로 이 부위 근육을 감싸 쥐고 위로 밀어 올린다. 또 누운 채 다리를 90°로 들어올리고, 이 부위를 지압한다.

유일한과 천식

유일한(柳一韓), 그는 한줄기 청량한 향기로 사시다 가신 분이시다.

유한양행의 창립자인 유일한 회장은 거구에 호남이다. 독립운동가이며, 교육가다. 청렴한 기업가다. 그분은 한마디로 애국애족의 열정으로 혼탁한 역사 속에 한줄기 청량한 향기로 일관된 삶을 사셨던 분이다.

유일한(柳一韓 ; 1895년 1월 15일~1971년 3월 11일)은 대한민국 기업인. "자신의 전 재산을 교육하는 데에다가 기증하라."고 유언으로 남겼다.

젊었을 때 미국 고교에서 미식 축구부의 주장까지 맡았던 분으로 평소에 잔병치레가 별로 없던 분이셨다. 그런데 대장에 혹이 생겨 대장 일부를 잘라내는 수술을 받은 이후 줄곧 건강이 악화되어 갔다고 한다. 봄기운이 완연하여 산천초목들이 새

기운을 얻고 있는데도 한번 기운이 꺼진 그분의 몸은 좀처럼 회복되지 않았고, 그러던 어느 봄날 파란만장하면서도 올곧았던 76년간의 삶을 마감하셨다.

《유일한 평전》

그분은 평소 가슴속에 품었던 금언이 있었다고 한다. 그분이 친필로 쓴 금언이었는데 항상 지니고 있으면서 자주 그 글을 읽었고 사랑하는 딸에게도 자주 읽어보게 했다고 한다. 그 금언의 내용은 이렇단다.

"어제는 하나의 꿈에 지나지 않으며 내일은 하나의 환상일 뿐이다. 그러나 최선을 다한 오늘은 어제를 행복의 꿈으로 만들며 모든 내일을 희망의 비전으로 바꾸어 놓는다."

그분은 말년에 천식으로 고생했다고 한다. "일한은 이전부터 천식기가 있어 해외출장을 갈 때는 인공호흡기를 늘 가지고 다녔다. 그리고 동행인으로 하여금 방에 같이 자도록 했다."고 《유일한 평전》이라는 책에 나온다.

천식은 '천증'과 '효후증'으로 구분된다. '천증'은 호흡이 발작적으로 촉급하고 곤란한 것인데, 심하면 콧구멍이 벌렁거리고, 입을 다물지 못하며 어깨까지 들먹거린다. 때로 가래가 가랑가랑 끓거나 기침을 수반하기도 하며, 색색하고 울리는 소리가 나기도 한다. '효

기관지의 건강한 상태의 모습(왼쪽)과 천식일 때의 모습(오른쪽) 비교

후증'은 목구멍에서 물소리 같은 것이 찍찍 나는 것이 특징이다. 입을 다물고 있어도 가래소리가 들린다.

천식은 '실증'과 '허증'으로 나뉜다. '실증'은 흉통과 함께 호흡곤란을 느끼고 가래와 침이 걸쭉한 편이며, '허증'은 호흡이 촉급하지만 낮고 가래나 침도 맑은 편이다. 어떤 계절에만 일어나던 '발작형 천식'이 다른 계절에도 일어나는 경향을 띠다가 드디어 일 년 내내 발작이 빈발하게 되면서 하찮은 계기에도 발작하게 되고, 결국에는 '만성형 천식'이 되어 발작 중적(重積) 상태에 빠지게 되면 생명이 위험에 빠지게 된다.

여하간 천식 발작 중 경증의 경우에는 증세가 가벼워 보통 기침만 발작적으로 하거나 혹은 알레르기성 비염과 흡사하게 콧물과 재채기를 발작적으로 할 뿐 호흡이 거칠어지거나 숨소리가 '색색'대는 천명을 수반하지 않을 수 있으며, 혹은 겨우 '걸걸'하는 소리를 자각할 정도에 그치는 수가 많다. 그러나 중증에 접어들면 날숨은 더욱 길어지고 들숨은 2~3배나 짧아져서 천식 발작 특유의 숨소리를 내면서 호흡곤란이 심해져 제대로 누워 있지 못하고 앉아서 숨을 쉬게 되는데, 그것도 앉아서 앞으로 구부려서 호흡근을 모두 써야만 겨우 호흡을 할 수 있게 된다. 이런 호흡을 '기좌(起座)호흡'이라고

한국인에게 알레르기를 유발하는 것으로 알려진
11개 품목에 대해 함량과 관계없이 표시

우유 난류 땅콩 밀 대두 메밀
고등어 게 토마토 돼지고기 복숭아

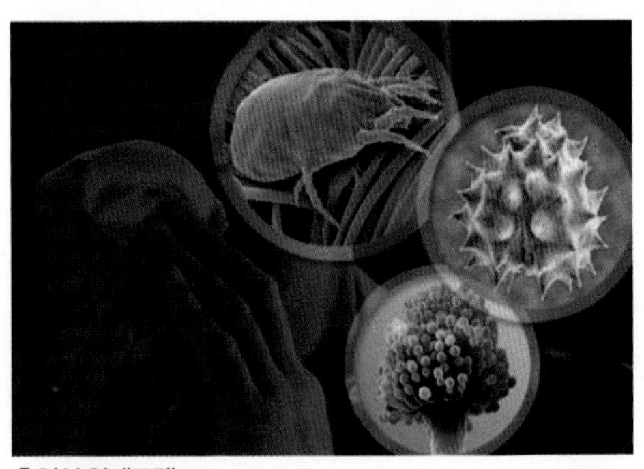

흡인성 알레르겐

한다. 천식 발작이 멈출 때가 되면 객담을 토하면서 그치게 되는데, 천식은 보통 가래가 끈끈하고 목구멍에서 잘 나오지 않는다.

천식의 예방과 치료를 위해 몇 가지 지켜야 할 점을 정리해 보자.

첫째, 알레르겐(알레르기를 일으키는 항원) 중 중요한 경구성 알레르겐으로는 달걀, 우유, 밀가루, 조개, 새우, 게, 등푸른생선, 오징어, 시금치, 가지, 토마토, 고구마, 송이, 죽순 등이 있으므로 이들 중 어떤 것이 자신의 천식을 발작시키는 알레르겐인지 찾아 내어 피해야 한다.

둘째, 중요한 흡인성 알레르겐으로는 집안의 먼지, 공중의 곰팡이류, 애완동물의 털이나 비듬, 진드기, 꽃가루 등이 있으므로 이런 것들도 주의해야 한다.

셋째, 천식에 좋은 것으로 《동의보감》에는 "호두 3알을 겉껍질을 버리고 속껍질은 벗기지 않고, 생강 3쪽을 넣고 잠잘 무렵에 잘 씹어 뜨뜻한 물로 넘긴다."고 했다. 혹은 호두에 인삼을 배합해서 가루로 내어 먹어도 좋다.

한편 폐장과 신장의 열에너지가 부족한 것을 '폐신양허(肺腎陽虛)'라고 하는데, 이런 상태에서는 극도로 체력소모가 일어나서 흡기성호흡곤란, 해수, 천명, 무기력, 정신피로 등을 비롯해서 허리와 다리가 새큰거리고 힘이 없으며, 밤에 잠을 자면서 땀을 흘리는 등의 증세를 보인다. 이때는 합개(뿔도마뱀)와 인삼 두 가지만 배합해서 가루를 내어 1회에 4g씩, 1일 3회 온수로 복용한다. 이를「삼개탕」이라고 한다.

《동의보감》에는 이외에 "모든 천식이 멎지 않는 데는 산초씨를 곱게 가루로 내어 쓰는데, 한 번에 4~8g씩 생강을 달인 물에 타서 먹으면 낫는다."고 했으며, 또 "어떤 부인이 가래가 많이 나오는 기침을 하다가 하루는 갑자기 몹시 숨이 차면서 가래가 샘물이 솟듯이 나오고, 몸에 기름 같은 땀이 나오면서 맥은 들뜨고 거세며 당장 숨이 끊어질 것같이 되었다. 그리하여 곧 맥문동 16g, 인삼 8g, 오미자 6g을 1첩으로 하여 달여 먹었다.

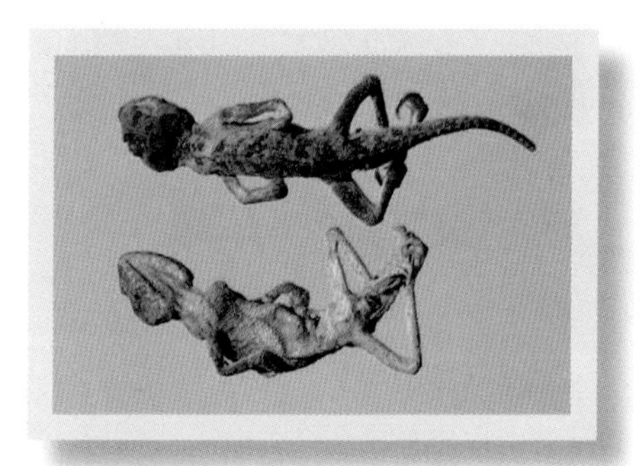
합개(뿔도마뱀)

산초씨

맥문동

오미자

인삼

그러자 숨이 차던 것이 멎고 땀도 나오지 않았다. 이 약을 3번 먹으니 가래도 적어졌다."고 하였다.

천식으로 고생하며 절망에 빠진 이들에게 권하고 싶은 금언이다.

"최선을 다한 오늘은 어제를 행복의 꿈으로 만들며 모든 내일을 희망의 비전으로 바꾸어 놓는다."

- 〈유일한(유한양행 회장)의 금언 중에서〉 -

유척기와 장수인상

조선조 숙종 때 왕으로부터 총애를 받던 한 후궁이 왕에게 간청했다. 연안 땅 남쪽의 큰 연못의 절반을 달라는 간청이었다. 이 연못은 연안의 수천 마지기 논에 물을 대는 중요한 수원지 역할을 하는 못이었는데, 이 못의 절반을 소유하면 여기서 생기는 수입으로 막대한 부를 축적할 수 있을 터였기 때문이다. 총애하는 후궁의 간청이라 숙종은 쾌히 응낙하고 연안부사 신임(申銋)에게 이를 시행하라 명을 내렸다. 그런데 신임은 백성을 괴롭힐 수 없다며 어명을 어겼다. 숙종은 몇 번이나 독촉했고, 신임은 거듭 거절했다. 결국 숙종은 신임의 뜻을 꺾을 수 없었고,

유척기(俞拓基 ; 1691~1767)는 조선시대 문신. 자는 전보, 호는 지수재.
〈선현영정첩(先賢影幀帖) ; 조선 숙종에서 정조 연간에 활약한 고위관리들의 초상화를 모아놓은 화첩〉에 수록된 코가 빨간 유척기.

신임은 해직되어 고향에 은거하는 처지가 되었다.

고향에 은거하던 신임은 이후 수원부사를 거쳐 개성 유수로 임명되었으나 조정과의 마찰로 파직되는가 하면, 병약한 경종 때는 연잉군(延礽君 : 후일의 영조)을 왕세제로 책봉하고 대리청정까지 추진하려다가 노론과 소론의 반목으로 일어난 신임옥사(辛壬獄事)로 제주도에 위리안치 되는 등, 아주 강직한 선비였다. 영조 즉위 후 사면되어 돌아오는 길에 해남에서 죽었고, 영의정에 추증되었다. 신임은 청빈하기에 늘 가난했던 분이었는데, 그가 손녀사윗감을 고를 때 이런 일화가 전해져 온다.

신임(申銋 ; 1642년~1725년)은 조선시대 문신. 자는 화신, 호는 한죽(寒竹).
신임의 영정.

신임은 며느리와 손녀 하나와 지냈다. 외아들을 일찍 잃었기 때문이다. 손녀가 장성하자 며느리가 시아버지 신임에게 청을 했다. 손녀사윗감을 골라 달라는 것이었다. 신임이 사람을 잘 볼 줄 아는 것을 며느리가 알았기 때문이다. 신임은 어떤 사윗감을 원하느냐고 물었고, 며느리는 80세까지 살며 정승이 될 수 있고 자식도 많이 둘 신랑이면 좋겠다고 했단다. 신임은 행차 때마다 늘 손녀사윗감을 물색했다고 한다. 그러던 어느 날 길에서 아이들이 노는 것을 보다가 그 중 가장 더럽고 남루한 아이 하나를 불러 이름이 무엇이며 뉘 집 아이냐고 묻고는 그 자리에서 아이의 집에 찾아가 청혼을 했다고 한다. 이 사실을 알고 며느리가 하인을 시켜 사윗감과 그 집안을 알아보고는 병이 들어 몸져누웠다고 한다. 얼굴도 못 생기고 찢어지게 가난한 집의 아이였기 때문이다. 그러나 혼례는 이루어졌고, 16세의 이 아이는 먹을 것이 없어 처가에 얹혀살았다. 그러더니 과거에 급제했다. 한때 신임옥사로 유배된 적도 있지만 관찰사·호조판서·우의정 등을 거쳐 후일 영의정을 지냈으며, 자손이 번성하여 큰 가문을 이루었고, 77세까지 살았다고 한다. 이 아이가 바로 조선조 21대 영조 때 한편으로는 영조와 대립하기도 했던 명재상이었으며, 고금의 일에 박통하면서 금석학에도 권위자였고, 당대의 명필로 이름을 떨쳤던 유척기(兪拓基)이다. 영조는 그가 죽자 곧바로 문익(文翼)이라는 시호를 내렸다.

장수는 고금을 통해 어느 누구나 절실한 바람이었고, 생명체가 존재하는 한 이런 바람은 이어질 것이다. 그렇다고 어느 누구나 장수할 수 있는 것은 아니다. 우선 천명을 타고나야 한다. 즉 부모의 원기에 달려 있다는 말이다. 부정(父精)과 모혈(母血)에 따라 장수할 수 있을지 아닐지가 결정된다. 아비의 정액과 어미의 혈액에 의해 선천적으로 받은 바가 온전하면 장수하고, 부모 중 어느 한 편만 온전하거나 모두 허약하면 선천적 품수가 불완전하여 장수할 수 없다. 또한 설령 좋은 여건을 두루 갖추고 태어났다 해도 후천적 여건을 개선하고 정신적, 육체적으로 노력하면 천명보다 수명을 더 연장시킬 수도 있다. 결국 장수는 자신의 노력 여하에 달려 있다는 것이다.

그렇다고 반드시 그런 것만도 아니다. 역시 바탕은 있어야 한다. 그 바탕을 외형으로 어느 정도 가늠할 수 있다.

젊은 청년의 초상 : 눈이 큰 편이다. 또한 코가 매우 크고 연수도 매우 높다. 대부분의 서구적 얼굴이 이러한 특징을 지닌 듯하다. 귀도 크고, 이마 역시 솟아 있다. 8가지 중에서 적어도 반 이상이 장수하는 관상에 해당한다

우선 코가 길고 높아야 한다. 턱이나 볼이 강건하게 윤곽이 뚜렷해야 한다. 이는 호흡이 순조롭고 음식을 씹는 것이 완전하다는 증거이며, 영양과 질병 방위력이 조화되어 있다는 증거이기 때문이다. 이에 비하여 코가 짧고 콧구멍이 밖으로 향해 크게 벌어졌으며, 호흡이 거칠고 숨결이 빠르며, 턱이나 뺨도 빈약하고 광택이 없으며, 빈혈 상태로 근육도 단단하지 못하면 수명이 결코 길지 못하다. 한편 기혈의 운행이 왕성하면 몸이 다소 쇠약해 보이더라도 체질은 강하다. 그리고 피부가 유연하고 어깨, 손목, 둔부, 대퇴부 등의 근육이 단단하며, 귀 둘레 골격이 융기되어 그 높이가 주위의 근육보다 높으면 체질이 강하다. 체질이 강하면 마땅히 장수할 수 있다. 비록 겉보기에는 그럴 듯해 보여도 기혈의 운행이 좋지 않으면 장수할 수가 없다. 볼이 핼쑥하게 야위고 눈썹 사이나 이마가 좁고, 특히 귀 둘레 골격이 융기되지 않고 푹 꺼져 있으며 귀가 얇고 뒤로 젖혀져 있으면 장수하기는 그른 인상이다.

이성계와 우황청심원

앞일을 예언하는 떠도는 말이 사실로 이루어지는 경우가 적지 않다. 이런 예언을 '참위(讖緯)' 또는 '도참(圖讖)'이라 한다. 이런 예언은 음양오행설에 바탕을 둔 것으로 천재지변이나 미래의 길흉을 예측하는 것이다. 대개 천기누설인데, 이 천기를 사람이 거스르지 못하는 것이 대부분이다.

태조(太祖 ; 1335년 10월 27일(음력 10월 11일)~1408년 6월 18일(음력 5월 24일), 재위 1392년 8월 5일(음력 7월 17일)~1398년 10월 14일(음력 9월 5일))는 고려 말의 무신이자 조선의 초대 왕. 휘는 단(旦), 초명은 성계(成桂), 호는 송헌(松軒) · 송헌거사(松軒居士). 전주 경기전의 태조 어진(보물 931호).

고려 공민왕 말, '십팔자(十八子)'가 한양을 도읍지로 정하고 개국할 것이라는 말이 나돌았다. '십팔자'는 이(李)씨다. 그래서 고려 왕실은 한양의 인왕산 한 옆에 오얏(李)을 심고, 무성히 자랄라치면 벌리사(伐李使)를 파견하여 사정없이 베어 버렸다. 오얏에 빗댄 이씨

세력의 무참한 거세 방법이었다. 그곳의 지명 역시 '벌리'라 불렸다. 하지만 천기를 거스를 수 없었던가! 결국에는 한양 땅에 이씨가 새 왕조를 개국했다. 이성계(李成桂)가 세운 조선(朝鮮)이다.

이성계의 탄생설화부터가 희한하다. 그 내용은 이렇다.

고려 말, 함길도(함경도)의 작은 한촌에 원나라 천호장이라는 벼슬을 하던 아자춘이라는 젊은이가 있었다. 어느 날 이 젊은이가 낮잠을 자는데 산신령, 그것도 가장 영험하다는 백두산의 산신령이 나타났단다. 산신령은 산천기도를 정성껏 드리면 옥동자를 낳게 되리라고 계시했고, 이 젊은이는 꿈의 계시대로 목욕재계하고 백두산에 올라 부인과 함께 정성을 올렸단다. 100일을 이렇게 정성껏 기도한 날 꿈에 오색구름을 타고 한 선관이 내려와 황금 침척(針尺) 하나를 건네주었다고 한다. 그날부터 이 젊은이의 부인 최씨에게 태기가 있었다고 한다. 황금 침척이라니! 침척은 바느질할 때 쓰는 자이다. 그러니까 태어날 옥동자가 한 나라를 측량하며 다스릴 것이라는 계시가 아닌가! 아니나 다를까. 훗날 이 옥동자는 용상에 오른다. 바로 이성계다.

이성계의 성장설화도 역시 희한하다. 그 내용은 이렇다.

어느 날 마을에 용마가 나타났단다. 연못에서 불끈 솟구쳐 올라온 이 말은 어찌나 사나웠던지 어느 누구도 감히 가까이 할 수 없었는데, 청년 이성계가 말 잔등에 올라타더니 끝내는 말의 기세를 눌렀단다. 그래서 이 용마는 이성계의 애마가 되었단다. 하루는 이성계가 이 애마로 화살보다 더 빨리 달려보겠다는 심사로 화살을 날리고 곧바로 말의 허리를 박차며 달렸단다. 그런데 목표한 나무에 이르니 화살이 꽂혀 있더란다. 말보다 화살이 빨랐다는 것이다. 분을 못 참은 이성계는 칼을 빼어 말을 쳐서 죽였단다. 그런데 바로 그 순간 화살이 날아와 나무에 꽂히더란다. 이미 꽂혀 있던 화살은 먼저 사람이 쏜 것이고, 이제 막 날아와 꽂힌 화살이 바로 이성계의

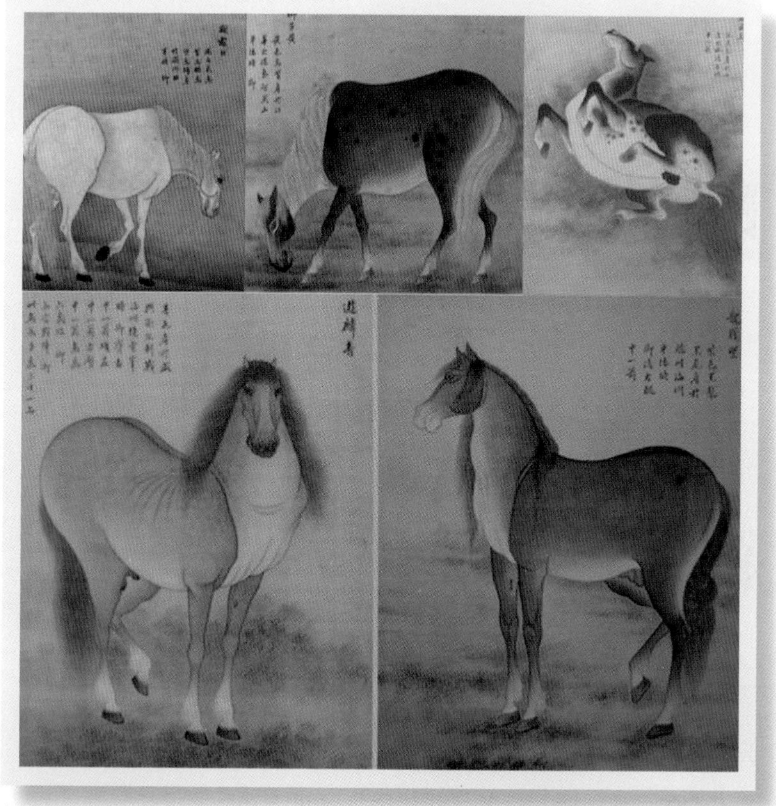

《팔준도(八駿圖)》는 조선을 건국한 태조 이성계의 업적을 칭송하기 위한 그림이다.
각각의 말 그림들(유린청(游麟靑), 추풍오(追風烏), 응상백(凝霜白), 사자황(獅子黃))은 비단에 옅게 채색한 것으로 크기는 42X35cm 정도이며, 1703~1705년에 제작, 작자미상이다. 현재 국립박물관에 소장되어 있다.
각각의 그림에는 말의 이름과 칭송하는 글귀가 붙어 있다. 위 그림은 팔준도에 나오는 여덟 마리의 말 중에서 다섯 마리인데 땅바닥을 뒹구는 말은 모래목욕을 하는 것이다.

무학(無學 ; 1327~1405)은 고려(918~1392) 말, 조선(1392~1897) 초의 승려. 이름은 자초(自超), 법명은 무학(無學) · 계월헌(溪月軒). 조선 태조에 의해 왕사가 되었으며, 한양천도를 도왔다.

화살이었다는 것이다.

이성계는 명사수였다고 한다. 화살 하나로 다섯 마리 까마귀의 머리를 모두 떨어뜨렸는가 하면, 숨어 엎드린 꿩을 놀래켜서 두서너 길 높이 날게 한 다음에 화살을 날리면 쏘는 대로 번번이 맞혔다고 한다. 또 비탈길, 그것도 빙판의 비탈길에서도 말을 달리면서 활을 쏴도 백발백중이었다고 한다. 이뿐이 아니라 이성계는 천하장사였다고 한다. 큰 범이 쫓아와 이성계가 타고 있는 말 궁둥이에 올라 움켜 채려고 할 때 이성계가 손으로 범을 후려치니 범은 고개를 쳐들고 거꾸러져 일어나지 못하였다고 한다.

이렇듯 명사수에 천하장사였던 이성계도 왕위에 오르자 여러 차례 병치레를 하였다. 그래서 피접해 있을 곳을 살펴보게 한 적도 있고, 때 아닌 때에 수정포도(水精葡萄)를 구해 오라고 법석을 떤 적도 있었다. 이런 이성계의 와병 중에 왕자 사이에 왕위계승권을 둘러싸고 치열한 쟁탈전이 벌어졌는데, 이에 몹시 상심한 이성계는 곧 왕위를 물려주고 소요산과 함주(咸州 : 지금의 함흥) 등지에 머무르기도 하였다. 그러다가 무학대사의 간청으로 궁으로 돌아온 이성계는 불도에 정진하며 염불삼매(念佛三昧)의 조용한 나날을 보내기도 했다. 그러나 여러 달 병에 시달리던 끝에 1408년 5월 24일 새벽에 이르러 파루(罷漏)가 되자, 담이 성하여 부축해

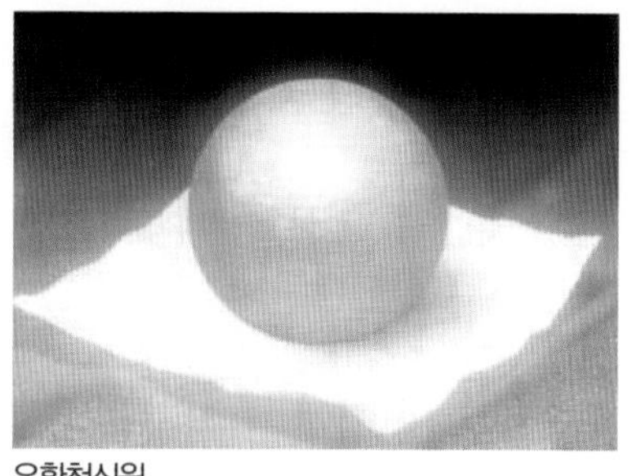
우황청심원

일어나 앉아서 「소합향원(蘇合香元)」을 복용하였다. 이어서 병이 급해지자 「청심원(淸心元)」을 드렸는데, 이성계는 삼키지 못하고 눈을 들어 두 번 쳐다보고는 승하하였다고 한다.

《춘향전》에 의하면, 춘향이가 변사또의 수청 분부를 거역한 죄로 곤장을 맞고 불성인사가 되었을 때에 「청심환(淸心丸)」을 풀어 먹이며 한바탕 분분하였다는 내용이 있다. 이때의 「청심환(淸心丸)」은, 이성계가 아들 방원이 손수 준 「청심원(淸心元)」을 삼키지 못하고 눈을 들어 두 번 쳐다보고 승하하였다는 《조선실록》의 「청심원」과 같은 것으로 곧 「우황청심원(牛黃淸心元)」이다. 조선 궁궐 내의원에서는 동지 후 세 번째 양띠 날에 청심원을 제조하여 임금께 올렸고, 임금은 대신들에게 상비약으로 하사하기까지 했다는 약이다. 강심작용, 혈관확장작용, 해열 진정작용이 대단하고 적혈구나 헤모글로빈 양도 증가시키기 때문에 구급소생의 효과가 대단히 큰 약이다. 척추가 뜨거우면서 정액을 저절로 흘리는 유정증과 조루증에도 청심원이 유효하다.

그러나 우황청심원에도 허와 실이 있다.

청심원은 고혈압에 효과가 있고 중풍 예방에도 효과가 있는 것은 사실이다. 그러나 자궁 흥분작용이 있으므로 임신 말기의 고혈압에는 좋지 않다. 그리고 사상체질 중 태음인의 중풍 예방에 효과가 있다고 알려져 있다.

조선 정조 때에 김매순이 기록한 《열양세시기》에는 "중국 북경 사람들은 청심원이 다 죽어가는 사람들을 소생시키는 신단(神丹)이라고 하여 우리 사신이 북경에 들어가기만 하면 왕공 귀인들이 모여들어 구걸하지 않는 자가 없었다. 왕왕 들볶이는 것이 귀찮아 약방문을 전해 주어도 만들지를 못하여서 왜 이것을 만들지 못하나 이상하게 생각할 정도였다."라는 내용이 기록되어 있다. 그러니까 우리나라 청심원이 중국의 왕공 귀인들마저 탐내어 구걸하다시피 할 정도로 좋다는 내용이다. 우리 청심원은 《동의보감》을 근거로 하여 만들었기 때문이다.

《동의보감》에 나오는 우황청심원은 30가지 약재를 꿀로 빚어 눈깔사탕 크기만 하게 만들어 겉에 금박을 씌운 알약이다. 그러니까 우리 청심원은 서른 가지 약재로 구성되어 있다. 그렇지만 중국 청심원은 이와 달리 4~5종의 약재로만 제조되어 있다. 그러니 우리 청심원이 더 좋을 수밖에 없다.

이순신과 땀

이순신, 그는 성웅(聖雄)이다. 그는 세기를 뛰어넘어 영원히 민족의 세범(世範)이 되시는 분이다.

이순신, 그는 무예의 길로 나서 험지인 함경도 등에서 봉직하다가 임진왜란이 일어나기 1년 전에 전라좌도 수군절도사로 부임하여 거북선 건조에 착수하며 전쟁에 대비하다가, 임진왜란이 일어나자 경상도 해역으로 출동하여 여러 차례 승리하여 삼도수군통제사로 임명된다. 그러나 비열한 모함으로 파직되고 서울로 압송되어 투옥되어 초주검이 될 정도로 가혹한 문초를 받는다. 그러던 중 겨우 구명되어 백의종군의 길에 나서

이순신(李舜臣 ; 1545년(인종 원년) 4월 28일(음력 3월 8일)~1598년(선조 31년) 12월 16일(음력 11월 19일))은 조선 중기의 무신. 자는 여해(汝諧), 시호는 충무(忠武).

는데, 원균이 이끄는 조선함대가 칠천량에서 참패당하자 삼도수군 통제사로 재임명된다. 이때 그가 임금께 아뢴 유명한 말이 있다.

명량해전도

"신에게는 아직 12척의 배가 있사옵니다[今臣戰船 尙有十二]".

이순신, 그는 12척의 전선에 겨우 1척을 늘린 총 13척의 배를 이끌고 적선과 맞선다. 도저히 승산이 없는 싸움이다. 이때 그가 외친 유명한 말이 있다.

"싸움에 있어 죽고자 하면 반드시 살고 살고자 하면 죽는다[必生卽死 死必卽生]".

이순신, 그가 결사구국의 각오로 적과 맞선 곳이 바로 '명량(鳴梁)'이다. 어찌나 물살이 센지 마치 바다가 울음 우는 듯하다 하여 '명량'이라 불리는 이곳 울둘목에서 대승의 쾌거를 이뤄낸다. 그리하여 왜 수군의 서해 진출을 결정적으로 저지하면서 7년 전쟁에 역사적 전기를 마련한다.

이순신, 그는 달 밝은 밤이면 감상에 젖어 잠 못 이루는 맑은 마음을 지닌 인물이다. 때때로 시가와 음률을 즐기던 분이다.

蕭蕭風雨夜(비바람 부슬부슬 흩뿌리는 밤)

耿耿不寐時(생각만 아물아물 잠 못 이루고)

懷痛如摧膽(쓸개가 찢기는 듯 아픈 이 가슴)

傷心似割肌(살을 애는 양 쓰린 이 마음)

이순신, 그는 병약했으나 강인했다. 그는 병치레가 너무 많았다. 이런 몸으로 활쏘기 단련을 멈추지 않았고 전투에 임했다니 놀랍기만 하다. 도대체 얼마나 아팠을까? 장군이 쓴 《난중일기》라는 진중일기를 보면 아파도 잠시 아팠던 게 아니다. "종일 누워서 신음했다", "꼭두새벽부터 몸이 불편하여 종일 괴로워했다"고 했다. 아파도 다소 나아지는 듯하다가 다시 아프기를 반복해서 달포 이상 괴로운 적도 있었다. 또 아파도 웬만큼 아팠던 게 아니다. "통증이 극히 심하여 거의 인사불성이 되었다", "신음하며, 앉았다 누웠다 했다", "밤

1597년(선조 30) 9월 16일, 13척의 배로 왜군의 133척을 물리친 명량대첩

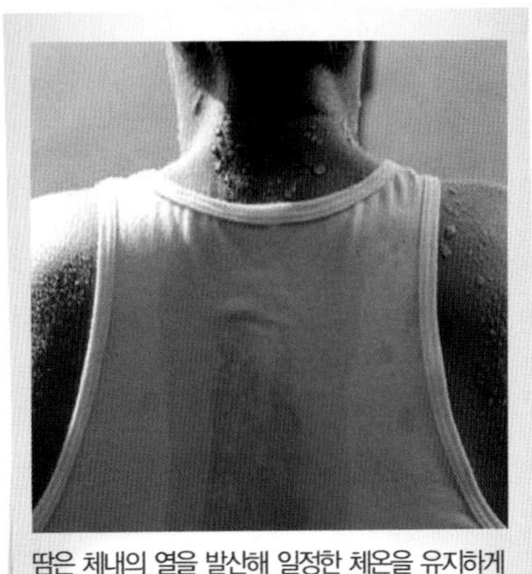
땀은 체내의 열을 발산해 일정한 체온을 유지하게 한다. 그러나 질병에 따라 땀도 다르다.

새도록 앉아서 앓았다", "꼼짝하기조차 어렵다"고 할 정도였다.

이순신은 소화기장애를 앓았다. "매일 먹는 밥인데도 밥을 먹지 못했다"고 했고, 또 "나는 몸이 몹시 불편하여 저녁 식사도 먹지 않고 종일 쓰리고 앓았다"고 일기에 적고 있다. 소화기장애의 원인이 술 탓일 수 있다. 이순신은 술을 자주 마셨고, 때로 "어제 취한 술이 깨지 않아" 고생했다고 기록한 걸 보면 과음도 종종 하였으니 술 탓일 수도 있겠다. 허나 어느 날 기록에는 "술 두어 잔을 마셨더니, 몹시 취했다"고 한 걸 보면 마음이 상해서 비위를 손상시킨 것이리라.

이순신은 머리 가려움증으로 고생도 많았다. "닭이 운 뒤에 머리가 가려워서 견딜 수 없었다", "새벽 세 시에 몸이 불편하여 금이를 불러 머리를 긁게 했다"고 기록할 정도로 머리 가려움으로 잠을 못 이루고, 견딜 수 없어서, 오죽하면 새벽 곤히 자는 하녀를 불러 머리를 긁게 했을까? 그것도 잠시 긁은 게 아니라 "머리를 한참 동안 빗었다"고 했다.

또한 병치레 중 빼놓을 수 없는 하나가 땀을 무척 흘렸다는 것이다. 땀을 흘려도 때 없이 흘렸다. "종일 땀을 흘렸다", "새벽에 땀이 흘렸다", "어두울 무렵에 땀이 예사롭지 않게 흘렸다"고 했다. 그의 말대로 "덧없이 땀이 흘렸다", 하다못해 "밤 열 시쯤에 꿈속에서까지 땀을 흘렸다"고 했다. 땀을 흘려도 너무 많이 흘렸다. 어느 정도였을까? "땀이 옷과 이불을 적셨다", "땀이 흘러 옷을 적셨다. 그래서 옷을 갈아입고 잤다", "밤에는 두 겹 옷이 젖고 방구들막까지 젖었다"고 했다. 예삿일이 아니다. 어쩐 일일까? 장군은 "원기가 허약하여" 땀이 나는 것이라고 했다. 과연 그럴까? 정말 그의 말대로 기허(氣虛)가 원인일까? 아닐 것이다. 뭔가 다른 원인이 있으니 이토록 '종일', '새벽'이든 '어두울 무렵'이든, 심지어 '꿈속'에서까지 땀을 흘렸을 것이다. 그것도 옷을 적시고 이불을 적시고, 심지어 두 겹 옷은 물론 방구들막까지 적실 정도로 흘렸을 것이다. 그 원인이 무엇일까? 필자의 사견, 어디까지나 필자의 사견에 불과하지만, 장군의 병명은 결핵이었을 것으로 생각된다.

각설하고, 여하간 특별한 질병이 없다는데 땀을 엄청나게 흘리는 분이 있다면 다음 몇 가지를 권하고자 한다.

땀의 묘약 베스트 3이다.

식초콩

첫째, 검은콩을 현미식초에 담갔다가 꺼내 하루 7~10알씩 먹고 검은콩이 우러나온 식초도 커피잔 한 잔 정도의 생수에 3~4 작은술씩 타서 마신다. 혹은 검은콩으로 콩나물 키우듯이 순을 내어 먹어도 좋다. 물을 줘 순을 낸 것을 '청수두권'이라 하고, 마황이라는 한약재를 끓인 물을 차게 식혀 그 물로 순을 키우면 '황수두권'이라 한다. 이 황수두권이 땀을 다스리는 뛰어난 약재다. 황수두권을 가루로 만들어 4g씩, 1일 3회 따뜻한 물에 먹는다.

황기차

둘째, 황기를 차로 끓여 마신다. 여름철에 삼계탕 요리를 할 때 흔히 넣는 약재다. 기운을 돋우는 데에 효력이 뛰어나다. 꿀물에 담가 황기가 꿀물을 빨아들인 후 황기를 건져 프라이팬에서 볶은 후 차로 끓인다.

부소맥

셋째, 부소맥을 차로 끓여 마신다. 통밀을 물에 담그면 물 위로 동동 뜨는 것이 있다. 쭉정이다. 이것이 부소맥이다. 보리차를 끓일 때처럼 큰 주전자에 한 줌의 부소맥을 넣어 끓여서 하루 종일 차로 마신다.

이원익과 산삼

조선조 명재상으로 이름을 남긴 이원익(李元翼). 호가 오리(梧里)이기에 '오리대감'으로 잘 알려진 분이다.

태종 이방원의 아들 중 한 분인 익령군의 4세손이니 이원익은 왕손인 셈인데 집은 가난했다고 한다. 23세에 문과에 급제하여 28세에 황해도 도사로 있었으며, 유성룡이나 이율곡 같은 큰 어른들이 장차 나라의 동량이 될 것이라 하여 아꼈다고 한다. 이원익은 임진왜란 때 큰 공을 세워 호성공신이 되었고, 이순신 장군이 모함으로 옥에 갇혔을 때는 선조에게 온 힘을 다해 주청하여 이순신을 풀려나게 한 후 이순신과 함께 한산도까지 동

이원익(李元翼 ; 1547년 12월 5일~1634년 2월 26일)은 조선시대 중기 · 후기의 왕족 종실 출신 문신, 시인, 학자, 정치인.
오리 이원익 초상화 (1590년 작) (그의 생전에 그려진 영정으로 임진왜란 때 일본에 의해 약탈되었다.)

행하여 사기를 북돋아 주었다고 한다. 왜란이 끝나자 벼슬에서 물러났다가 광해군 때 영의정이 되었으나 간신배의 모함으로 귀양살이를 했고, 인조반정으로 풀려나 영의정으로 돌아왔는데, 반정 공신들이 광해군을 죽이려 하자 극구 반대하여 광해군의 목숨을 살려주었다고 한다.

이원익에게는 이런 일화가 있다.

조선조 13대 명종 때, 왕이 젊은 인재를 천거하라고 하자 이준경 대감이 이원익이 인재라고 아뢰었다. 이때 이준경 대감은, 이원익이 비록 인재이기는 하지만 워낙 몸이 허약하여 적어도 산삼 20근은 먹어야겠는데 가세가 빈궁하다고 하였다. 명종은 산삼 20근을 내어주었고, 이원익은 이 덕분에 건강해져 벼슬길에 나서게 되었다. 그러던 어느 날 신하들이 모두 모인 자리에서 명종은 이준경에게 그때 천거했던 이원익이 어디 있느냐고 물었다. 이준경은 그가 워낙 작아서 서셔야만 겨우 보실 수 있다고 아뢰었다. 명종은 발돋움까지 해서 신하들 무리 속에서 이원익을 보더니, "아까운 산삼 20근만 날려 버렸다"고 했다고 한다. 그만큼 이원익은 허약하고 키가 작았던 모양이다.

산삼은 이름 그대로 깊은 산속에서 저절로 자란 삼이다. 그러니까 삼밭에서 키운 가삼(家參), 포삼(圃參), 원삼(圓參)이라 부르는 삼과는 전혀 다른 것이다. 주근은 짧고 굵은데 근경과 길이가 같거나 더 짧다. 대부분 두 개의 지근으로 나뉘어져 있어 모양이 사람과 비슷하다. 상단에는 가늘고 깊이 들어간 횡근이 있다. 뿌리줄기는 가

야생산삼

늘고 길어 보통 3~9cm이고, 수염뿌리는 성글게 있으며 유연하여 쉽게 끊어지지 않으며 혹 같은 돌기가 있다. 이를 진주점(珍珠点)이라 한다. 전체가 연한 황백색이고 껍질이 얇으며 반질반질하다. 향기가 짙고 맛이 달고 약간 쓰다. 대개 5~9월 사이에 채취하여 줄기와 잎을 떼버린다. 시중에 도는 것은 이렇게 손질한 신선한 것들이다. 이를 야산삼수자(野山蔘水子)라 부른다. 그러나 꼭 생것만 유통되는 것이 아니다. 가공도 한다. 햇볕에 말리기도 하고, 진한 설탕물에 담갔다가 말리기도 하는 등 여러 방법으로 가공해 유통되기도 한다. 자세한 것은 《중약대사전》을 참고하면 도움이 되는데, 일반적으로 생것보다는 가공한 것이 탈이 적기 때문에 가정에서 복용할 때는 손쉽게 찌거나 한지 위에 올려놓고 프라이팬에서 살짝 볶아 먹어도 좋다.

《신씨본초학》에는, 산삼은 성질이 약간 차다고 했다. 흥분성 강장제로서 대뇌를 진정시키고 혈관운동신경과 호흡중추, 연수중추 등을 고무적으로 자극시켜 피로를 회복시키고 세포의 신진대사 기능을 촉진시킨다고 했다. 정액을 늘리며 혈당을 억제하고 식욕을 증진시키고 거담, 혈압강하 작용 등을 하며, 교감신경을 자극하고 아울러 이것을 긴장케 하며, 모든 체력소모에 의해 야기되는 질환에 탁월한 효능이 있다고 했다.

단, 과용하면 두통·뇌출혈·안정충혈·체온강하·언어불능·사지불수 등을 일으킬 수 있으며, 심한 경우에는 생명에 영향을 줄 수 있다고 했다.

만일 과잉 복용으로 부작용이 생겼을 때는 밤송이를 끓여 그 물을 차처럼 마시거나 맥문동을 차로 마시면 해독할 수 있는데, 어디까지나 부작용이 가벼운 경우에 도움이 되는 속방일 뿐이므로 과잉 복용을 피하는 것이 우선이다.

이윤과 약식동원

고대 중국에서 '요순(堯舜) 시대'를 이은 나라가 우(禹) 임금이 세운 하(夏)나라인데, 400여 년을 이어오다가 17대에 이르렀을 때 멸망했다. 마지막 왕이 바로 말희(妺喜)라는 여인과 향락을 일삼던 걸(桀)왕이다.

걸왕을 내쫓고 은(殷, 즉 商)나라를 세운 이는 탕왕(湯王)이다. 《여씨춘추》에 이런 이야기가 나온다. 몇 단락으로 풀어가 보자.

은나라 탕왕의 초상.
탕(湯 ; 기원전 1600년경)은 상나라(商=은나라)의 건국자. 하의 신하인 탕은 명신 이윤의 보좌를 받아 하(夏)나라의 마지막 왕 걸을 공격해 멸망시켰다.

1단락 : 거위의 꿈

협서성 조그마한 마을에서 요리사로 늙어가던 유선이란 자가 뽕밭에 버려져 울고 있는 아이 하나를 데려다가 양자로 삼고, 이름을 이윤(伊尹)이라 짓고 애지중지 키워가면서 자기 일을 돕도록 하였다는 것이다. 이윤이 자라감에 따라 요리 솜씨가 특출나서 인근뿐 아니라 먼 지방에서도 소문을 듣고 익히 알 만해지자, 이윤은 한낱 요리사로 일생을 마치지 않겠다는 꿈을 품고 당시의 신흥세력인 탕왕을 만나 그의 포부를 전할 기회를 노리고 있었다고 한다. 어느 날 이윤은 통거위구이를 정성껏 만들어 올리면서 탕왕을 만나 뵙게 해 달라고 청했단다.

2단락 : 천하의 명물

본디 시골 출신이었던 탕왕은 거위를 통으로 구운 음식을 먹어보고는 그 맛에 놀라 즉시 이윤을 불러, 세상에는 이밖에도 맛좋은 것이 또 없는지 물었단다. 이윤은 즐거움을 감추지 못한 채 그가 연구했던 《본미론(本味論)》을 올리고, 여기에서 밝힌 맛의 진가와 다섯 가지 맛을 조화시키는 조리의 이치 등을 상세히 설명한 다음, 천하의 명물을 소개했단다. 원숭이 입술, 너구리 고기, 제비 꼬리에 붙은 엉덩이고기, 곰의 발바닥, 동정호의 돌고래, 예수의 산초어, 관수의 비어……. 이런 것들이 천하에 기이한 맛들이라고 아뢰었단다. 또 인도의 타조알, 운몽의 미나리, 양복의 생강과 계피, 월락의 버섯, 양자강의 상어알로 만든 젓갈, 곤륜산 동쪽의 청조에서 나는 감로, 강포의 감귤, 한산의 석이버섯……. 이런 것들이 또한 천하의 일미들이라고 아뢰었단다. 그러면서 채소나 과일, 또는 곡물이나 소금, 물 등 먹고 마시는 모든 것들의 명소들을 낱낱이 아뢰었단다.

3단락 : 천벌과 유혹

이윤 초상. 이윤(伊尹)은 하나라 말기부터 상나라 초기에 걸친 정치가. 상 왕조 성립에 큰 역할을 하였다. 이름은 지(摯).

이윤은 탕왕을 충동질하기 시작했다. 듣도 보도 못한 이러한 천하의 명물도 지금과 같이 협소한 산골짜기에 웅크리고만 있어서는 결코 얻을 수 없으나, 천자의 보위에 오르면 저절로 사방에서 모여들 것이라고 했다. 이윤이 말한 대로 탕왕이 천자의 보위에 오르려면 신하된 자의 도리를 저버리고 걸왕을 타도해야 가능한 것인데, 천자를 타도하는 하극상은 중국 역사가 시작된 이래 이제껏 없던 일이니 하늘이 가만히 두지 않고 반드시 천벌을 내릴 게 빤할 것이었다. 감히 하늘을 거스르라니……. 그렇다고 이윤의 달콤한 유혹을 뿌리칠 수도 없다. 탕왕은 어찌할 바를 모른 채 세월만 잡아먹고 있었단다.

4단락 : 토벌의 빌미

그동안 걸왕은 총애하는 말희와 더불어 희희낙락하고 있었다. 안주를 수풀처럼 쌓아 놓고 술은 큰 연못에 가득 담아 놓고 배를 띄우고 놀면서, 발가벗은 3,000 궁녀와 신하들이 북소리에 맞추어 안주더미를 허물고 연못의 술을 허겁지겁 퍼 마시고는 사지를 쭉 뻗는 걸

보면서 흥겨워 깔깔대고 좋아했단다. 그러던 어느 날, 드디어 탕왕에게 토벌의 빌미가 행운처럼 주어졌다. 탕왕의 가장 절친한 친우인 관용봉(關竜逢)이 걸왕에게 충언을 간하였다가 옥에 갇힌 채 사살되는 사건이 일어난 것이다. 이때 분노를 가라앉히지 못하고 있는 탕왕에게 이윤이 나서서 다시 한 번 더 충동질을 했단다. 이에 발분한 탕왕은 드디어 걸왕의 토벌에 나서게 되었단다.

이윤의 지략에 따라 걸왕(뒤) 토벌에 승리한 탕왕(앞) 〈중국 제왕도 중에서〉.

5단락 : 희락의 몰락과 꿈의 성취

탕왕이 토벌의 기치를 올리자 극에 달한 걸왕의 폭정에 시달리던 여러 제후들이 함께 나섰단다. 무사태평으로 방비 하나 제대로 갖추지 못하고 있던 걸왕은

하(夏)나라 걸왕(桀王)의 왕비, 말희(末喜).

사세가 이미 기운 것을 알고는 스스로 목숨을 끊었고, 그의 총애하는 말희는 연못에 몸을 던져 죽었단다. 희락의 몰락은 이렇게 덧없었다. 결국 하나라는 17대 걸왕을 마지막으로 망하고 말았다. 이것이 중국 역사상 첫 번째 방벌(放伐; 쿠데타)이다. 이로써 탕왕은 은(殷 : 즉 商)나라를 세우고, 이윤은 한낱 요리사에서 대재상으로 발탁되었다. 이윤은 이후 3대의 황제를 모시면서 선정을 베풀었다. 탕왕도 그렇지만 이윤은 꿈을 성취하고, 그 이름을 청사에 빛냈다.

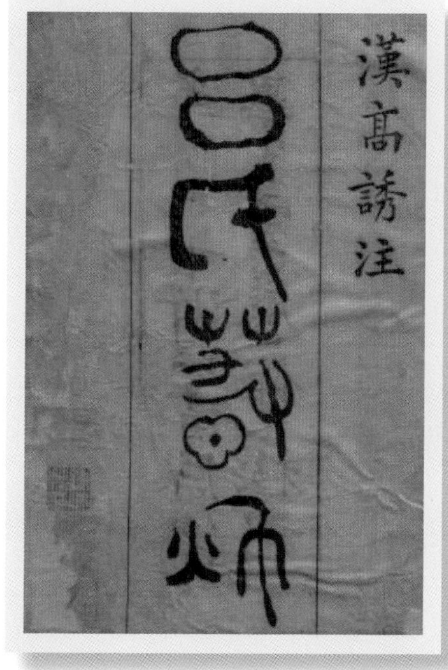

《여씨춘추》

그러나 이윤의 공적은 《여씨춘추》에 기록된 이런 것뿐만이 아니다. 그는 요리사 출신답게 약물의 배합, 약물을 이용한 요리법 등을 개발하여 약식동원(藥食同源)의 개념을 확립하였으니, 이로써 『한방약물학』의 도약적 발판을 이룩하여 한방 의학사에도 그 이름이 길이 남게 되었다.

이자겸과 굴비

이자겸(李資謙)은 고려 때의 척신(戚臣)으로 한껏 세도를 누렸던 인물이다. 그러나 파란만장한 삶을 살다 죽은 인물 중 한 사람으로 손꼽히는 인물이기도 하다.

이자겸(李資謙 ; ?~1127년 1월 19일(1126년 음력 12월 5일))은 고려시대 중기의 문신, 정치인. 예종과 인종의 장인인 동시에 인종의 외조부. 1126년 '이자겸의 난'을 일으켜 권력을 장악하였으나, 척준경 등에 의해 제거. 전라남도 영광군에 유배되어 말린 생선을 먹고 그 '뜻을 굽히지 않겠다'는 이름을 붙인 것이 영광굴비의 어원이 되었다.

세도가의 자손으로 태어나 벼슬을 누리던 이자겸은 한때 누이동생 때문에 면직을 당했다. 누이동생은 순종의 비였는데, 순종이 죽은 뒤 궁중의 노예 신분이었던 사내와 간통하는 바람에, 그 불똥이 튀어 이자겸마저 면직을 당했던 것이었다.

그러나 이자겸은 곧 재기했다. 둘째딸이 예종의 비가 되었기 때문에 일약 최고위직에 봉해졌다. 예종이 죽자 나이 어린 태자를 두고 왕위 다툼이 일어나자 이자겸은 왕위를 탐내던 왕제들을 모두 물리치고 어린 태자를 즉위시켰다. 바로 인종이다. 이자겸은 인종에게 강요하여 셋째딸과 넷째딸을 비로 삼게 했다. 그러니까 이자겸은 인종의 외조부도 되고 장인도 된 셈이었으며, 이자겸의 딸들은 시어머니와 며느리 관계가 된 것이다.

이로써 이자겸은 권세를 독차지했다. 심복들을 요직에 올리고 매관매직하며 뇌물로 치부했다. 이것도 모자라 왕과 동등한 행세를 해서 자기 생일을 인수절(仁壽節)이라고까지 했다. 왕의 밀명으로 상장군과 대장군들이 거사하자 이자겸은 이들과 싸워 모두 살해했는데, 난리통에 궁궐마저 불탈 정도였다. 이자겸은 왕비인 넷째딸을 시켜 여러 차례 왕을 독살하려고 했으나 왕비의 거부로 실패하곤 했다. 이때 그와 반목하던 척준경이 왕의 부탁으로 거사를 하여 이자겸을 역적죄로 붙잡았다.

굴비

인종은 이자겸을 차마 죽일 수 없어서 외딴곳 전라도 영광으로 유배시켰다. 이자겸은 유배 중에도 조기를 간해서 돌에 지질러 물기를 뺀 후 말린 건석어를 엮어 '굴비

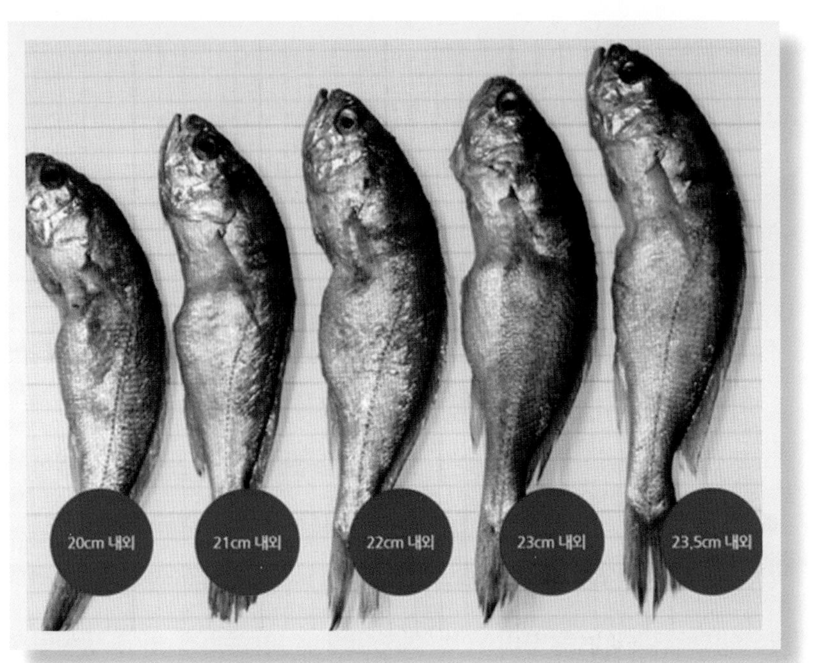

크기에 따라 이름이 달라지는 조기

(屈非)'라 이름 붙여 왕에게 진상했다. 비록 유배를 당했지만 내 뜻을 "굴복하지는 않는다"는 뜻이 '굴비'에 담겨 있었던 것이다.

굴비를 구비(仇非)라고도 부르지만 약명은 상어(鯗魚)다. 조기를 소금에 절여 통으로 말린 것이다. 다섯 사리에 잡힌 알이 찬 조기로 만든 굴비인 '오기잽'이 으뜸이라고 한다.

조기는 크기에 따라 아주 작은 것을 '물강다리'라 하고, 그보다 큰 것을 '강다리'나 '세레네'라 하고, 15cm 이상이 되어야 '조기'라 한단다. 조기의 약명은 석어(石魚) 또는 석수어(石首魚)다. 참조기를 황화어(黃花魚), 흰조기를 부구치[개보어(開寶魚)]라 한다.

조기는 맛이 달고 성질이 따뜻하다. 맛만 좋은 게 아니다. 영양가

조기의 머릿속에는 돌 같은 이석이 2개나 들어 있다.

도 높다. 칼슘, 철, 비타민 B_1, B_2 등이 고루 들어 있다. 특히 신선한 조기 1kg당 요오드 120mg을 함유하고 있다. 조기는 기운을 돋운다 해서 이름도 '조기(助氣)'다. 아침에 발기를 일으킨다고 해서 '조기(朝起)'라고도 한다. 조기가 정(精)을 보충하는 효능을 지니고 있기 때문이다. 《식경》에는 설사를 멈추게 하고 시력을 좋게 하며 정신을 안정시킨다고 했다.

또 조기의 약명이 '석수어'라 했는데, 이것은 조기의 머릿속에 돌 같은 이석이 두 개 들어 있어서 붙여진 이름이다. 이 돌이 방광결석을 빼주는 효과가 있다고 알려져 있다. 이 돌을 태워 가루 내어 왕골속(등심 ; 燈心) 끓인 물로 마시면 좋다고 정약용의 《다산방》에 기록되어 있다. 이 돌은 해독작용도 하고 버섯 중독도 푼다.

조기찜

굴비는 식욕을 돋우고 식체를 삭이며, 비위를 튼튼히 하고 원기를 회복시키는 효능이 있다. 특히 오이를 먹고 체한 데에 특효이며, 식체로 복부가 창만하고 설사를 할 때 좋다. 이뇨 효과도 있다. 《수식거음식보》에는 "산후의 자양물로서 중요한 것"이라고 했다.

조기매운탕

조기는 구이, 조림, 지짐 등 어떤 요리를 해도 맛있고 효능이 좋다. 《개위본초》에는 조기가 소화 기능을 강화하므로 소화기가 약하면 조기로 국을 끓여 먹거나 구워서 먹으면 좋다고 했다. 산란기의 조기는 회로 먹으면 별미이며, 소위 '황세기'라 불리는 '황강달이'는 겨울 김장철에 김장독 밑에 넣고 김장한 후 두었다가 봄이 되었을 때 꺼내 먹으면 아주 맛있다.

황강달이(황세기)

이장곤과 더위

조선조 10대 연산군 10년, 연산군의 생모 윤씨가 폐위된 사실을 임사홍으로부터 알게 된 연산군은 아버지 성종의 후궁들과 그 소생의 왕자들을 죽이고, 이미 죽은 한명회 등은 무덤을 파 시체를 꺼내어 부관참시를 했으며, 폐위 사건에 관련된 김굉필 등 10여 명의 제신들을 학살했다. 이를 갑자사화라 한다.

이때 교리 벼슬을 하던 이장곤(李長坤)은 귀양을 가게 되었다. 그는 김굉필의 문인이었기 때문이었다. 나졸에 이끌려 거제로 귀양을 가던 중 금부도사가 뒤쫓아 왔다. 금부도사가 전할 어명이 무엇인지 그가 짐작 못할 바 없었다. 어차피 죽을 목숨, 그는 나졸과 금부도사들을 불시에 들이치고 도주를 감행했다. 연산군은 팔도에 명을 내려 그를 잡아들이게 했다. 화난 연산군의 성화가 불같았고, 그러니 팔도에 군졸들이 깔려 개미 한 마리 놓치지 않을 태세였다. 쫓기는 몸이건만 너무 지친 그는 어느 산골에서 그만 잠에 곯아떨어졌다. 이때 군졸들이 닥쳤다. 그런데 잠든 사나이의 발을 본 군졸들은 그 발이 어찌나 크던지 상놈의 발일 거라며 돌아가 버렸다.

이렇게 또다시 화를 면한 그는 우여곡절 끝에 함흥에 이르렀다. 그리고 이곳에서 한 처녀를 우물가에서 만나게 되었고, 처녀의 집에서 머슴살이를 하다가 그 처녀와 결혼하여 데릴사위로 눌러앉게 되었다. 소쿠리를 만들 줄 아나, 키를 만들 줄 아나, 돼지를 잡을 줄 아나, 양식만 축내는 판이니 처가의 학대가 날로 심해졌건만, 그는 용케도 양수척의 무리에 끼어 천민의 신분으로 관원의 눈을 피해 목숨을 부지할 수 있었다. 이런 우여곡절 끝에 그는 중종반정으로 다시 기용되었다. 그는 동부승지, 평안도 절도사, 이조참판, 예조참판을 거쳐 좌찬성까지 올랐다. 그리고 이런 사정을 알게 된 중종은 그의 처가를 면천시켜 주었고, 그의 부인에게는 일품 정경부인의 품계를 내렸다. 그의 부인은 고리백정이라 불리는 양수척의 딸이었건만 일품 정경부인의 품계를 받고도 남을 여인이었다.

더위에 찬물을 단숨에 마시는 것은 좋지 않다.

우리는 여기서 잠시 함흥 우물가에서 이장곤과 한 처녀가 만났던 시점으로 돌아가 보자.

지친 몸으로 우물가에 다다른 이장곤은 목이 타서 처녀에게 물 한 모금을 청했다. 이때 처녀는 물그릇에 버들잎을 띄워 건네주었다. 너무 목이 타 벌컥벌컥 들이켠 이

장곤이 목이 축여지자 어찌하여 물바가지에 버들잎을 띄워 주었냐고 물었다. 처녀는 갈증이 심할 때 물을 급히 마시면 병이 되어 버들잎을 훌훌 불며 마시라고 그랬노라고 말했다. 참으로 현명한 여인이 아니었던가!

오이

그렇다. 더위에 지치고 갈증이 심할 때 찬물을 급히 먹으면 안 된다. 배고플 때 더위 먹으면 그 해가 더 크니 더운 곳에 나갔다가 들어와서는 빨리 찬물로 양치하되 삼키지는 말아야 한다. 더구나 더위를 먹은 상태라면 아예 찬물은 주지도 말아야 한다. 찬물을 먹이면 죽을 수 있기 때문이다. 이때는 생강이나 마늘을 물에 갈아서 먹이는 것이 좋다. 그리고 이때는 물이 차도 상관없다. 생강이나 마늘의 성질이 따뜻하기 때문이다.

《동의보감》에는 몹시 더울 때는 열이 나도 찬물로 손과 얼굴을 씻지 말아야 한다고 했다. 지나치게 술을 마시거나 지나치게 성생활을 해도 안 좋다고 했다. 무더울 때는 진액과 정액을 아끼는 게 제일이라고 했다. 더위를 먹었을 때는 곧 그늘로 옮겨서 눕히되 상체는 등에 담요나 푹신한 물건을 대어 하체보다 높게 눕히고, 가슴과 배꼽 주위를 뜨뜻하게 해줘야 한다고 했다.

더울 때 가장 좋은 식품은 오이다. 날로 먹어도 되고 오이냉채를

익모초

익모초차

만들어 식초를 조금 타면 더 좋다. 차 중에는 익모초차가 좋다. 익모초차는 심장 기능을 강화하고, 신장 사구체의 여과율을 높여준다. 따라서 농축뇨와 이에 의한 고삼투성 자극 증세를 개선하게 되며, 중추신경을 안정시키고, 혈당치를 바르게 해줌으로써 저하된 전신 기능을 신속히 회복시켜 준다.

사계절 중에 여름철이 조섭하기 제일 힘들다. 《동의보감》의 지혜를 빌려 여름을 이겨내는 것이 좋을 것이다.

장량과 잘 사는 법

장량(張良), 즉 장자방(張子房)은 한(漢)나라의 건국 공신이었다. 중국 전국시대 한(韓)나라 귀족 출신인 그는 진시황제에 의해 고국이 망하자 망국의 한을 풀려고 진시황제를 습격한 일이 있었다. 그러니까 진시황제가 두 번째 동진 순행에 나섰을 때였다. 창해군 수하에서 막일을 하던 일위력사(一位力士)로 알려진 장사를 만나 박랑사 숲속에 숨어 기다리다가 120근이나 되는 어마어마한 철추를 진시황제의 마차를 향해 내던졌었다. 그런데 3대의 마차 중 두 번째 마차를 겨냥해 내던졌던 철추에 의해 마차는 완파되었지만, 진시황제는 세 번째 마차에 타고 있었기 때문에 시해는 실패하

장량(張良 ; ?~기원전 189년)은 중국 한나라 정치가. 건국 공신. 자는 자방(子房). 시호는 문성(文成).

〈박랑진추(博浪秦錐)〉. 장량이 역사 창해를 데리고 박랑사를 순행하는 진시황의 수레를 겨냥해 습격한 사실을 기록한 벽화(중국 서안 아방궁전 회랑에 기록된 벽화 중에서).

고 말았던 것이다.

황급히 자리를 떠난 장량은 낙심이 컸다. 이후 이리저리 떠돌던 장량은 우연히 이교(圯橋)라는 다리 위에서 황석(黃石)이라는 노인을 만나게 되는데, 이 기이한 노인으로부터 양피지 두루마리 하나를 받았다. 병법이 적혀 있는 두루마리였는데, 전해져 오는 말에 의하면 강태공(姜太公)의 병법 비서라고 한다. 그래서 이 두루마리를 '태공병법(太公兵法)'이라 부른다. 장량은 이 두루마리를 갖고 은둔한 채 병법을 연마했다. 그러다가 때가 이르자 유방(劉邦)의 거병에 동참하여 유방을 도와 결국에는 한나라를 건국하는 데에 큰 공헌을 하게 된 것이다.

《무경칠서(武經七書)》라는 것이 있다. 병법을 논한 7가지 경전으로, 이 귀한 책이 《무경칠서》인데 『손자(孫子)』, 『오자(吳子)』, 『위료자(尉繚子)』, 『육도(六韜)』, 『삼략(三略)』, 『사마법(司馬法)』, 『이위공문대(李衛公問對)』의 일곱 가지가 바로 이것이다. 이 중 가장 오래된 것이 『육도』와 『삼략』이며, 이 중 장량이 황석노인으로부터 이교다리 위에서 전해 받았다는 것이 바로 『삼략』이다.

『삼략』은 상략, 중략, 하략의 세 부분으로 엮어져 있다. 이 중 몇 구절만 인용하면 다음과 같다.

"영웅은 나라의 기둥이요 서민은 나라의 근본이다. 그 기둥을 얻고, 그 근본을 거두어들인다면 정치는 행하여지며 원망은 없을 것이다."

『삼략』 중 「상략」에 실려 있는 글이다.

"지혜로운 자는 그 공을 세울 것을 즐거워하며, 용감한 자는 그 뜻을 펼 것을 좋아한다. 탐닉하는 자는 이익에 나갈 것을 구하며, 우매한 자는 그 죽음을 돌보지 않는다"

황석노인으로부터 태공병법을 받고 있는 장량.

『삼략』 중 중략에 실려 있는 글이다.

"도(道), 덕(德), 인(仁), 의(義), 예(禮)의 다섯 가지의 본질은 하나다. 도는 사람의 밟는 바이며, 덕은 사람의 얻는 바이며, 인은 사람의 친하는 바이며, 의는 사람의 마땅한 바이며, 예는 사람의 행함으로써 표현하는 바이다. 하나라도 없어서는 안 된다."

『삼략』 중 하략에 실려 있는 글이다.

황석노인의 말에는 배울 바가 많다. 다시 말해서 옳게 잘 사는 방법을 배울 수 있다. 황석노인의 저서로 알려진 《포상기(包桑記)》에는 우리가 잘 아는 이런 말이 실려 있다.

“부드러운 것이 능히 강한 것을 이겨낸다”고.

옳게 잘 사는 방법을 정곡을 찔러 잘 표현한 말이 아닐 수 없다.

중국 산둥성 즈보[淄博]시 제나라역사박물관(齊國歷史博物館)에 전시되어 있는 제나라를 세운 강태공의 반신상.

황석노인의 말 중에서 옳게 잘 사는 방법을 좀 더 추려 보기로 하자. 다음의 글은 허영만 화백의 만화 《식객》에 ‘황석공소서(黃石公素書)’라는 제목으로 실린 것이다.

“올바른 인간의 행동에 깊은 뜻이 있다. 즐거움과 욕심을 멀리함은 허물을 만들지 않기 위함이다. 잘못을 억누르고 색을 멀리함은 더렵혀짐을 막기 위함이다. 혐의와 의혹을 멀리함은 비뚤어지지 않기 위함이다. 널리 배우고 궁금한 것이 많음은 지혜를 넓히기 위함이다. 고상한 행동과 조용한 말씨는 몸을 닦기 위함이다. 어른을 공경하고 검소하고 겸손한 것은 자신을 지키기 위함이다. 착한 사람과 곧은 사람을 사귀는 것은 넘어지는 것을 붙잡기 위함이다.”

옳게 잘 사는 방법을 이처럼 조목조목 잘 설명한 글이 또 있을까 싶을 정도로 참 좋은 글이다. 마음에 새기고 실천한다면 정말 옳게 잘 살 수 있을 것이다. 옳게 잘 사는 것이 곧 ‘건강’하게 사는 것이다.

제갈량과 폐결핵

유비(劉備)는 참으로 암담한 몰골로 세월만 갉아 먹고 있었다. 조조와 손권이 장강을 경계로 북쪽의 거대한 땅과 남쪽의 비옥한 땅을 거머쥐고 세력다툼을 하고 있는데도 유비는 50 가까운 나이가 되도록 제 땅 한 평 없이 신야라는 좁은 곳에서 궁핍하게 지내고 있었던 것이니 어찌 암담하다 아니할 수 있었겠는가!

제갈량(諸葛亮 ; 181년~234년)은 중국 삼국시대 촉한의 모신(謨臣). 자는 공명(孔明), 별호는 와룡(臥龍) 또는 복룡(伏龍). 후한 말 군웅인 유비(劉備)를 도와 촉한(蜀漢)을 건국하는 제업을 이루었다.

그런데 바로 이때 하늘의 도움이런가, 제갈량(諸葛亮)을 얻게 되어 유비는 비로소 웅비의 나래를 펴게 된다. 삼고초려 끝에 얻게 된 제갈량은 겨우 27세에 불과한 젊은이였으나 엎드렸던 용과 같은 존재였다. 그래서 와룡(臥

〈삼고초려(三顧草廬)〉: 후한(後漢) 말, 한실(漢室)의 부흥을 위해 유능한 참모의 필요성을 절감한 유비는 제갈량(諸葛亮)을 세 번이나 방문한 끝에 그를 군사(軍師)로 모실 수가 있었다. '삼고초려(三顧草廬)', 혹은 '삼고모려(三顧茅廬)'라고도 한다.

龍)이라 불리던 인물인데, 유비를 만남으로써 드디어 하늘로 솟는 계기를 맞게 된 것이었다.

제갈량, 자가 공명(孔明)이라 제갈공명(諸葛孔明)으로도 불리던 그는 타고난 천재였으며, 경전과 사서를 꿰뚫고, 천문이나 지리나 과학 등 여러 분야에 걸쳐 모르는 것이 없다는 인물이었다. 산동성 기수현에서 태어나 어려서 고아가 된 제갈량은 융중에서 초가 생활을 하다가 유비를 따라나선 것이었다. 적벽대전을 대승으로 이끈 제갈량은 유비로 하여금 촉 땅을 차지하게 함으로써 그가 처음부터 구상했던 대로 정립지세(鼎立之勢)를 이루는 데 성공했다. 그리고는 조조와 조조의 아들 조예의 땅 위나라를 공격하기 위해 여러 차례 군사를 일으켰다. 그러나 출정 때마다 실패하였다. 그런데도 북벌의 의지를 꺾지 않았다. 그러다가 오장원(五丈原) 전쟁터에서 위나라의 총사령관 사마의와 대치하던 중 죽음을 맞았다.

제갈량은 키가 훤칠하게 컸다고 한다. 그러나 얼굴은 백옥 같이 희고 입술은 연지를 찍은 듯 붉었다고 한다. 더구나 가끔은, 그리고 갑자기 피를 토하곤 했다고 했다. 그래서 제갈량의 사인을 폐결핵이었을 것이라고들 한다.

제갈량의 사당인 무후사에 모셔진 상.

폐결핵은 꽤 오래된 질병이다. 한의학에서는 '노체'라고 하고 또는 '노주'라고도 하는데, 이때의 주(注)는 전주(轉注)라는 뜻으로 다른 사람에게도 감염될 수 있기 때문에 붙인 이름이다.

폐결핵은 결핵균이 원인이다. 그러나 체질이나 유전적 성향도 크다. 가슴이 좁고 길며 늑골이 예각을 이룰 정도로 좁고 목이 길면서 빗장뼈의 함몰이 심한 체격을 '폐류성 체질'이라고 하는데, 이런 체질이 폐결핵에 잘 걸린다. 손가락도 피아니스트의 손가락처럼 가늘고 길며 살이 없고 말랐다. 눈 주위에 다크서클이 심하기도 하다. 평소 체온이 비교적 높은 편이며 물을 많이 찾고, 내쉬는 숨이 들이마시는 숨보다 강한 편이다. 이런 사람을 체내의 음이 부족한 '음허체질'이라 하는데, 이런 체질의 사람이 과로하거나 과음, 과색했을 때 폐결핵에 잘 걸린다.

음허하면 음의 성질이 잘 나타나지 않고, 오히려 양의 성질이 강

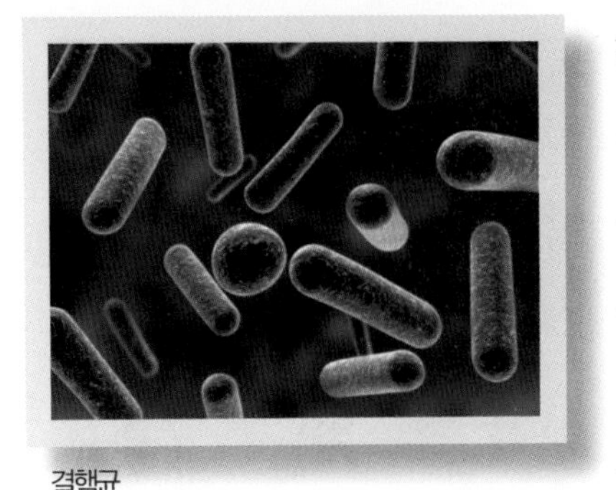
결핵균

하게 나타난다. 음의 성질이란 억압이나 침체이며, 양의 성질이란 조장이나 촉진이다. 즉 하나는 마이너스 작용을, 하나는 플러스 작용을 한다. 까닭에 음허하면 플러스 작용만 커져서 생리적 기능이 이상항진한다. 특히 신장이 음허하면 폐장, 심장의 화가 조장되고 촉진된다. 이것을 '음허화동'이라고 한다. 이렇게 되면 갖가지 병이 야기되는데, 그 중 하나가 폐결핵이다.

음허화동하면 성욕 항진이 온다. 그래서 폐결핵 환자는 병적인 성욕을 발산코자 하는데, 가슴이 답답하다고 하며 감정 격변이 심해진다. 특히 제갈량처럼 광대뼈 부위에 홍조를 띠며 입술이 빨갛게 된다. 이를 도화색이라고 한다. 옛날에 도화색을 띤 여자를 자녀(恣女)라 하여 음란한 여인으로 본 것도 이런 이유에서 비롯되었다. 입이 마르고 열을 수반하는데 오후에 더 심해진다.

흉통과 함께 기침도 한다. 밤이면 더 심해진다. 가래를 뱉고, 때로 피를 토하기도 한다. 체중이 줄고 피로가 심해지며 꿈이 많아지고, 땀이 잘 나는데 특히 자는 동안에 옷을 적실 정도로 땀을 흘리다가 잠이 깨면 땀이 안 난다. 마치 도둑땀 같다. 그래서 이를 '도한'이라고 한다.

가급적 정신력 안정과 함께 비타민, 단백질이 풍부한 음식을 통해 충분한 영양 공급이 꼭 필요하다. 신선한 공기를 심호흡으로 자주 마셔야 하며 과로는 절대 금물이다.

조조와 두통 베개

조조(曹操)는 155년에 패국 초현에서 태어나 216년 위(魏)나라 왕위에 오르고, 66세 되던 해인 220년에 죽은 삼국시대의 영웅이었다. '치세의 능신이요 난세의 간웅'으로 평가되지만 이만큼 지략과 용인술을 두루 갖춘 영웅도 역사상 드물다는 평을 받고 있다. 시대를 넘어서는 이 영웅은 무예에도 능했지만, 특히 유비나 손권과는 비교가 되지 않을 만큼 학식을 겸비하여 삼국 시대의 문학을 대표하는 건안칠자(建安七子)의 한 사람으로 꼽히고 있다.

조조(曹操 ; 155년 음력 6월 3일~220년 음력 1월 23일)는 중국 후한 말기의 정치가, 군인, 시인. 자는 맹덕(孟德).

한편 당시 조조와 거의 같은 시기에 조조와 같은 고장인 패국 초현에서 태어난 영웅이 또 한 사람이 있었으니, 그의 이름은 화타(華陀)

화타(華佗 ; 145~208년)는 중국 후한 말의 의사. 이름을 부(旉)라고도 하며, 자는 원화(元化).

다. 유학, 수리, 경학에도 밝았지만 의술에서 뛰어난 인물이었다. 그래서 살아생전에도 그는 신의(神醫)로 우러름을 받던 전설적인 명의였다. 그는 당시에 이미 외과수술을 했다. 약물로 전신마취를 시킨 후 복강 내의 종양을 제거했는가 하면 두개골 수술까지 감행한 바 있었다. 특히 관우(關羽)가 오른쪽 어깨에 독화살을 맞았을 때 뼈를 긁어내는 수술로 이를 치료했다는 유명한 이야기가 전해져 온다.

그러나 조조가 두풍(頭風)이라는 지병으로 심히 앓고 있을 때, 화타는 조조에게 마취 후 도끼로 머리를 쪼개고 바람기를 걷어내야 한다고 수술을 권유했다가 죽임을 당했다. 조조는 화타가 자신을 죽이려 한다고 의심하여 그를 옥에 가두어 죽인 것이다. 이때 조조는 "세상에서 이런 쥐새끼 같은 놈들은 당연히 없애 버려야 한다."고 하며 죽였다는 설도 전해지고 있다.

그렇다면 조조가 앓았다는 '두풍'은 어떤 병일까?

의서에 의하면 "증세가 심하지 않으면서 길게 지속되지 않는 것을 '두통'이라 하고, 증세가 심하면서 길게 지속되는 것을 '두풍'이라고 한다. '두통'은 갑자기 발생하고 쉽게 풀리지만, '두풍'은 시도 때도 없이 발작하며 치유된 후에도 쉽게 재발한다."고 했다. 그러니까 '두통'이 오랫동안 치유되지 않는 경우를 '두풍'이라고 한다고 했다.

원래 담음(痰飮)이 있거나 목욕하다가 냉기를 받거나, 바람에 오랫동안 누워 있어서 머리와 목덜미에 풍기가 침범하면 생긴다고 했다. 조조는 아마 풍우를 무릅쓰고 평생 전장을 누비다가 이 병에 걸린 것이 아닐까 싶다.

여하간 두풍증은 다음과 같은 특징이 있다.

첫째, 병이 발작할 때 가슴이 답답하면서 정신이 혼미해지고, 배나 수레에 탄 것처럼 몸이 흔들리는 느낌을 갖는다. 두풍증 환자 열 사람에 다섯 사람은 이런 증세를 보인다.

둘째, 머리가 아파서 머리를 수건으로 동여매려고 할 정도다. 때

관우를 치료하는 화타(가운데).

두통

로 머리가 무겁고 어지러우며, 머리의 피부가 부으면서 참을 수 없이 가려워서 손톱으로 긁으면 두피가 울퉁불퉁하게 된다. 또 두피에 흰 비듬이 잘 생긴다.

셋째, 머리의 피부가 뻣뻣해서 감각이 몹시 둔해지고 무뎌진다. 특히 목에서부터 귀, 눈, 입, 코, 이마까지가 마비되어 감각이 없다. 혹은 눈썹 난 곳이 아래위가 잡아당기는 것같이 아프다.

넷째, 마치 피부에 벌레가 기어 다니는 것 같은 느낌을 받으며, 피부가 저리면서 가렵다.

다섯째, 귀가 먹거나 귀에서 소리가 난다. 눈이 켕기고 아프면서 눈알이 빠져 나오는 것 같고 코가 멘다. 또 입과 혀가 잘 놀려지지 않으며, 목소리가 무겁고 탁해진다. 음식의 맛을 모르며, 냄새에 지나치게 예민해진다. 하품할 때 아찔해지는 증세가 있다.

참고로 더우면 머리가 더 아플 때는 메밀베개를 베고 자면 좋고, 중풍이나 고혈압에 의한 두통에는 국화베개를 베고 자면 좋다. 감정의 급변에 의한 두통이나 호르몬 조절이 잘 안 되어 오는 두통에는 박하베개를 베고 자면 좋고, 자율신경실조성 두통이나 소화기장애에 의한 두통에는 세신베개를 베고 자면 좋다.

박하는 두풍증에 달여 먹거나 가루를 내어 먹어도 좋을 정도로

상초를 시원하게 해주는 약이며, 세신은 풍으로 머리가 아프고 뇌가 흔들리는 것 같거나 혹은 머리와 얼굴에 땀이 많이 나면서 바람을 싫어하고 머리가 아픈 데 없어서는 안 될 약으로 달여 마시거나 가루를 내어 먹어도 좋다.

태종과 메뚜기

조선왕조 태종(太宗)은 태조 이성계의 여덟 아들 중 다섯째인 방원(芳遠)이다. 형제를 죽이는 골육상쟁을 벌렸으며, 장사 조영규를 시켜 정몽주를 선지교에서 철퇴로 때려 죽였던 전과가 있는 인물이다. 정몽주는 죽어 그 자리에서 대나무로 자랐다 하여 선지교를 훗날 선죽교라 부르며, 지금도 그의 핏자국이 남아 있는 자리에서 그의 충절을 기리고 있다. 태종 방원은 아버지 이성계가 죽이고 싶도록 미운 짓만 골라 했지만 재위 시절 그의 공이 지대했기에 지금도 그의 치세를 기릴 만큼 선정을 베푼 명군이었다.

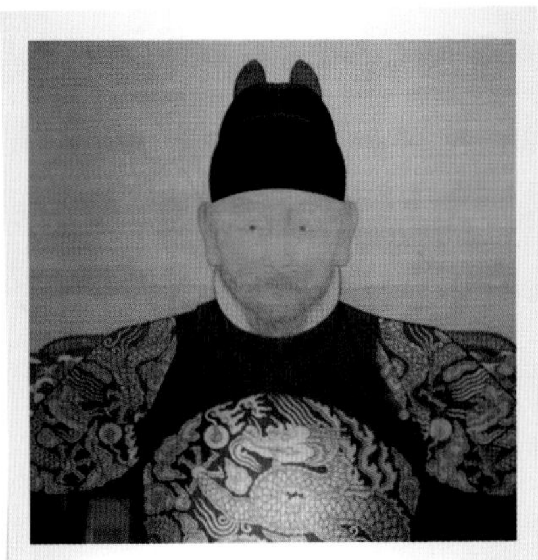

태종 이방원 어진. 태종(太宗 ; 1367년 6월 13일(음력 5월 16일)~1422년 5월 30일(음력 5월 10일), 재위 1400년~1418년)은 조선의 제3대 임금.

태종은 통이 컸고 자신의 잘못을 빨리 깨닫는 큰 인물이었다. 어쨌건 이 같은 인물이 있었기에 조선이 튼튼할 수 있었는데, 태종이 격동기인 초창기 조선의 기반을 튼튼하게 해주었기 때문이다.

메뚜기 떼

여하간 태종 때의 일이었다. 조선 팔도에 메뚜기 떼가 창궐한 적이 있었다. 메뚜기가 떼를 지어 휩쓸면 남는 것이 없을 정도로 피해가 극심한데, 그 해에도 대단한 피해였던 모양이다. 화가 난 태종은 메뚜기를 잡아 오라고 명을 내렸다. 메뚜기를 잡아 대령하자 태종은 그 중 가장 큰 왕메뚜기 하나를 골라 바치라 하고는 그 왕메뚜기를 산 채로 삼켜 버렸다. "착한 백성을 괴롭힐 바에야 차라리 내 오장을 갉아 먹어라"라는 마음이었다. 대궐은 온통 난리법석을 떨었단다. 그러나 산 채 삼켜진 왕메뚜기는 임금의 오장을 갉아 먹지 않았던지 태종은 별 탈 없이 무사했다.

그런데 이상한 일이 일어났다. 그토록 극성을 떨던 메뚜기 떼가 그 순간부터 아예 자취를 감춰 버린 것이었다. 미물도 백성을 지극히 사랑했던 성군의 깊은 마음을 알고 감동했던 모양이라고 또다시 난리법석을 떨었단다.

태종이 날것으로 삼켰다는 메뚜기는 당연히 벼메뚜기였을 것이

벼메뚜기

다. 그렇다면 얼마나 큰 놈이었을까? 가장 큰 왕메뚜기를 골라서 날로 삼켰다지만 그래봐야 고작 3cm를 조금 넘을까 하는 놈이었을 것이다. 벼메뚜기는 주로 작은 품종이기 때문이다.

그런데 이렇게 작은 놈이지만 떼거리로 하늘을 까맣게 뒤덮으면 당해낼 재간이 없다. 입이 매우 튼튼하여 먹성도 엄청나고, 잘 날고 잘 뛰고 높이뛰기도 잘해서 초토화 속도도 빠르다. '메뚜기도 오뉴월이 한 철'이라는 말이 있지만 한여름은 물론 가을에도 풀밭이나 논에서 흔히 볼 수 있다. 늦가을에야 땅 속에 알을 낳아서 알로써 겨울을 난다.

메뚜기는 예전 어린이들의 훌륭한 간식거리였다. 길고 단단한 풀줄기에 잡는 대로 차례로 꿰어서 구이를 해 먹었다. 더 맛있기는 날개와 발목을 뗀 메뚜기를 기름에 볶아서 진간장을 쳐서 먹던 메뚜기볶음과 메뚜기를 가루 내어 고추장에 박아 먹던 메뚜기장(醬)이었다. 구운 메뚜기와는 달리 볶은 메뚜기나 장에 박은 메뚜기는 주로 남정네들이 정력을 키우려고 약으로 먹던 음식이었다. 《수식거음식보》에 메뚜기는 조양(助陽)한다고 했다. 성기능을 강하게 한다는 말이다. 그래서 옛부터 메뚜기를 정력제로 많이 먹었던 것이다.

그 중에서도 손꼽히는 것이 '부종해(阜螽醢)'다. 예로부터 '왕개미 알해'나 '원숭이입술해'를 비롯해서 제비 꼬리 위에 붙은 덩이고기로 담근 '연미육해'나 상어알로 담근 '교란해', 돌고래로 담근 '박어해', 오소리로 담근 '환돈해', 너구리로 담근 '산달해' 등이 이름 떨치던 초강력 정력 해(醢)로 꼽혔지만 '부종해'만큼 구하기 쉽고 싸고 맛도 좋은 정력제도 없었다. 우선 메뚜기를 잘 말려서 가루 내어 술에 담근다. 여기에 조로 만든 누룩과 소금을 넣어 잘 섞어서 항아리에 넣고 밀봉해서 익히면 된다. 메뚜기는 성질이 따뜻하기 때문에 배도 덥히고 비위를 튼튼하게 하여 소화 기능을 높이므로 특히 배가 냉하고 소화기도 약하면서 정력도 시원찮은 남성들에게 아주 좋다.

메뚜기볶음

한무제와 목숙(苜蓿)

한나라 제7대 황제 무제(武帝)만큼 귀신을 극진하게 공경하고 신선의 도술에 미련하리만큼 심취했던 제왕도 드물다.

일생을 통하여 하늘과 땅에 제사 지내는 것을 일삼았다. 중앙과 사방을 다스린다는 오치귀신을 모신 사당이 있는 장안 서쪽의 옹이라는 곳까지 친히 찾아가 찬배했을 정도다. 궁전에 무당을 상주시키기도 했고, 각종 사기꾼 같은 방사니 도사니 하는 자들에게 현혹되어 명양귀신, 마행귀신, 지장군귀신, 무이군귀신 등을 섬기기도 했다.

한무제(漢武帝 ; 기원전 156년~기원전 87년)은 전한의 제7대 황제(재위 기원전 141년~기원전 87년). 자는 통(通).

이뿐이 아니다. 어느 때는 산서성 분음 지역까지 행차하여 후토(後土 : 地神)를 제사 지내기도 했다. 한때는 궁안에 향기 짙은 잣나무로 백

흉노족을 무찌르기 위해 장건을 파견하는 한무제.

량대(柏梁臺)라는 스무 길이 높이의 거대한 누각을 짓고, 누각 꼭대기에 손바닥을 하늘에 펴 보인 선인의 상을 조각한 승로반(承露盤)이라는 엄청난 크기의 구리그릇을 설치해 놓고, 조각된 손바닥에 고인 이슬을 옥 부스러기와 섞어 마셨던 적도 있다. 이렇게 하면 불로장수를 누린다고 방사들이 허풍을 떨었기 때문이다.

이런 일도 있었다. 40대의 미장부였던 이소옹(李少翁)이라는 방사의 말을 듣고 운기거라는 구름 모양의 수레를 만들어 타기도 했고, 감천궁이라는 이름의 궁을 신축하여 그 안에 태일귀신을 모시기도 했다. 어느 날은 이소옹이 아뢰기를, 폐하도 신선이 될 징조가 나타난다면서 수랏상에 오를 암소를 잡으면 그 속에서 신탁을 얻을 수 있을 거라고 했다. 과연 소를 잡아 창자를 뒤지니 비단 조각이 나왔는데, 거기에는 "서구라는 땅에서 44일 밤을 제사 올리면 신선이 되어 죽은 자들도 만나볼 수 있다"라는 글귀가 적혀 있었다. 허나 이것은 이소옹이가 글을 써서 그 비단조각을 소에게 먹였던 것으로,

나중에 탄로가 나자 크게 노한 무제는 곧 이소옹을 처형했다.

여기에 비하면 이소군(李少君)이라는 방사는 영리한 사기꾼이었다. 배꼽을 지나는 흰 수염에 어깨를 덮는 긴 머리로 무제를 찾아온 이소군은 자기의 나이가 백쉰 살이라고 말하면서 봉래산에서 신선인 안기생에게 참외만한 대추를 하나 얻어먹은 바 있다고 소개하였다. 그런 후 솥에다 주사(朱砂)라는 약재를 가득 담고 칠일칠야 축원을 하면 천지의 정령들이 나타나 이 주사를 황금으로 바꿔게 해주는데, 그 황금으로 식기를 만들어 쓰면 장생할 뿐 아니라 신선이 되어 멀리 동해에 있는 봉래산의 신선도 만날 수 있다고 유혹했다. 그러자 무제는 스스로 부뚜막을 쌓고 솥을 걸어 경건한 제사를 올린 뒤, 이소군에게 막대한 황금을 주면서 봉래산에 가서 안기생을 모시고 오라고 보냈다. 그러나 칠일칠야가 지나도 주사는 황금으로 변할 낌새조차도 보이지 않았고, 또한 무제로부터 막대한 황금을 얻어 떠나간 이소군은 놀고먹느라고 바쁜 모양인지 돌아올 줄을 몰랐다. 연금술의 기술이 부족했던가, 화학방정식이 틀렸던가, 치성이 모자란 탓인가, 아니면 이소군이 고도의 사기를 친 까닭인가, 하여간 무제는 70 나이에 병석에 누워 영원히 일어나지 못했다.

그렇다고 무제가 허랑맹탕한 그런 인물만은 아니었다. 무제(武帝)라는 이름답게 흉노를 무찌르고 한족의 역사상 두 번째로 넓은 영토로 확장하면서 한나라의 전성기를 열었던 인물이다.

무제는 월씨국(月氏國)과 동맹을 맺고 흉노를 협공할 계획으로 장건(張騫)을 사신으로 파견하였다. 그러나 서역(西域)의 노예 감부

(甘父)의 안내로 100여 명을 거느리고 떠났던 장건은 오히려 흉노에 붙잡혀 감금되었다가 13년 만에 겨우 탈출하여 귀국하였다. 그리고는 무제에게 여러 가지 새로운 견문을 털어놓았다. 특히 대원국(大宛國)에는 달고 맛 좋은 포도주라는 것이 있을 뿐 아니라, 피땀[血汗]을 흘리는 기막힌 명마까지 있는데, 이 명마의 조상은 하늘에서 내려온 말이었다는 것 등을 아뢰었다. 하늘에서 내려온 말, 피땀을 흘린다는 그 말은 틀림없이 천마(天馬)일 거라고 생각한 무제는 곧 대원국을 평정하게 된다. 그래서 꿈에 그리던 천마를 손에 넣게 되고 마답비연(馬踏飛燕)의 기상이 드높여지게 되었다. 대원국을 평정하고, 흉노를 몰아냄으로써 하서회랑(河西回廊)을 확보하여 한족 국가의 번영을 가져온 무제의 능인 무릉(茂陵) 주위엔 그의 업적을 기리기 위해서 목숙(苜蓿)을 심었다. 무제가 서역에서 천마를 구해올 때, 그곳에서 목숙까지 갖고 와서 그것으로써 천마를 살찌게 했기 때문이란다.

날으는 제비를 밟고 있는 동분마(銅奔馬).

목숙을 일설에서는 클로버라고 하지만 거여목이 맞다. 클로버나 거여목은 둘 다 콩과(科)에 속하는 풀이다. 다만 클로버는 여러해살이풀이고, 거여목은 두해살이풀이다. 둘 다 나비 모양의 꽃을 피우는데, 클로버는 흰 꽃이고 거여목은 누런 꽃이다. 《본초강목》에도

거여목

거여목은 소나 말의 먹이로 키우고 있는데 대원국에서 장건이 갖고 온 것이라 하였다. 독이 없으나 쓴맛이 있고, 성질은 서늘하다고 하였다. 그리고 황달, 결석, 임질 통증에 효과가 있다고 했다. 《방약합편》에는 위장의 병적인 삿된 기운을 흩어지게 하며, 대장과 소장을 소통시켜 그 기능을 원활하게 해주는 데 큰 역할을 한다고 했다. 《본초강목》과 《방약합편》을 통해 공통점을 추출해 보면, 약효 중 하나가 이수(利水) 작용이 대단하다는 것이다. 따라서 이수 작용을 이용하면 부종과 결석증을 치료할 수 있을 것임이 분명해진다. 최근의 동물실험에 따르면 결핵간균을 억제하여 쥐의 척수회백질염을 치료하며, 햇빛알레르기에 의한 과민성 피부염을 억제하는 것으로 밝혀졌다.

어린 잎을 나물로 먹거나 뿌리부터 꽃까지 전초를 즙내어 먹거나 말려두고 차로 끓여 마신다.

황희와 눈 보호

황희(黃喜)는 명재상으로 알려진 분이다. 24년이나 재상을 지냈는데, 그 중 19년을 영의정으로 지낸 분이다. 온화한 성격에 청렴했다고 칭송되어 오는 분이다.

그러나 전해지는 바에 의하면, 황희 정승에 얽힌 비리가 한두 가지가 아니라는 말이 있다. 황희가 좌의정일 때, 그의 사위가 시골길에서 아전을 매타작하여 죽인 사건이 있었는데 황희가 동료 정승인 맹사성에게 부탁하여 적당히 일을 마무리했다고 하며, 몇 해 뒤 제주감독관으로 있을 때는 말 1,000여 두가 죽은 데 책임이 큰 이를 두둔한 적도 있었고, 또 교하 수령에게 땅을 받고 그 대가로 수령의 아들에게

황희(黃喜 ; 1363년 3월 8일(음력 2월 22일)~1452년 2월 28일(음력 2월 8일))는 고려 말부터 조선 초기까지의 재상.

벼슬을 내렸다고도 한다. 이뿐이 아니다. 황희 측근의 비리 또한 만만찮았다는 말도 있다. 황희의 서자인 황중생은 세자의 궁에서 일할 때 금대니 금잔이니 하는 금붙이들을 몰래 훔쳤고, 황희의 적자인 황보신은 궁궐의 패물을 훔쳐 애첩에게 주었다고 한다.

이렇게 황희 자신은 물론 황희의 측근 비리가 컸다는 설이 분분한데도 불구하고 지금까지 황희는 명재상으로 우러름을 받고 있다. 온화한 성품이기에 모가 나지 않게 처세한 것이 비결 중의 하나였는지 모른다. 그리고 그 온화한 성품 때문에 늙어서도 백발동안이었으며 신선의 모습을 지녔을 것이다. 87세에 영의정을 물러나 90세에 세상을 뜰 때까지 그 모습 그대로였다니까 내공이 대단했던 분이었음이 틀림없다.

황희 정승이 이토록 젊은 모습을 유지할 수 있었던 것은 그의 온화한 성품이 제일 큰 이유였겠지만, 늘그막까지 젊은 시력을 유지했던 것은 한 눈을 감고 시력을 아꼈던 것이 비결이라고 한다.

《동의보감》에는 눈을 밝게 하는 도인법이 있다.

"손바닥을 비벼서 뜨겁게 한 다음 양쪽 눈을 비벼주기를 매일 20번씩 하면 저절로 눈에 예막이 생기지 않고 눈이 밝아지며 풍을 없앤다"고 했다. 또 "눈으로는 지나치게 보지 말아야 한다"고 하였고, "시력을 보호하려면 늘 눈을 감아야" 하고, "눈은 몸의 거울이므로 보는 것이 너무 많으면 거울이 희미해진다"고 하였다.

《동의보감》에는 또 "모든 맥은 다 눈에 속한다"고 했으며 "오장육부의 정기는 다 눈으로 올라가기 때문에 눈에 장부의 정기(精氣)가 나타나게 된다."고 했다. 따라서 눈을 밝게 하려면 간장, 신장, 비장, 심장 등의 정기를 보충하고 정신을 안정시키며 화기가 오르지 않게 해야 한다고 했다.

두 손바닥을 마주 비벼서 뜨겁게 한 다음 양쪽 눈을 비벼주기를 매일 20회 정도씩 한다.

이럴 때 좋은 것이 '지황죽'이라고 했다. 생지황이라는 약재를 짓찧어 즙을 내고, 여기에 멥쌀을 넣어 푹 불려 햇볕에 바싹 말기기를 3번 한 후, 이 멥쌀로 멀겋게 죽을 쑤어 먹으면 좋다는 것이다.

생지황

이외에도 몇 가지 약재를 《동의보감》은 권하고 있다.

예를 들어 국화가 좋다. 눈을 밝게 하고 바람을 맞으면 눈물이 나오는 데 효과가 있다. 차로 마시거나 가루를 내어 먹는다. 결명자도 좋다. 눈이 붓고 아프며 눈물이 나는 데 좋다. 결명 잎으로 나물을 만들어 늘 먹어도 되고 결명 씨를 차로 끓여 먹어도 된다. 100일만 먹으면 어두운 밤에도 물건을 볼 수 있다고 했다. 그래서 '눈동자가 젊어진다'는 뜻으로 결명자를 '환동자'라 부르기도 한다. 순무의 씨, 냉이의 씨, 이외에 동물의 간과 쓸개도 좋다고 했다. 특히 동물의 간

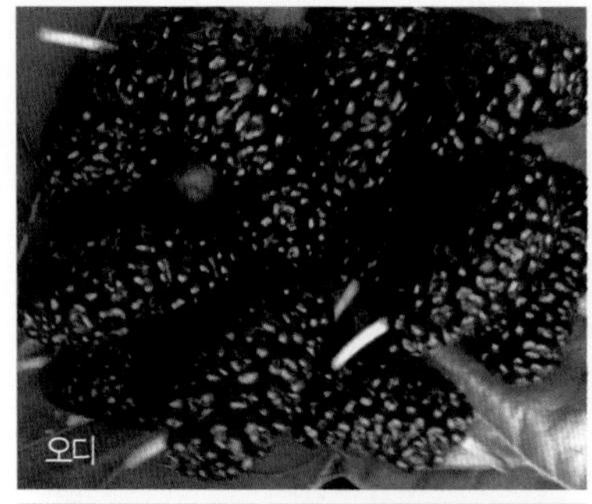
오디

석결명

달걀노른자

에는 비타민 A와 철분이 다량 함유되어 있어서 눈의 피로해소에 효과가 크다. 따라서 치즈, 달걀노른자 등도 많이 섭취하도록 한다. 당근이나 호박에도 비타민 A의 전구체가 들어 있어서 눈에 영양을 공급해 주는 효과가 있다.

또 굴이나 전복도 좋다. 특히 전복은 죽이나 회로 먹어도 좋지만 껍질도 이용해야 한다. 이 껍질을 '석결명'이라고 하는데 '눈의 밝음을 결정한다'는 의미이다. 건강의 비결은 항상 "머리는 시원하게 하고 발은 따뜻하게 한다."고 했듯이 전복이 자음청열 작용을 하기 때문에 눈까지 시원하게 해준다. 자음청열이란 체내 필수 영양물질을 자양하면서 열을 떨어뜨리는 작용을 말한다.

또 오디가 눈의 피로를 해소하는 특효약이며, 구기자는 간장 기능을 강화하여 눈을 맑게 한다. 고구마, 시금치, 상추, 브로콜리, 블루베리 등도 좋다.

눈건강을 지켜주는 식품들
감국
감자, 고구마
결명자
구기자
굴
녹황색 채소
블루베리
전복
동물의 간

구천과 쓸개

문종과 여복(女福)

백이숙제와 고사리

부여복신과 오방색

사도세자와 홧병

순종과 남성불임증

영친왕과 유방

오자서와 가래나무

유안과 두부

정몽주와 꿈

전봉준과 녹두

초회왕과 운우지정(雲雨之情)

치우와 단풍나무뿌리버섯

항우와 개양귀비꽃

효종과 부스럼

제3부

비운의 암울천하

구천과 쓸개

오월동주(吳越同舟), 와신상담(臥薪嘗膽)이라는 고사성어가 있다. 중국 춘추시대의 오(吳)나라와 월(越)나라 사이에 있었던 역사적 사실을 바탕으로 만들어진 말들이다. 오, 월 두 나라는 원수지간이었다. 그야말로 하늘에 사무치도록 한이 맺힌 철천지수(徹天之讐)였다.

여하간 '와신상담'에 얽힌 반전에 반전을 거듭하는 드라마틱한 이야기는 이러하다. 오나라는 월나라를 야만족이라 하여 멸시하던 터였는데, 오나라 왕 합려(闔閭)가 출정하여 지금의 태호와 항주 중간의 추리라는 곳에서 오, 월 양국이 전면전을 치르게 되었다. 그런

쓸개를 먹으며 마음을 다지는 월왕 구천의 동상.

오(吳)왕 부차(夫差)는 아버지의 원수를 갚고자 가시나무섶에서 잠을 자면서 복수를 꾀하여 월(越)나라의 왕 구천(句踐)을 항복시켰다.

데 오나라는 그토록 멸시하던 월나라에 처절하게 패했다. 더구나 오나라 왕 합려마저 죽었다. 너무 분한 탓에 합려는 아들 부차(夫差)를 불러 원통함을 결코 잊어서는 안 된다고 당부하고 죽었다. 아버지의 유언을 잊을 수 없어 부차는 가시나무를 깔고 잠을 잤다. '와신(臥薪)'은 여기서 비롯된 말이다.

월왕 구천이 서호 출신 미녀 서시를 부차에게 바친 후, 부차는 서시의 미모에 빠져 나랏일을 게을리한다.

오만해지면 분수를 잃기 마련인가. 오나라 왕 합려가 오만해져서 분수를 잃고 월나라를 깔보다가 죽었듯이 월나라 왕 구천(句踐)이 이번에는 오나라를 얕보고 쳐들어 왔다가 죽을 지경이 되었다. 구천은 무릎을 꿇고 목숨을 애걸했다. 그러는 한편 서호 출신인 미녀 서시(西施)를 부차에게 바치고 여기저기에 뇌물을 뿌리며 구명운동을 펼쳤다. 그래서 구천은 겨우 목숨을 건졌다. 오만해진 부차가 서시의 미모에 빠져 나랏일을 등한시하는 동안 구천은 끼니때마다 쓰디

웅담(곰 쓸개)

쓴 쓸개를 핥으며 결코 치욕을 잊지 않았다. '상담(嘗膽)'은 여기서 비롯된 말이다.

구천은 그러면서 몰래 힘을 키웠다. 그리고 때가 이르자 구천은 오나라를 쳤다. 결과는 뻔했다. 오나라가 패했고 오나라 왕 부차는 무릎을 꿇었다. 월나라 왕 구천은 예전에 부차로부터 목숨을 건졌던 전례에 따라 부차에게 자비를 베풀어 목숨을 살려주었고, 부차를 동쪽 바다 가운데 작은 섬으로 보내어 목숨을 부지하도록 해주었다. 그러나 부차는 목숨을 이어가는 것이 구차하여 스스로 목숨을 끊었다.

가시 돋친 나무 위에 누워 잠을 자는 게 얼마나 고생스럽겠는가. 하지만 쓸개를 핥는 것 역시 쉬운 일이 아니다. 와신(臥薪) 못잖게 상담(嘗膽)도 힘든 것은 쓸개가 이름 그대로 무척이나 맛이 쓰기 때문이다.

'좋은 약은 입에 쓰다'는 말이 있듯이 쓰디쓴 쓸개는 약 중의 약인 양약(良藥)이다. 쓸개 중에 곰의 쓸개, 즉 웅담을 제일로 치지만 대부분의 동물 쓸개는 다 양약이다.

소의 쓸개는 건위제다. 담즙 분비를 촉진하고 장을 잘 통하게 한

다. 해독하고 부종을 내린다. 황달, 당뇨병을 치료하며 눈을 밝게 한다. 경풍을 다스리는 데 기막히게 효과가 있다.

닭의 쓸개

돼지의 쓸개는 기침과 천식의 명약이다. 백일해의 치료 유효율은 62~97%에 이른다고 한다. 디프테리아균에 대하여 일정한 억균 작용을 하며 쓸개즙을 약한 불에 쬐어 말려 가루 내어 같은 양의 명반 가루와 섞어 화농성 중이염에 외용하면 효과가 있다. 소염, 항알레르기 작용 및 진정, 항경련 작용도 한다. 열을 내리고 해독한다. 소변을 통하게 하고 시력도 좋게 한다. 위경련에는 쓸개 1개에 향부자 12g을 넣어 불에 태워 가루 내어 복용한다.

개의 쓸개는 타박상으로 생긴 어혈을 푼다. 눈이 벌겋게 충혈이 되고 깔깔하면서 가려운 데나 귀에서 진물이 계속 나오는 데에 외용한다. 토혈, 코피 등을 지혈을 시키고 부기를 가라앉힌다. 구토가 심하거나 토혈할 때는 개의 쓸개를 오령지 가루로 개어 새알 크기로 알을 만들어 1회에 1개씩 술 반 잔에 풀어 먹는다.

닭의 쓸개는 기침을 멎게 하며 가래를 삭인다. 염증을 없애고 해독한다. 눈도 밝게 한다. 세균성 이질에는 쓸개를 말려 가루 내어 복용하고, 백일해에는 신선한 쓸개즙에 설탕을 넣고 잘 섞어 먹는다. 만성기관지염에도 이런 방법으로 먹는다. 복용하면 가래가 쉽게 나오고 가래의 양도 뚜렷이 감소한다. 효과가 나타나는 시간이 빠른 것은 반시간이고 늦은 것은 3~4일이라는 임상실험 보고가 있다.

잉어의 쓸개는 눈이 충혈되고 붓고 잘 보이지 않을 때 좋다. 《신농본초경》에는 오래 먹으면 사납게 강해진다고 했다. 지기(志氣)를 늘리기 때문이다. 《약성본초》에는 소아의 종기에 바르면 효과가 있다고 했다. 《식료본초》에는 귀에 떨어뜨리면 귓병을 치료할 수 있다고 했다. 잉어의 쓸개 1개와 수탉의 간 1개를 말려 가루 내어 참새 알을 깨뜨려 콩알 크기의 알약을 만들어 1회 1알씩, 1일 3회 복용하면 음위(임포텐츠)에 효과가 있다고 《천금방》에 기록되어 있다. 참새 알 대신에 달걀 흰자위에 개어도 된다.

붕어의 쓸개는 생식기가 헌 데 외용하며, 또 목구멍에 생선뼈 등이 걸렸을 때 목구멍에 떨어뜨리면 효과가 있다.

문종과 여복(女福)

복 중의 복은 '여복'이리라. 예로부터 일컬어 오는 '오복'이라는 것도 여복 없이 어찌 기대할 수 있겠는가. 여복 없이 장수한들 무슨 재미겠으며 여복 없이 제 명을 다 하기도 어려울 것이며, 여복 없이 부귀나 자손 번영을 바라기도 어렵지 않겠는가.

역사상 여복이 없어도 지지리도 여복이 없는 왕이 있다. 명색이 왕인데 어쩜 이토록 여복이 없을까 안타까울 정도다. 바로 조선왕조 제5대 왕인 문종(文宗)이다. 성군 세종대왕의 맏아들이다.

첫 번째 배필은 열두 살 때 맞이한 김씨다. 그런데 세자의 나이가 어린 탓도 있겠지만 도통 마음이 끌리지 않는 여인이었다. 김씨는 남편 사랑을 못 받자 초조해졌다. 그래서 남편 사랑을 받는 부인의 신발코를 베어 태워 가루 내어 술에 타서 세자에게 먹였다. 그것도 모자라 뱀이 교접할 때 흘린 정기를 수건으로 닦아 간직하기도 했다. 눈물겨운 순정이지만 여염집 아낙네도 아니고 세자빈이 이런 짓을 한다는 것은 도저히 용납 못할 해괴한 짓이다. 이를 안 세종은 김씨를 폐출시켰다. 이제 두 번째 배필을 맞았다. 봉씨다. 그런데 이

현릉(顯陵)은 조선 제5대 문종과 현덕왕후 권씨의 능. 1970년 5월 26일 동구릉 중의 하나로, 사적 제193호로 지정되었으며, 경기도 구리시 인창동에 위치.

새 세자빈 봉씨는 직선적이고 다혈질이었다. 세자와 성격적으로 맞을 수 없었다. 세종은 그런 세자의 마음을 헤아려 권씨, 홍씨, 정씨 등을 후실로 동궁에 보냈다. 비로소 세자의 마음이 동했다. 다행히 권씨가 임신을 했다. 경사가 아닐 수 없었지만 오직 한 사람에게만은 날벼락 같은 흉사였다. 바로 봉씨에게 그랬다. 자칫 세손의 자리를 뺏기면 허수아비가 될 위기가 아닐 수 없었다. 봉씨는 나도 임신을 했다고 소문을 퍼뜨렸다. 거짓 임신 소동을 벌인 것이다. 그리고 며칠 후 유산이 됐다고 호들갑을 떨었다. 그것도 모자라 대낮부터 술타령을 하고, 더구나 궁녀 소쌍과 동성애에 빠졌다. 세종은 견디다가 한 번도 아니고 두 번이나 그럴 수는 없는 일이라 생각하고 결국 봉씨를 폐출시켰다.

세자빈의 자리가 다시 비게 되었다. 그래서 후실로 임신한 권씨를 세자빈으로 맞았다. 얼마 후 해산했다. 딸이었다. 그로부터 5년 뒤, 세자 28세 때, 권씨는 드디어 아들을 낳았다. 그런데 산후 3일 만에 산모 권씨가 죽었다. 세자궁 궁녀로 입궐하여 문종 즉위와 함께 왕후에 추봉(追封)된 이 여인, 바로 현덕왕후가 낳은 아들이 훗날의 단종(端宗)이다. 그러니까 단종은 어미의 얼굴도 모른 채 자라게 된 것이다.

단종 어진

문종은 이토록 여복이 없던 왕이다. 그만큼 맘고생도 많았던 탓인지 39세의 나이로 승하한다. 고작 2년 3개월의 재위다.

여복은, 문종의 경우를 봐서 알 수 있듯이 타고나는 것이다. 고르고 골라 봐도, 갈고 또 갈아쳐 봐도 팔자에 여복이 없으면 허사일 뿐이다.

허나 호녀(好女)는 몰라도 악녀(惡女)의 인상만은 어떤지 알아서 피하는 게 좋다. 《옥방비결》이라는 책을 보자.

① 곱슬머리에 ② 절구통 머리에 ③ 통뼈가 보이고 ④ 치아가 검고 ⑤ 목소리가 억세며 ⑥ 큰 입에 높은 치아 ⑦ 눈동자는 탁하고 ⑧ 입 주위나 턱에 수염이 있거나 ⑨ 붉은 털이 나 있고 ⑩ 음모가

굵고 억세며 ⑪ 음모가 배꼽을 향해 거슬러 나 있으면 악녀의 상이라고 하였다. 또 ① 피부가 너무 아름다운 여자 ② 몸이 수척한 여자 ③ 언제나 높은 데서 내려다보고 있는 여자 ④ 다리나 정강이에 털이 나 있는 여자 ⑤ 목소리가 남자처럼 굵고 억센 여자 ⑥ 질투심이 많은 여자 ⑦ 냉증이 있는 여자 ⑧ 대식가인 여자 ⑨ 몸이 항상 찬 여자 ⑩ 뼈가 굵은 여자 ⑪ 곱슬머리에 목뼈가 불거져 나와 있는 여자 ⑫ 겨드랑이에서 냄새가 나는 여자 ⑬ 음수(淫水)를 항상 흘리고 있는 여자들도 모두 악녀의 인상이라고 하였다.

이외에 살이 얼음처럼 차고, 근육이 솜처럼 푸석푸석하며, 어깨가 넓고 떡 벌어져 있거나 혹은 큰 키에 목이 짧고, 뺨에 살이 없고 광대뼈가 너무 많이 튀어나와 있으며, 뒷박이마에 눈썹의 뼈가 높고, 목의 울대뼈가 튀어나와 있고, 엉덩이가 너무 불거져 있고, 흉골이 예각을 이루어 상복부가 좁고, 눈썹과 눈썹 사이가 좁고 눈썹이 꼿꼿이 서 있거나 끊어져 있으며, 콧구멍에 긴 털이 나와 있고, 다리에 털이 많고, 콧등에 세로금이 있으며, 눈빛이 너무 강렬하고, 입술에 세로주름이 지나치게 많고, 귀가 뒤집혀 있거나 귓불의 색이 너무 붉거나 어금니까지 뾰족하거나 입술이 희고, 혓바닥이 푸른 경우에도 좋지 않은 여인의 상으로 알려져 있다.

여성의 입술에 세로주름이 많은 것은 좋지 않다.

백이숙제와 고사리

중국의 고대 국가였던 은(殷)나라는 주(紂)왕 때 멸망했다. 주(周)나라 무왕(武王)에 쫓긴 주왕은 녹대(鹿臺)에 올랐다. 녹대는 주왕이 세운 보물창고였다. 보물이 가득 쌓인 그 누각 위에 앉아 마지막 술을 마신 후 불을 질러 스스로 분사했다. 반군의 손에 죽임을 당하지 않겠다는 분심이었다.

그러나 결과는 주왕의 뜻대로 되지 않았다. 불에 탄 주왕의 시신

남송(南宋)시대의 화가 이당(李唐)의 〈채미도(采薇圖)〉, 백이(伯夷)와 숙제(叔齊)가 수양산(首陽山)에 들어가 고사리를 뜯은 고사(故事)를 주제로 그린 그림.

을 끌어내어 무왕이 손수 활을 잡아 시체에 벌을 주었다. 화살 석 대가 주왕의 시신에 꽂혔다. 하늘을 거역한 죄, 나라를 망하게 한 죄, 백성을 못 살게 한 죄를 벌하는 석 대의 화살이었다.

시신에 가해진 벌은 이것으로 끝이 아니었다. 황월(黃鉞)이라는 누런 도끼에 주왕의 목이 잘렸다. 그리고 잘려진 목은 백기를 단 창 끝에 찍혀 효수되었다. 물론 주왕의 여인 달기(妲己) 역시 현월(玄鉞)이라는 검은 도끼에 목이 잘려 주왕 곁에 나란히 효수되었다.

세상은 기쁨에 넘쳤다. 천지가 환희에 휩싸였다. 그런데 두 사람만이 끝도 없이 울면서 눈물을 펑펑 쏟았단다. 백이(伯夷)와 숙제(叔齊)라는 형제였다.

백이와 숙제는 고죽국(孤竹國)이라는 작은 나라의 왕자였다. 아버지 왕이 죽자 맏아들 백이가 왕위를 이어야 하는데, 백이는 아버지가 생전에 막내인 숙제에게 왕위를 물려주고 싶어 하셨노라 하면서 동생에게 왕위를 사양했단다. 동생 숙제는 그럴 수 없노라 하면서 형 백이가 왕위를 이어야 한다고 했단다. 이렇게 둘이 티격태격하다가 어느 날 백이가 자취를 감췄단다. 이를 알고 숙제도 따라나섰단다. 백이와 숙제는 그런 형제였다. 그러니 주나라 무왕의 반란으로 은나라 주왕이 죽임을 당한 것을 받아들일 수 없었다. 천자는 악하다 해도 천자이거늘 어찌 신하가 찬탈할 수 있단 말인가! 백이와 숙제는 결단코 용납할 수 없었다.

그래서 형제는 주나라 땅에 나는 곡식은 먹지 않겠다고 결심했다. 천하가 주나라 땅이 되었는데, 주나라 땅에서 나는 곡식을 어떻게 절대로 먹지 않을 수 있었겠는가! 형제는 할 수 없이 수양산에 들어갔다. 그래서 그곳에서 고사리를 캐어 먹으며 살다 배고파 죽었다고 한다. "수양산 고사리는 주나라에서 나는 것이 아니더냐?"고 많은 사람들이 이죽거리지만 백이와 숙제는 그렇게 먹고 살다가 죽었다.

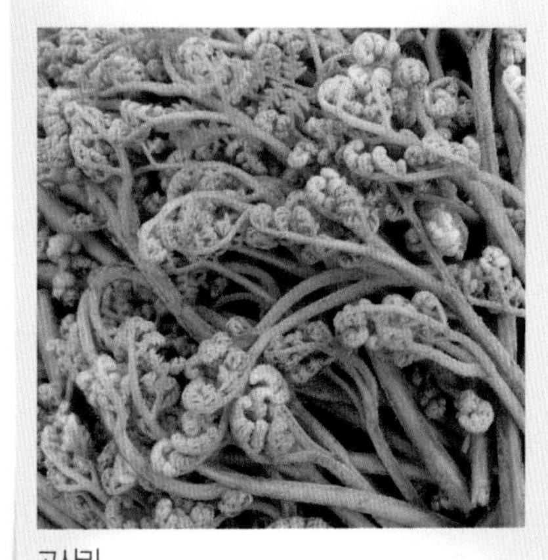
고사리

고사리를 '궐채(蕨菜)'라고 한다. '고사리손'이라는 말이 있듯이 이른 봄에 싹이 돋아 돌돌 말려 자라기 때문에 궐채라 불린다. 마치 참새의 발처럼 보인다. 혹은 어린아이의 곱은 주먹 모양 같다. 자라서 활짝 펴지면 마치 봉황꼬리 같다.

고사리는 말려 두었다가 물에 불려서 나물로도 조리해 먹고 국으로 끓여 먹기도 한다. 그래서 1년 내내 먹을 수 있는 식품이다. 혹은 고사리 뿌리에서 전분을 취해 여러 식품의 원료로도 활용한다. 이 고사리 전분은 칡의 전분과 비슷한데, 더 끈기가 있다.

고사리의 줄기와 잎은 맛이 달고 성질은 차다. 그래서 냉기가 있는 사람이 먹으면 배가 그들먹해지면서 안 좋다고 하며, 어린아이가 많이 먹으면 다리가 약해져 잘 걷지 못한다고 하며, 또 남성이 많이 먹으면 양기가 떨어진다고 하며, 졸음이 많아지기 때문에 "고사리는 이익함이 없다"고 《본초강목》에서는 단언하고 있다.

고사리나물볶음

그러나 고사리는 열을 떨어뜨리고 소변을 원활하게 해준다고 알려져 있다. 비위를 튼튼하게 해주고 대·소장을 윤택하게 해준다. 피를 맑게 해주고 정신도 맑게 해준다.

그런데 당나라 때의 약물학자인 진장기는 "이 식물은 생으로 먹는 것은 불가하다"고 했다. 그 까닭은 무엇일까? 최근의 연구에 의하면 고사리에는 브라켄톡신이라는 물질이 있어서 삶아 먹을 때는 괜찮지만 생으로 먹으면 암을 유발할 수 있다고 한다. 또 생으로 먹으면 비타민 B_1의 파괴 인자인 아노이리나아제 때문에 안 좋다고 한다. 비타민 B_1이 부족하면 다리가 약해져 걷지 못하게 될 수도 있다. 그래서 옛말에 고사리를 먹으면 다리가 약해진다는 것이 사실인 셈이다. 단, 생으로 먹을 때의 이야기다.

따라서 고사리는 삶아 먹는다면 몸에 이로움이 많은 식물이다.

부여복신과 오방색

백제 31대 의자왕은, '서동요'로 잘 알려진 무왕과 선화공주 사이의 맏아들인데, '해동증자'로 불렸건만 말년에 사치와 방탕에 빠져 나라를 망치고 만다. 그러나 멸망한 백제를 부흥시키려는 운동이 일어난다. 의자왕의 사촌동생인 부여복신(扶餘福信)이 주체가 되어 주류성(지금의 한산) 등지를 근거로 항전하다가 일본에 있던 부여풍(扶餘豊)을 불러 왕위에 앉힌다. 부여풍은 의자왕의 일곱 번째 아들로 돌을 막 지난 나이에 일본에 볼모로 가 머물다가 서른 나이에 일본 원군 5,000여 명을 170여 척의 배에 태워 고국에 돌아와 왕에 추대된 것이다. 이들 부흥군은 한때 나당연합군을 위기에 빠지게

복신(福信 ; ?~663년)은 백제의 왕족·무장·관리. 충청남도 부여군 은산면에서 열리는 은산별신제의 장군신으로 존숭된다.

은신별신제는 백제 군사들의 혼을 위로하는 마을굿이다. : 중요무형문화제 제9호. 유교식 제례와 무굿이 결합된 복합 형태의 제의로 산제는 매년, 대제는 3년에 한 번씩 정월 또는 2월에 지내는데 이때를 별신이라고 한다.

도 한다. 그러나 복신은 동료 도침을 살해하고 병권을 장악한 다음 부여풍마저 죽이려 한다. 그런데 낌새를 알아챈 부여풍에 오히려 죽임을 당한다. 복신의 시체는 소금에 절여 젓갈로 만들어진다.

이후 복신은 원통하게 죽은 장군으로 기려온다. 그래서 복신의 혼을 위로하는 굿을 지금도 벌린다. 장군제(將軍祭)의 성격을 띤 이 굿을 '은신별신제'라고 한다. 이 굿에는 화려한 깃발을 나부끼며 갑옷을 입은 장군이 백마를 타고 부장을 거느리고 방위 신목을 도는 절차가 있다. 네 방위에 좌청룡, 우백호 등을 상징하는 네 개의 말뚝을 세우고, 이를 차례로 도는 의식이

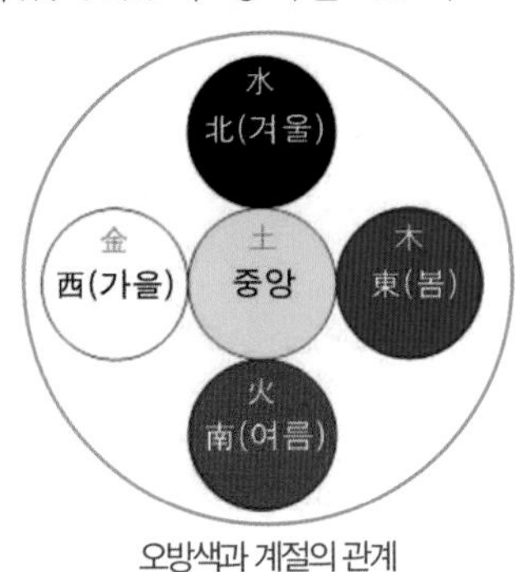

오방색과 계절의 관계

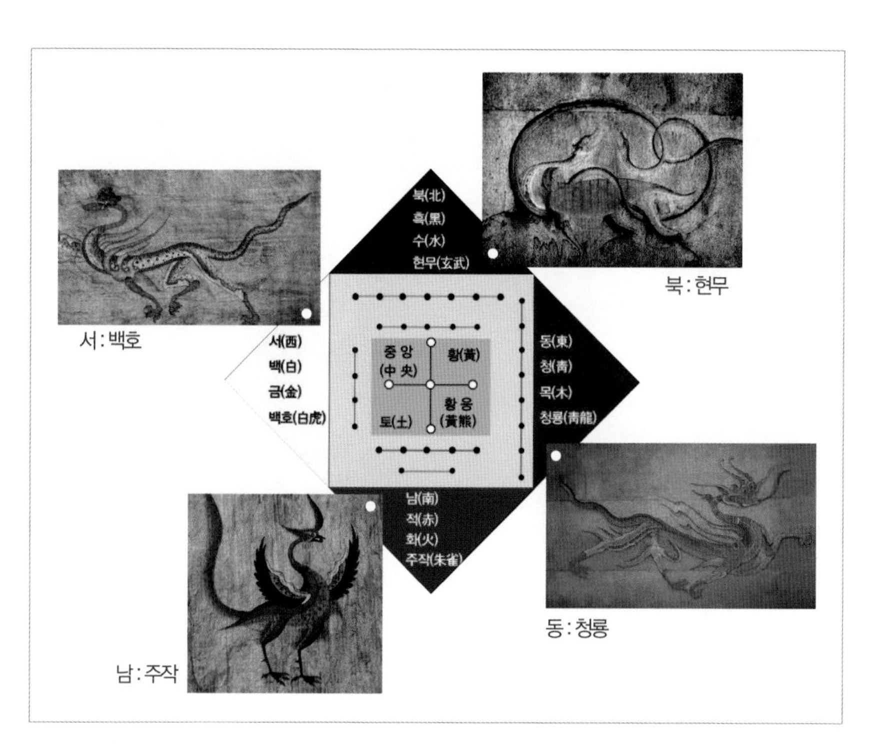

다. 오방색의 의식인 셈이다.

오방색은 동양의 색이다. 조선의 홍인지문은 청색의 청룡이요, 숭례문은 빨간색의 주작이요. 돈의문은 흰색의 백호요, 숙정문은 검은색의 현무요, 보신각은 중앙 황색을 상징하듯

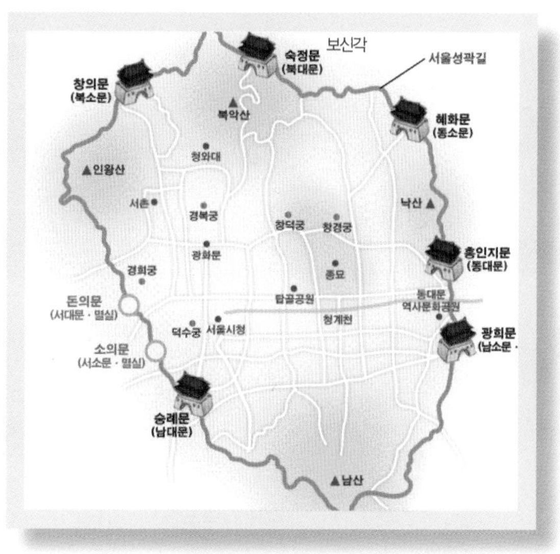

방위에 맞춘 서울 4대문과 4소문 보신각.

지국천왕(왼쪽), 중장천왕(오른쪽).

이 나라의 의식도 오방색으로 표현한다. 사찰의 천왕문에 있는 사천왕도 오방색으로 표현된다. 지국천왕은 얼굴색이 푸르고, 중장천왕은 붉고, 광목천왕은 하얗고, 다문천왕은 까맣고, 부처님은 황색이다. 이처럼 동양의 생활 곳곳에 오방색이 스며 있다.

음식의 색도 오방색으로 표현할 정도다. 청색은 오행으로 목(木)에 해당하고, 오장 중 간장에 속하며, 맛으로는 신맛과 연계가 된다. 적색은 화(火)에 해당하고, 심장에 속하며, 맛으로는 쓴맛과 연계가 된다. 황색은 토(土)에 해당하고, 비장에 속하며 맛으로는 단맛과 연계가 된다. 백색은 금(金)에 해당하며, 폐장에 속하고, 맛으로는 매운맛과 연계가 된다. 흑색은 수(水)에 해당하고, 신장에 속하며 맛으로는 짠맛과 연계가 된다.

실제로 청색의 음식은 나무[木]가 바람에 쉴 새 없이 흔들리는 것

광목천왕(왼쪽), 다문천왕(오른쪽).

처럼 경련을 일으키거나 풍기가 생기는 것을 다스려 주며, 간 기능을 소통시키며 간이 저장하고 있는 혈액의 배분을 원활하게 해주고, 힘줄의 병을 다스리며 손톱을 단단하게 하고, 간과 관계 있는 눈을 밝게 해준다. 대표적인 청색음식은 가지, 블루베리, 브로콜리 등이다.

적색의 음식은 화(火)가 치밀어 울화통을 터뜨리는 것을 안정시켜 주며, 심장의 혈액순환

부처님.

블루푸드

레드푸드

옐로우푸드

을 촉진하고 조화롭게 하며 심장과 맥박을 고르게 해준다. 대표적인 적색음식은 토마토, 고추, 당근 등이다.

황색의 음식은 토(土)가 만물을 생성하듯이 소화기를 보강하여 인체의 후천적인 에너지를 생성하여 기운을 돋우며, 살찌게 하고 소염을 시킨다. 대표적인 황색음식은 복숭아, 귤, 고구마 등이다.

백색은 금속성(金)처럼 날카로운 기침이나 천식이 있는 것을 다

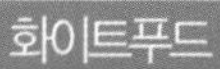

스리며, 폐를 맑게 하고 피부를 윤택하게 한다. 대표적인 백색음식은 마늘, 무, 도라지 등이다.

흑색은 물(水)의 대사를 촉진하여 이뇨를 시키고 물이 모자라 불을 끄지 못하는 것을 다스리며, 물 같은 피가 흘러빠지는 것을 지혈시키고 정액을 보충시킨다. 대표적인 흑색음식은 검은콩, 참깨, 목이버섯 등이다.

그래서 음식의 색깔을 알면 병을 다스릴 수도 있고 장기의 기능도 보강할 수 있는 것이다. 요사이 로컬푸드(local food)니 슬로푸드(slow food)니 하는 용어와 함께 컬러푸드(color food)가 관심을 끌고 있는 것도 동양의 오방색 이론과 같은 것이다.

사도세자와 홧병

사도세자(思悼世子)의 죽음은 끔찍했다. 대궐의 뜰에 놓인 뒤주 속에 쳐 넣고, 아버지인 영조(英祖)가 손수 뒤주의 뚜껑을 닫고 못을 쳤다. 살려달라고 울부짖어도 아버지 영조는 모질었다. 세손(정조 ; 正祖)이 울면서 애원해도 들은 척하지 않았다. 사도세자는 8일 동안 절망 속에 끝내 숨졌다. 때는 삼복 무더위였으니 결국 영조는 사도세자를 삶아 죽이고 굶겨 죽인 셈이다.

사도세자의 상상 어진(우승우 화백).
장조(莊祖 ; 1735년 2월 13일(음력 1월 21일)~1762년 7월 12일(음력 윤 5월 21일))는 조선의 왕세자이자 추존왕이다. 영조의 둘째 서자로, 효장세자의 이복 동생이며 정조의 생부. 사도세자(思悼世子) 또는 장헌세자(莊獻世子)로 더 잘 알려져 있다. 이름은 선(愃), 자는 윤관(允寬). 호는 의재(毅齋).

이토록 잔인한 처형은 왜 일어났을까?

첫째는 당파 싸움 때문이다.

후일 영조는 당파 싸움에 놀아난 자신의 꼴을 후회하며 죽은 아들을 '생각하며 애도한다' 하여 '사도(思悼)'라는 이름을 붙여 주었다. 그러나 진정으로 애도하는 마음이 있었던 것으로는 보이지 않는다.

그림 그리기를 즐겼던 사도세자가 그린 것으로 전해지는 '개 그림'. 반갑게 달려가는 작은 개와 무덤덤한 표정의 큰 개는 사도세자와 영조와의 관계를 떠올리게 한다. 국립고궁박물관 소장.

둘째는 영조의 편집증적인 병적 성격 탓이다.

영조는 장수했을 뿐 아니라 정력가였다. 80의 나이에 16세의 어린 소녀를 후궁으로 맞을 정도다. 그런데 유난히 편집증적이었다. 영조는 무수리 어머니로부터 태어났기 때문에 자격지심이 남달랐다. 특히 거슬리는 소리를 들으면 귀를 씻었고 화가 나면 양치를 하다가도 양치물을 자기가 증오하는 사람의 집 쪽을 향해 내뱉을 정도로 병적인 성격을 지니고 있었다. 그러니 사도세자는 아버지 앞에서 말도 제대로 하지 못

〈조선영조왕 이금상〉, 비단 바탕에 채색, 보물 제1932호, 궁중유물전시관 소장.
영조(英祖 ; 1694년 10월 31일(음력 9월 13일)~1776년 4월 22일(음력 3월 5일))는 조선의 제21대 임금(재위 : 1724년 10월 16일~1776년 4월 22일). 휘는 금(昑), 자는 광숙(光叔), 호는 양성헌(養性軒).

하며 자랐고, 그래서 어릴 적부터 비만해질 정도였다.

셋째는 사도세자의 병 때문이다.

닭이나 동물을 때려죽이고 내시마저 때려죽이기까지 했다. 옷 한 벌 입는데도 여러 벌의 옷을 찢어 버렸고, 아버지 몰래 평양으로 놀러가기도 했다. 사도세자의 부인인 혜경궁 홍씨는 사도세자가 아들을 죽이지나 않을까 걱정했다는 글을 써서 남길 정도였다. 사도세자는 이렇게 병으로 온갖 잘못을 저질렀다. 그렇다면 어떤 병이었을까? 아버지 영조가 사도세자의 잘못을 보고는 "어찌 세자가 할 짓일까 보냐!"고 묻자, 사도세자는 "홧병으로 그리 했습니다."라고 울며 고백했다. 이 말대로 사도세자의 병은 홧병이었던 것이다.

홧병은 한이 맺혀 생긴 병이다. 아버지 영조의 편집증적인 병적 성격 탓에 어릴 때부터 한이 맺혀, 병을 일으킨 것이다.

홧병이 곧 울홧병이요, 울홧증이다. 슬픔이 남에게 향할 때 슬픔은 한이 되고, 한이 자신의 가슴속에 쌓일 때 한은 울화로 바뀐다. 병이 되면 울증도 오고 홧증도 온다. 울증은 체내로 나타나는 병증으로 번거롭고 답답한 증세가 주이다. 우울한 기분이 쌓이며 분한 마음이 쌓이기도 한다. 홧증이란 체외로 발산되는 병증으로 미칠 것 같은 짜증을 잘 부리는 것이 특징이다. 울

홧병은 울홧병이자 울홧증이다.

홧증, 즉 울증과 홧증은 되풀이되는 경향이 있으며 쉽게 빠져나올 수 없는 병증이지만, 절대로 기질적 병변이 나타나는 병이 아니기 때문에 크게 걱정하지 않아도 된다. 그러나 그 피폐함은 말로 다 할 수 없을 정도다.

홧병을 풀어내지 못하면 홧증머리의 심한 두통을 앓기도 한다.

울홧증의 일반적인 증세는 다음과 같다.

첫째, 전신이 항상 나른하고 매우 피곤하다는 것이다.

둘째, 온갖 대사가 제대로 이루어지지 않는다는 것이다. 그래서 손발이 저리며 차고 땀이 흥건하게 괴며 잘 붓는다. 얼굴과 눈두덩이 역시 부어 부석부석하다.

셋째, 상기(上氣)가 잘 된다는 것이다. 그래서 어깨가 굳고, 어지러우며, 혈압이 오르는 것처럼 느끼거나 혹은 실제로 혈압이 오르기도 하며, 눈이 침침하며 눈물이 적어 항상 눈이 뻑뻑하고, 머리가 무겁거나 혹은 두통이 심하다. 이런 두통을 소위 '홧증머리'라고 한다.

넷째, 열 조절이 안 된다는 것이다. 그래서 입이 쉽게 마르며, 홧증이 가슴에 맺히기 때문에 항상 가슴이 답답하다고 한다. 또 혀끝이 빨갛게 되며, 얼굴에 열이 화끈하게 달아올랐다가 언제 그랬냐 싶게 열이 가시고 오싹오싹 추워지기도 한다.

다섯째, 위장관 기능이 과민해진다는 것이다. 그러니까 아랫배가 살살 아파오기도 하고, 설사를 하게 된다. 이를 울화에 의한 설사라고 해서 '화설(火泄)'이라고 한다. 때로는 변비와 설사를 번갈아 하여 종잡을 수 없이 변덕을 부리기도 한다. 이를 소위 과민성장증후군이라고 한다.

순종과 남성불임증

8월 29일. 이날은 우리나라의 잊지 못할 치욕의 날이다. 1910년 경술년 8월 22일 한일합방 문서에 조인을 하고, 7일 동안 비밀함에 이 문서를 숨겨 두었다가 바로 이날 공포함으로써 우리나라는 일제에 강제 합방되어, 이날부터 36년 동안 일제 강점기의 탄압에 시달려야 했다. 식민지로써 철저하게 경제적 수탈을 당해야 했으며 민족 고유성이 말살당하는 치욕을 당하게 되었으니, 이날은 우리 민족으로서는 실로 영원토록 잊을 수 없고, 또 잊어서도 안 되는 국치일이다.

순종(純宗 ; 1874년(고종 11년) 음력 2월 8일(양력 3월 25일)~1926년 양력 4월 25일)은 대한제국의 제2대이자 마지막 황제. 연호를 따 융희제(隆熙帝 : 재위 1907년~910년)라고도 한다. 휘는 척(坧), 자는 군방(君邦), 호는 정헌(正軒).

조선 왕실의 사당인 종묘의 출입문이 '창엽문'인데, '창(蒼)'을 파자

종묘의 출입문인 창엽문.

(破字)하면 20[十十], 8(八), 군(君), 즉 28임금을 가리키며 '엽(葉)'을 파자해도 20[十十], 세(世), 8(八), 즉 28세대를 가리킬 뿐 아니라 종묘를 세울 때에 이미 역대 왕의 신주를 모시는 칸도 28칸만 만들었기 때문에 식자들 간에는 조선이 태생적으로 28대 500년 왕조라고 말들을 해왔었다. 그런데 태조 이성계가 건국한 지 519년만인 1910년 8월 29일, 27대 순종(純宗) 이척(李坧)의 치세를 끝으로 조선 왕조는 막을 내렸다.

순종은 고종과 명성황후의 둘째아들이다. 비는 순명효황후 민씨인데, 순종이 성불구였기 때문에 생과부 신세타령으로 허구한 날 경대와 연상(硯床)을 내동댕이쳤으며 결국 그 고독을 이겨내지 못하고 서른세 살 나이에 세상을 떠났다. 그래서 계비로 열세 살에 책봉된 분이 순정효황후였는데, 이 황후 역시 고독과 비운 속에 지내다

낙선재에서 심장마비로 병사하였다.

순종은 이렇게 성불구였다. 그리고 치아가 다 빠졌으며, 정신까지 맑지 않았고, 대단한 근시였다고 한다. 왜 그렇게 되었을까?

그 사연은 이렇다. 1910년 8월 29일, 국치일인 이날은 고종의 47회 만수절이었다. 만수절은 왕의 탄생 축일이기 때문에 경축의 잔치가 열렸다. 이날 고종은 대신들에게 가배다(珈琲茶)를 대접하겠다면서 수라간에 일러 내오게 했다. 가배다는 커피다. 그런데 수라간에서 내온 커피에 독이 들어 있었다. 고종은 커피를 조금 마시고 잔을 내려놓아 탈이 없었으나, 황태자(순종)는 커피를 단숨에 마셨기 때문에 잔을 떨어뜨리며 쓰러지면서 구토를 했다. 다행히 황제 암살 음모는 미수에 그쳤다. 그러나 워낙 약골이었던 황태자는 이 일이 있은 뒤 치아가 몽땅 빠졌고 몸은 더욱 나빠졌다. 그래서 훗날 순종이 즉위했지만 정신상태도 밝지 못했던 것 같고, 가뜩이나 안 좋던 눈도 더 나빠져 심한 근시로 고생했던 것이 아닌가 생각이 든다.

여하간 순종은 성불구였다. 어릴 때 궁녀들이 음경을 자꾸 빨았기 때문에 그렇게 되었다는 얘기도 있지만 믿을 수 없는 말이다.

의학적으로 남성불임증은 성욕에 이상이 있거나, 중추신경질병, 척수골절, 갱년기장애, 정신이상 등에 의한 발기이상일 때 일어날 수 있다고 본다. 또는 음경의 왜소나 과대음경, 발기조직 발육부전, 표피결여, 고환결여, 잠복고환 등일 경우에도 남성불임증이 된다고 본다. 정관의 발육이 좋지 않거나, 정관의 통로상 장해가 있어도 불임이 될 수 있으며, 요도가 선천적으로 협착이 되어 방출된 정액이 밖으로 배설되지 못하고 방광 내로 흘러들어가 배뇨 때 소변과 함께 배설되는 요도이상일 때도 불임이 된다. 결핵이나 임질로 양측 부고환, 정낭, 전립선 등에 염증이 있을 때는 정관폐색을 유발하여 불임이 될 수 있다.

그밖에 소위 '볼거리' 또는 '항아리손님'으로 불리는 유행성이하선염은 부고환염을 수반해서 무정자증을 만든다. 폐렴, 장티푸스 등 고열성 질병이 정자의 생산을 일시적 혹은 영구적으로 정지시킴으로써 불임을 초래한다. 당뇨병성 성기능장애, 빈혈, 지나친 비만증도 불임의 원인이 될 수 있다. 특히 지나친 비만은 성감을 저하시키며, 뇌하수체 기능저하, 고환의 지방변성 등을 일으켜 정자수의 이상이나 성기발육부전을 초래하여 불임이 되는 경우가 많다.

이뿐이 아니다. 최음제의 남용, 수은제나 갑상선제제, 부신제제 등의 오용은 약물중독성 남성불임증을 일으킨다. 알코올 중독자는 정자수가 1cc당 500만 이하가 되는 수도 있어서 임신에 지장을 줄 수 있으며, 커피 중독자나 니코틴 중독자 역시 성기능장애를 초래하여 불임의 원인이 될 수도 있다. 알코올은 세정관의 퇴행성 변화

1945년에 미국이 일본 히로시마에 투하한 원자폭탄에서 피어오르고 있는 버섯구름의 모습.

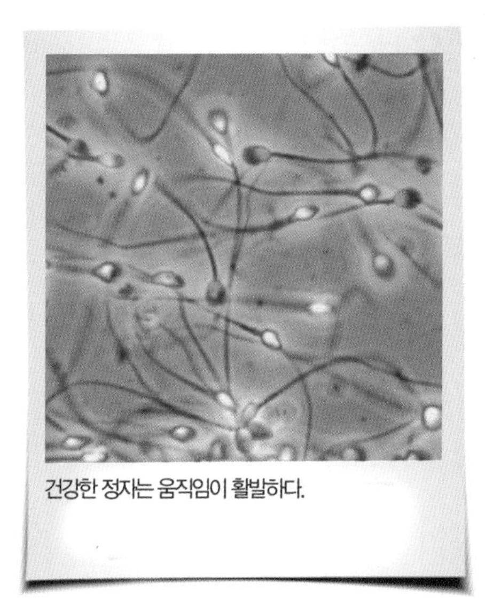
건강한 정자는 움직임이 활발하다.

를 일으키고, 담배는 1일 20개 이상일 때 임신에 이롭지 못한 것으로 알려져 있으며, 특히 배아세포의 파괴, 정자 운동력 감소를 일으킨다. 동물실험 결과로 담배는 불임증을 2배로 증가시킴이 밝혀졌다.

이밖에 커피, 벤젠, 몰핀, 포르말린 등이 정자 형성에 나쁜 영향을 주는데, 특히 포르말린 등의 방부제를 많이 쓰는 장의사의 종사원 중 40%가 불임증에 빠진다. 물론 감마선, 엑스레이도 고환에 직접 쐬지 않아도 나쁘다. 히로시마 원자탄 폭발 중심지로부터 5,000피트 떨어진 곳의 주민도 정자 형성이 감소되었다는 예가 있다.

한의학에서는 기쇠(氣衰), 정청(精淸), 조설(早泄), 정한(精寒)을 남성불임증의 4대 원인으로 꼽는다. '기쇠'란 발기부족 등을 말하며, '정청'은 무정자증을 말하고, '조설'은 조루나 유정을 뜻하며, '정한'은 정액 성분의 이상을 뜻한다. '기쇠'는 양이 허한 까닭이요, '정청'은 음이 허한 까닭이고, '조설'은 심장 기능이 허한 까닭이요, '정한'은 신장 기능이 허한 까닭으로 본다. 여하간 기쇠, 정청, 조설, 정한이 조정(造精), 수정(輸精), 사정(射精), 활정(活精)의 능력 이상이라고 보고, 남성불임증을 이 네 가지 관점에서 치료한다.

영친왕과 유방

대한제국의 마지막 황태자는 의민(懿愍) 태자다. 고종 황제의 일곱 번째 아들로 이름은 은(垠)이다. 불임증이었던 이복형 순종의 황태자가 되어 영친왕(英親王)에 책봉되었다. 순종의 승하 후 왕위를 계승하였으나 이것은 어디까지나 형식상이었을 뿐이다.

의민태자(懿愍太子 ; 1897년 10월 20일~1970년 5월 1일)는 대한제국의 황태자이자 일본 제국의 군인. 휘는 은(垠), 자는 광천(光天). 황태자로 책봉되기 이전의 작호인 영친왕(英親王)으로도 알려져 있다.

영친왕은 강제로 일본유학을 떠나 육군중앙유년학교를 거쳐 육군사관학교를 마쳤으며, 역시 강제로 일본 왕족의 여인과 정략결혼을 하였다. 바로 나시모토노미야 마사코[梨本宮方子], 즉 이방자 여사다. 영친왕은 일본 군대에 복무하다가 일본의 패망을 맞이하였지만 고국으로의 귀국을 조국으로부터 거절당한 채 도쿄에 머물러서 곤궁하게 생계를 이어갈 수밖에 없었다. 그러던 중 뇌출혈이 재발하여 혼수상태로 56년 만에 고국에 돌아올 수 있었다. 그러나 7년이라는 긴 세월을 병고에 시달리다가 운명하였다.

일본 육군대학을 졸업할 무렵의 이은과 마사코 (1923년).

일본에서의 영친왕은 한때 게이샤의 누드화에 몰두했다고 한다. 고급요정에서 아침부터 저녁까지 술상을 차려놓은 채 게이샤를 모델로 누드화를 그리곤 했는데, 그때마다 이방자 여사가 술값을 갖고 가서 그를 모셔오곤 했다고 한다. 공개된 누드화는 1945년 작 한 점과 1955년 작 두 점이라고 한다. 여체의 신비를 그림으로 표현하며 시름을 달랜 것이다.

마리 앙투아네트

마리 앙투아네트의 유방을 본 떠 만든 우윳잔.

여체는 분명 그림으로 남길 만큼 아름답

비너스

다. 유방으로부터 엉덩이까지의 유연한 곡선은 신비롭기만 하다. 특히 여성의 유방은 남성의 영원한 선망이다. 마리 앙투아네트의 유방은 프랑스의 유명한 세브르 도자기공장에서 그 유방을 본떠 우윳잔으로 만들었을 정도이며, 젖꼭지를 뱀에게 물려 자살했던 세기적 미인 클레오파트라의 유방은 안토니우스가 그녀의 유방을 본떠 술잔을 만들어 술을 따라 마셨다고 할 정도다.

물론 유방이라고 다 예쁜 것은 아니다. 미의 여신 비너스의 유방은 굵직한 젖꼭지가 상외향(上外向)한 둥근 반구형(半球型)인데, 이런 유방이 가장 예쁜 유방이다. 유방은 대략 세 가지 형태로 나뉘거나 네 가지 형태로 나눠진다. 접시형, 반구형, 하수형이 세 가지 분류이며, 여기에 원추형을 가한 것이 네 가지 분류다. 그리고 이것을 다시 각각 세 가지로 나누어, '선 유방', '내려온 유방', '처진 유방'으로 세분한다. 유방의 분류상 반구형과 원추형, 그리고 선 유방이 가장 예쁘다. 가슴의 수직선에서 유두까지의 길이를 a라 하고, 유방 윗부분부터 밑 부분까지의 가슴 수직선을 b라 할 때, a와 b의 길이가 거의 같은 것을 반구형 유방이라 한다. 즉 아래 위의 발달이 비슷해서, 마치 공을 엎은 듯, 혹은 사과를 반 잘라 엎어 놓은 것 같은 모양

유방의 형태에 따른 분류

분류	형태	내용
접시형 (BOWL-SHAPED TYPE)		앞으로 돌출한 길이가 유방 기저부 주위의 반지름보다 작으며 주로 사춘기 후기에서 많이 보이는 공기 그릇 모양을 하고 있다. 유방의 아래쪽이 위쪽보다 더 발달해 있기 때문에 유두가 약간 위로 향한 느낌을 준다.
반구형 (HEMISPHERICAL TYPE)		한국 여성들에게서 비교적 많으며 둥근 공을 반으로 자른 듯이 아래위가 서로 대칭되어 전체적으로 유방 조직이 고루 발달함으로써 조형적으로 아름다운 모양을 나타내어 일반적으로 비너스형이라고 한다.
원추형 (CONICAL TYPE)		피라미드 형태를 갖추고 있으며 유방에서 유두까지가 뾰족한 느낌을 주며, 어떤 옷을 입어도 유방의 풍만감이 밖으로 잘 드러나며 주로 흑인 여성들에게서 많이 나타난다.
하수형 (ELONGATED TYPE)		앞으로 돌출하는 유축의 길이가 너무 길어서 아래로 늘어지는 형태를 보이는데, 유방의 위쪽이 아래쪽보다 발달해서 유두가 아래로 향한 것처럼 보이는 느낌을 준다. 수유기를 너무 오래 보냈거나 연령이 많은 여성들에게 주로 나타난다.

이다. 한국 여성의 78%가 여기에 속한다. b보다 a의 길이가 긴 것이 원추형 유방이다. 포탄을 세워 놓은 듯한데, 구미 여성의 73%가 여기에 속한다. 한국 남성의 의식이 서구화되면서, 기호 역시 원추형 유방에 쏠리고 있는 경향을 띠고 있다.

다시 말해서 가장 이상적인 유방은 ① 탄력이 있고 팽팽하면서 적당한 크기의 반구형이나 원추형이고 ② 제3~6늑골 사이에 위치해야 한다. ③ 그리고 유두는 제5늑골보다 아래로 처져 있지 않으며, ④ 유두와 유두 사이가 20cm 이내로 좁아서는 안 되고 ⑤ 아울러 좌우 유두는 서로 반대 방향을 향하면서 약간 돌출되어 있어야 한다.

아름답고 건강한 유두는 핑크빛 또는 갈색을 띤다.

⑥ 물론 유방 밑의 피부에 주름이 없어야 한다.

이상적인 유두는 핑크빛 유두나 갈색 유두다. 흔히 "연애는 핑크빛, 결혼은 갈색"이라는 말이 있다. 핑크빛은 '양'이고 갈색은 '음양'이 겸비한 색깔인데, 음양이 겸비해야 다산형의 여자이기 때문이다. 단, 흑갈색의 유두는 곱상한 유두가 아니다. '음'이 지나치게 많기 때문이다. 이미 색미(色味)와 색기(色技)를 터득한 여자의 유두가 이렇기 때문에 임신, 출산을 경험해 보지 못한 여자의 유두가 흑갈색인 것은 안 좋게 여기는 것이다.

오자서와 가래나무

중국 춘추시대 초나라 평왕(平王) 때 이런 일이 있었다.

오자서(伍子胥 ; ?~기원전 485년)는 중국 춘추시대 오나라의 정치가. 자는 자서(子胥), 이름은 운(員). 본래 초나라 출신이나 아버지와 형이 평왕(平王)의 노여움을 사 처형된 뒤 초나라를 떠났으며 오나라의 약진에 크게 공헌하였으나 점점 오나라 왕 부차(夫差)와 사이가 벌어져 목숨을 잃었다.

평왕은 태자 건(建)의 배필을 얻기 위해 비무기(費無忌)라는 신하를 진(秦)나라로 보냈는데, 진나라 공주가 어찌나 아름다웠던지 비무기는 평왕으로 하여금 며느리감을 가로채게 충동질했다. 평왕은 정말 그렇게 했다. 그런데 일은 여기서 그치지 않았다. 비무기는 태자의 소부(少傅 : 부스승)로 있었는데 태자의 태부(太傅 : 스승)인 오사(伍奢)를 태자가 더 따르는 것을 시기하여 태자와 오사를 함께 모함하였다. 절체절명의 순간에 태자는 피신했고, 오사는 그의 아들 하나와 함께 처형당했다. 오사의 또 다른 아들 오자서(伍子胥)는 쫓기는 몸으로 피신했다. 오자서는 피신 중에 죽을 고비를 수없이 넘겼다. 그리고 우여곡절 끝에 오나라에 이르렀다. 이때 평왕은 죽었다. 그러나 오자서의 분노와 복수심은 식을 줄을 몰랐다. 오자서는 오나라 왕을 부추겨 자신의 고국 초나라를 침공했다. 그리고 평왕의 무덤을 파헤쳐 시체를 끄집어내어 쇠채찍으로 사정없이 후려치고, 그것도 모자라 시체에서 눈알을 후벼파기까지 했다. 아버지와 형을 죽인 평왕에게 오자서는 이렇게 복수했다.

부차(夫差 ; ?~기원전 473년)는 중국 춘추전국시대 오나라 제7대이자 마지막 군주. 춘추오패의 한 사람, 월왕 구천에 의해 죽은 부왕 합려의 원수를 갚기 위해, 오자서의 보좌를 받아 구천을 물리치지만, 와신상담한 구천의 반격에 의해 패배하고 자결했다.

세월이 흘러 부차(夫差)가 오나라 왕이었을 때 이런 일이 있었다.

부차는 선왕이 월나라와의 난전 중에 죽자 왕위에 오른 후 가시나무를 깔고 잤다. 이렇게 오로지 일편단심 복수만을 다졌다. 그러던 중 드디어 월나라 왕 구천(勾踐)을 무릎 꿇게 했다. 패전한 월나라 왕 구천이 항복하며 목숨을 구걸했다. 오자서는 이때 구천을 죽일 것을 강경하게 주장했다. 그런데 오나라 왕 부차는 오자서의 말을 듣지 않았을 뿐 아니라 오히려 오자서에게 명검 촉루를 하사하였다. 자결하라는 뜻이었다. 선왕 때의 공신이지만 이제는 거추장스럽다는 것이었다. 오자서는 분을 이기지 못하고 이렇게 외친 후 자결했다.

가래(왼쪽)와 호두(오른쪽).

"내 무덤에 가래나무(檟)를 심어라. 그것으로 부차의 관을 만들라. 내 눈알을 빼어 동문에 걸어놓아라. 월군이 쳐들어 와 오를 멸망시키는 것을 보겠다."

오자서가 말한 가(檟)는 추(楸)와 같다. 즉 호두나무과에 딸린 갈잎 큰키나무이다. 그래서 호두나무와 비슷하게 생겼다. 재목이 비교적 가볍고, 치밀하며 질기고 단단하며 뒤틀리지 않아 가구를 만드는 데 잘 쓰인다. 그런데 오자서는 이 나무로 부차의 관을 만들라

가래나무

고 한 것이다.

여하간 이 나무의 나무껍질 또는 가지의 껍질을 약으로 쓴다. 이를 항간에서는 '추목피'라 하고, 약명으로는 '핵도추피'라고 한다. 나무껍질은 맛이 쓰고 성질이 차다. 그래서 열을 내리고 해독한다. 타닌을 다량 함유하고 있기 때문에 수렴 작용이 크다. 그래서 설사나 여성의 냉을 다스린다. 기침을 내리며 농혈을 제거하고 새살이 빨리 돋아나게 한다. 그리고 시력을 아주 좋게 한다. 달여서 먹거나 달인 물로 눈을 씻는다.

가래

가래나무의 꽃과 잎

또 이 나무의 열매 또는 열매의 껍질도 약으로 쓴다. 이를 항간에서는 '추과'라 하고, '가래'라 한다. 호두와 비슷하게 생겼다. 그래서 가래 두 알을 한 손아귀에 쥐고 빙글빙글 돌리면서 손아귀의 힘을 기르면서 건강을 증진시키는 데 쓰인다. 약명으로는 '핵

도추과'라고 한다. 5월에 꽃이 피고 지면 8~9월에 열매가 익는데, 좀 갸름하며 거무데데한 단단하고 두꺼운 내과피 속에 살이 조금 있다. 살이 적고 떫어 거의 먹지 않지만 생식하기도 하고 요리에 쓰기도 하고 기름을 짜서 쓰기도 한다. 유지 함량이 많고 단백질, 당, 비타민 C 등을 함유하고 있다.

열매 껍질을 술에 담가 위염, 소화성궤양, 위통, 경련성 복통 등의 치료에 쓴다. 즉 미숙한 녹색 열매를 부수어 1.5~2배 되는 양의 소주를 붓고 2~3시간 담갔다가 찌꺼기를 버리고 여과하여, 그 술을 마시는데, 성인은 소주잔 반 잔 정도씩 마신다. 《흑룡강상용중초약수책》에 나오는 처방이다.

참고로 가래나무의 잎도 약으로 쓴다. 잎은 깃꼴겹잎이다. 동물실험에 의하면 체내 당분의 동화를 가속화하여 혈당을 내리는 작용이 있는 것으로 알려져 있다. 그러나 이 잎에는 독이 있는 것으로 알려져 있다. 예로부터 농가에서는 이 잎을 살충제로 썼으며, 물고기를 잡을 때 이 잎의 가루를 물에 뿌리면 물고기가 중독되어 어리벙벙해지기 때문에 쉽게 어획할 수 있다고 해서 자주 사용하였다고 할 정도다.

유안과 두부

유안(劉安)은 한나라 시조 유방(劉邦)의 손자다. 유안은 비운의 천재다. 우선 유안의 집안사를 통해 비운의 내력을 들여다보자.

유방이 조(趙)나라를 지나갈 때에 조나라 왕은 자신의 비빈을 바쳐 유방을 하룻밤 모시게 한다. 이 하룻밤의 인연으로 비빈은 유방의 씨를 잉태한다. 유방은 떠나고 조나라 왕은 비빈을 다시 걷을 수 없어 궁 밖에 머물게 한다. 그런데 관고(貫高)의 반란에 연루되어 조나라 왕은 물론 이 비빈도 옥에 갇힌다. 벽양후(辟陽候)를 통해 유방의 씨를 잉태한 몸임을 알렸으나 끝내 유방의 보살핌을 받지 못한다. 비빈은 구금 상태에서 어린 분신을 낳고 철천의 원한을 품은 채 자살하고 만다. 이 어린애가 유안의 아버지인 유장(劉長)이다. 그 후 유방도 그 비빈을 죽게 내버려둔 것을 후회하여 훗날 유장을 회남왕(淮南王)으로 봉한다. 그러나 유장은 항상 자기 어머니가 억울하게 죽은 것을 못내 서러워하면서 늘 복수의 기회를 노리고 있다가 이복형인 문제가 즉위한 3년째인 어느 날 그는 기어코 벽양후를 철퇴로 내려쳐 죽여 버리고 만다. 유장은 힘이 장사여서 한 방에 후려쳐 죽인 것이다. 당시 자기의 어머니를 살려줄 수 있었던 위치에 있었건만 힘껏 도와주지 않았던 벽양후를 복수의 대상으로 삼았던 것이다. 유장은 곧 자수하고, 인자한 이복형 문제는 조건 없이 용서해 준다. 이 일 이후 유장은 대단히 교만무례해졌고, 스스로 정령(政令)을 만들고 천자의 행세를 할 뿐 아니라, 모반을 꾀하기까지 했다. 결국 유장은 촉군(蜀郡)으로 귀양보내진다. 귀양길의 유장은 이렇게 일생을 보낼 수 없다면서 음식을 전폐하고 굶어 죽는다.

〈회남자〉에 수록된 회남왕 유안(劉安)의 전설화.

유안의 집안사는 이렇게 비운하다. 그럼 이제 유안의 개인사를 통해 비운의 내력을 들여다보자.

유장이 죽자 유장의 맏아들인 유안이 회남왕으로 봉해진다. 왕이 된 유안은 자기 아버지의 억울한 죽음에 원망을 품고 기회만 있으면 반란을 일으키려고 했다. 머리가 비상하고 구변이 좋은 딸을 장안에 보내 당시의 황제였던 무제(武帝) 곁의 근신들과 결탁하도록 하면서, 측근들과 지도를 펴놓고 출군할 계획을 세웠다. 그러나 거사도 하기 전에 반란 음모를 밀고한 자가 있어 태자를 비롯하여 모반에 가담했던 모든 열후들이 체포, 처형되고 군비가 압수당하고, 왕궁도 포위된다. 그리고 43인으로 구성된 특별재판부에서는 유일하게 사형을 언도했으며, 이에 무제는 종친을 다스리는 관원들에게 회남국에 가서 사형을 집행하도록 서명한다. 태어날 때부터 핏속에 비극적 요소가 유전되어 어쩔 수 없이 비극적 인물이 될 수밖에 없었던 유안은 그의 할머니가 했듯이, 그리고 그의 아버지가 했듯이 스스로 자결하고 만다. 종친을 다스리는 관원들이 회남땅에 도착했을 때는 이미 유안은 대들보에 끈으로 매어져 둥둥 매달려 있었다.

이로써 유안의 일족은 멸족을 당했으니, 비극적 유전인자는 피를 뿌리며 영원히 파묻히게 되었고, 모반의 본거지였던 회남국은 아예 없어져 버렸으니, 때는 기원전 122년이었다.

유안은 비운의 천재라고 앞에서 밝힌 바 있는데, 이제는 그의 천재의 일면을 훑어보기로 하자.

57세를 일기로 자결하고 만 유안은 그간 빈객과 방술사 수천 명을 불러 내편(內篇 : 즉 《淮南子》) 21편, 외편 33편, 중편 8권을 만들었다. 《회남자》의 원명은 《회남홍렬(淮南鴻烈)》이다. '홍렬(鴻烈)'이란 '크게 길을 밝힌다'는 의미다. 역사적으로 가치 있는 백과전서로 황로학(黃老學)의 결정체라 일컬어지고 있다. 유안은 《회남가시(淮南歌詩)》라 하여 회남국 민요집도 만들었고, 《이소전(離騷傳)》도 지은 바 있다. 이 《이소전》을 지을 때엔 무제의 명령을 아침에 받고 점

심식사 전에 이를 지어 바쳤다고 하니, 이로 미루어 볼 때 유안의 문재가 대단했음을 알 수 있다. 그는 의학에도 뛰어나 그의 글 중에 황제(黃帝)와 기백(岐伯)의 의술을 논한 것만 해도 2,000여 자나 되며, 신농(神農)씨의 일화도 전해주고 있다. 그리고 빼놓을 수 없는 것이 콩으로 두부를 처음 만든 창시자가 바로 유안이라는 설이 있다는 것이다.

뜨겁게 끓인 두부를 매를 맞아 상한 데, 살이 짓무른 데 붙이면 효과가 좋다.

두부는 장상(杖傷), 즉 매를 맞아 상한 데 특효다. 《동의보감》을 보면 "두부를 넓적하게 만들어 소금물에 넣고 뜨겁게 끓여서 매를 맞은 자리에 붙이면 찌는 것 같은 느낌이 있고 두부가 벌겋게 된다. 이렇게 되면 두부를 새 것으로 바꾸어 붙이되 두부 빛이 말갛게 될 때까지 붙여야 한다. 살이 짓무른 데도 좋다."고 했다. 구보(狗

두부

寶)는 비루먹은 개의 뱃속에 있는 보물이다. 달을 보고 미친 것같이 짖는 개한테는 반드시 구보가 있다는데, 개의 쓸개 속에 생긴 누런 것이 바로 구보다. 소의 우황(牛黃) 같은 것이어서 구보를 구황(狗黃)이라고도 한다. 《동의보감》에 "마른 두부에 구멍을 뚫고 거기에 구보를 넣은 다음 꼭 막아서 한나절 동안 끓여 가루내서 쓴다. 옹저와 악창에 좋다"고 했다.

물론 두부는 해열제로도 효과가 있다. 어린아이가 열이 많을 때, 두부를 꼭 짜서 같은 양의 밀가루와 섞어 차지게 반죽해서 거즈에 고루 펴발라 이마에 붙이는데, 마르면 갈아주기를 몇 번 하면 열이 뚝 떨어진다.

두부는 기를 보하고 비위를 조화시킨다는 영양식품이다. 그러나 《동의보감》에는 "두부를 많이 먹으면 배가 팽팽하게 불러 오르고 생명까지 위험한데, 이때 술을 먹으면 더 심해진다. 이럴 때는 찬물을 마셔야 삭는다. 속이 차서 몹시 설사하고 방귀가 많이 나올 때는 먹지 말아야 한다"고 했으니 주의해야 한다.

정몽주와 꿈

포은(圃隱) 정몽주(鄭夢周)는 고려 충숙왕 때 태어나 공민왕을 모시다가 공양왕 때 죽은 효자요, 뛰어난 문사요 탁월한 외교관이며, 행운과 비운의 지사다.

포은 정몽주 영정(비단에 채색, 98cm×98cm, 보물 제1110호<1991.12.16.>).
좌안팔분면의 안모에 여말선초의 복제인 오사모와 청포단령을 입고 의자에 앉아 있는 전신좌상.
정몽주(鄭夢周 ; 양력 1338년 1월 13일(1337년 음력 12월 22일)~1392년 4월 26일(음력 4월 4일)는 고려 말기의 문신, 외교관, 정치가·교육자·유학자. 호는 포은(圃隱).

첫째, 그의 효심은 대단했다. 당시 사대부들의 풍속처럼 100일 동안만 부모상을 하지 않고 여묘(廬墓)를 살며 효성을 다해 나라에서 정려(旌閭)를 내릴 정도였다. 둘째, 문재가 뛰어났고 특히 성리학에 조예가 깊었다. 셋째, 그는 외교관으로 여러 차례 명나라에 가서 성과를 올렸고, 특히 일본 구주(九州 ; 큐슈)에 가 교린을 트고 왜

선죽교 : 정몽주는 이성계 일파를 제거하려 했으나 오히려 이방원이 보낸 조영규 등에게 선죽교에서 격살되었다.

구에게 잡혀간 수백 명의 고려 백성을 데리고 왔다. 넷째, 그는 행운아여서 명나라에 다녀오던 중 풍랑으로 배가 난파되어 모두 익사했지만 그는 13일 동안 사경을 헤매다가 살아 돌아왔다. 다섯째, 허나 그는 비운으로 생을 마감한다. 이성계(李成桂) 세력과 대치하면서 그 일당을 척결하려다가 되레 이방원(李芳遠)의 휘하 조영규(趙英珪) 손에 선죽교에서 살해된 것이다.

고려의 충신 정몽주. 그의 태몽 이야기에서부터 꿈풀이 이야기를 해보기로 하자.

정몽주의 어머니는 난초 화분을 안고 있다가 떨어뜨리는 꿈을 꾸고 놀라 깨니 그것이 태몽이었다고 한다. 그러기에 낳은 아이의 이름을 몽란(夢蘭)이라고 했다. 몽란이 아홉 살 때 어머니가 낮잠을 자다가 검은 용이 뒤뜰 배나무에 얽혀 있는 꿈을 꾼 뒤 급히 뒤뜰로 가보니 몽란이 배나무에 올라가 놀고 있는지라 신기하여, 그 이름을 몽룡(夢龍)이라 했다가, 훗날 관례할 때 다시 한 번 바꾸어 몽주(夢周)라 하였다고 한다.

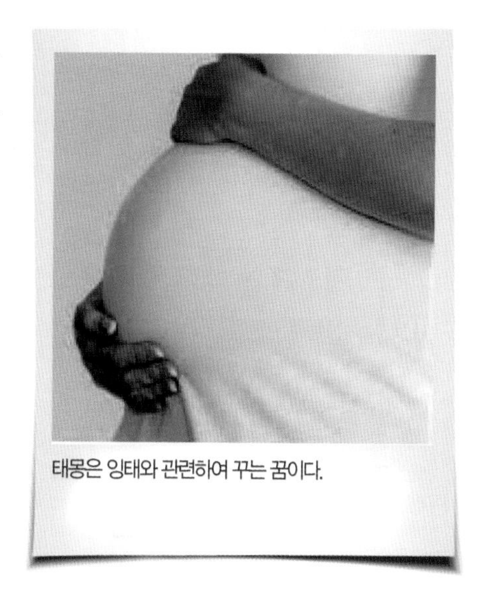
태몽은 잉태와 관련하여 꾸는 꿈이다.

태몽처럼 신비한 꿈도 없다. 조선조 대표 소설 가운데 약 35%가 태몽에 의해서 출생된 주인공이라는 것을 알 수 있듯이, 태몽은 예나 지금이나 아기 잉태와 관련하여 무척 많이 꾸어지는 꿈이다. 태몽의 과정은 몽입(夢入), 몽사(夢事), 몽각(夢覺)의 세 과정으로 이루어지는데, 태몽은 "하늘의 것과 인간의 것이 결합될 때 비로소 이루어지는 영상"이라는 말이 있듯, 초자연적인 빛이 현실적인 필름과 어우러질 때 태몽이라는 영상은 비쳐지는 것이므로 태몽이야말로 인간의 운명이 예정되어 있음을 전적으로 뒷받침하는 꿈이라고 할 수도 있다.

맥 : 몸은 곰, 코는 코끼리, 눈은 무소, 꼬리는 소, 다리는 호랑이의 부위를 가지고 있다고 전해지는 전설의 동물. 질병이나 불행을 피할 수 있게 해주거나 악몽을 먹고 산다고 한다.

태아의 상징물로 표현되는 많은 상징물은 그 태아 자신을 상징할 때와 태아가 장차 이룩할 어떤 운세를 상징하는 두 가지 표현 수단을 가지고 있는 것이 특징이다. 물론 꿈속의 배경, 장소, 사건 등이 그 태아의 운세를 거들어서 암시해 주고 있다고 한다.

전설적인 맥(貘)이라는 짐승은 꿈을 먹고 산다고 한다. 인간도 따지고 보면 꿈을 먹고 사는 동물이다. 그런 꿈 중에 가장 달콤한 꿈은 사랑 꿈이다. 꿈은 님을 만나는 영혼의 통로이기 때문이다. 설령 꿈속 영혼의 통로에서 불행하게도 님과의 상봉이 없다 하더라도 꿈은 안타깝기만 할 뿐 절망과 체념은 절대 있을 수 없다. 꿈은 전혀 예측할 수 없는 또 다른 미래를 약속하고 있기 때문이다. 또 다른 미래에 두 눈을 꼭 감으면 꿈길에서나 아득히 님이 보일런지 모른다. 아니, 꿈에서도 님을 볼 수 없다면 나의 꿈이 님의 곁으로 갈 수 있는 것도 꿈이 있기에 가능한 것이다.

그러나 사랑 꿈처럼 달콤한 꿈만 있는 것이 아니다. 길몽도 있지만 흉몽도 있다. 《술몽쇄언(述夢瑣言)》에는 "꿈이란 염상(念想)의 그림자다. 형체가 단정하면 그림자가 바르고 형체가 비끼면 그림자가 굽는다. …… 그러므로 사람됨이 어떤가를 알려면…… 밤에 그가 꾸었다는 꿈에서 점칠 수 있다"고 했다. 흉몽은 결국 꿈같은 꿈을 추구하면서 꿈같이 살아가는 인간의 아름답지 못한 마음의 반영인 것이다.

《술몽쇄언(述夢瑣言)》: 조선 말기 월창거사(月窓居士) 김대현(金大鉉) 지음. 불교의 정수(精髓)를 꿈에 가탁(假托)하여 서술한 책.

한편 꿈속에서 다시 꿈을 꾸는 격자몽(格子夢), 꿈속에서도 꿈속임을 느끼는 생시몽(生時夢), 꿈속에서도 이런 꿈은 좀 더 계속됐으면 하고 조바심을 하는 통에 깨는 장한몽(長恨夢)이 있다. 그래서 꿈속으로의 도피는 많은 현실적 갈등과 수모, 고통으로부터 잠시나마 해방시켜 주는 한 기점을 이룬다.

인위적으로 꿈을 꾸지 못하게 하면 얼마 가지 않아 정신상태가 불안해지고 신경질적이 된다는 실험보고가 한다. 그래서 꿈은 건강을 위해 꼭 필요하다. 더구나 이드(Id)의 가장 심층세계에까지 숨어들어갈 수 있는 즐거움이 있으니 정말 신나는 일이 아닐 수 없다. 그러나 이드의 가장 심층세계까지 꿈에서 폭로되고 우리가 기억할 수 있다면 이것은 엄청나게 위험하다. 다행히 무의식적 갈등의 표

음기가 성하면 큰 바다와 물에서 공포에 떠는 꿈을 꾸는 경향이 있다.

현만 꿈으로 기억할 수 있을 뿐 이드 중의 가장 심층의 세계는 기억 못하는 꿈으로 다시 깊이 잠수해 버린다.

프로이트나 융은, 꿈이란 개인의 과거체험 또는 집단의 무의식이 발동하는 유전적인 것이라고 어렵게 설명하고 있다. 한편 아리스토텔레스는, 꿈은 신성한 것도 아니고 초자연적인 계시도 아니고 수면 중에 일어나는 인간의 정신활동이라고 정의내리고 있다. 그러니까 각성시 의식하지 못했던 신체의 어떤 변화를 의사에게 밀고하는 것이라고 표현했다.

일반적으로 꿈을 풀이할 때는 이상과 같이 어떤 표상을 찾아서 풀이하는 방법이 있는가 하면 인체의 장기 기능과 연계시키는 방법도 있다.

《동의보감》에 꿈에 대한 풀이가 나온다.

"음기가 성할 때는 큰 바다를 도보로 건너며 공포에 떠는 꿈을 꾼다. 양기가 성할 때는 큰 불을 만나 타는 꿈을 꾼다. 음양이 모두 성할 때는 서로 죽이는 꿈을 꾼다. 인체 상부의 기가 성할 때는 공중을 나는 꿈을 꾼다. 인체 하부의 기가 성할 때는 깊은 곳에 떨어지는 꿈을 꾼다. 배가 고플 때는 무엇을 약탈하는 꿈을 꾼다. 포식했을 때는 무엇을 타인에게 주는 꿈을 꾼다.

간의 기운이 성할 때는 꿈속에서 분노하며, 폐의 기운이 성할 때는 꿈속에서 무서워서 울거나, 또는 붕 떠오르는 느낌이 난다. 심장의 기운이 성할 때는 꿈속에서 잘 웃거나, 또는 무서워서 움츠린다. 비장의 기운이 성할 때는 꿈속에서 노래하고 즐기며, 혹은 몸이 무거워져서 움직일 수 없다. 신장의 기운이 성할 때는 꿈속에서 허리와 등이 분리되어 따로따로 떨어진다.

나쁜 기운이 종아리에 머물면 앞으로 나아가려 해도 도무지 발이 떨어지지 않는 꿈을 꾸거나, 혹은 깊은 동굴 속에 있는 꿈을 꾼다. 나쁜 기운이 방광·직장에 머물면 대소변을 보는 꿈을 꾼다."

전봉준과 녹두

서학(천주교)이 탄압을 받을 때 동학도 어려움을 겪었다. 동학은 조선조 철종 때 최제우(崔濟愚)가 창도한 것이다. 그는 고운(孤雲) 최치원(崔致遠)의 후손이다. 그래서 그는 호를 수운(水雲)이라 한다.

전봉준(全琫準 ; 1854년~1895년 4월 24일(음력 3월 30일))은 조선의 농민 운동가, 동학의 종교 지도자. 동학농민운동 북접 지도자. 별명 녹두장군(綠豆將軍)은 키가 작아 붙여진 별명이다.

동학은 '한울님'을 신앙대상으로 하여 '보국(保國)'과 '안민(安民)'을 이루자는 것이다. 여기서의 '한울'은 '천(天)'이면서 곧 '사람'이다. 한울과 사람이 하나가 된다는 이 사상은 훗날 '사람이 곧 한울'이라는 '인내천(人乃天)'이라는 사상으로 발전한다. 여하간 동학은 '인의예지'와 '수심정기'를 강조하여 누구든 수양을 통하여 군자가 될 수 있다는 신분평

2차 봉기 최대 전적지였던 공주 우금치에서의 전투 장면을 상상해 그린 기록화(이의주 화백, 동학농민혁명기념재단 소장).

등의 사상을 설파한다. 따라서 동학은 초창기부터 인간평등은 물론 인간과 동물이든 식물이든 무릇 우주 삼라만상과의 평등을 강조함으로써 사회개혁운동 및 범천론적의 성격을 띠게 된다.

동학은 내세의 복락이 아니라 살아생전의 지복을 약속한다. 그러기 위해 우주 순환법칙에 따른 개벽(開闢)을 이루어야 한다고 한다. 따라서 동학을 바탕으로 일어난 동학농민운동은 필연적으로 혁명적인 사회개혁운동으로 불붙을 수밖에 없었다.

동학농민운동의 주역으로 우리가 기억하는 인물은 전봉준(全琫準)이다. 전라도 고부(古阜)에서 민중의 고통을 견디지 못해 항거하다가 모진 곤장을 맞고, 장독으로 죽은 전창혁(全彰赫)의 아들이 전봉준이다. 조병갑(趙秉甲)의 탐학이 도화선이라지만 대원군과 명성

동학농민혁명을 이끌던 전봉준 장군이 1895년 2월 28일(음력), 서울의 일본영사관에서 신문을 받고 재판을 받기 위해 법무아문으로 이송되는 과정을 일본인 무라카미가 찍은 사진.

황후의 알력, 그리고 급변하는 국제 정세에 따른 이익 다툼 등 정치적 복선이 무척 다단한 거사임은 부인할 수 없다. 그래서 결국 동학농민운동이 진압된 후 청일전쟁이 일어나는 빌미가 되고 만다. 여하간 1894년 말목장터에서 거병하여 고부 관아를 점령하고, 무기를 거두어 무장한 채 전주성을 공략하여 점령하고, 고부 황토현 전투와 장성 황룡촌 전투에서 대승하는 등 파죽지세로 기세등등하던 동학군은 결국 공주 개슴티라 불리는 우금치(牛禁峙)에서 아주 결정적인 타격을 입었고, 공주 배후의 봉황산 공격도 실패하고, 최후의 전투인 태인에서도 열세에 몰려 끝내 패배한다.

전봉준은 정읍과 순창 등지를 전전하다가 부하 김경천(金敬天)의 밀고로 체포되어 한양으로 압송되고, 1895년 3월 29일 사형되어, 그 수급이 효수된다. 전봉준, 그의 본명은 전명숙(全明淑)이다. 동학의 고부 지방 접주(接主)였던 전봉준, 그의 뒤에 얽히고 설킨 정치적 내막이야 어쨌든 그는 시대가 낳은 인물이고, 시대가 버린 인물이다. 한마디로 비운의 인물이다. 인생이 다 그렇듯 그의 일생 또한 한낱 바다의 뜬구름 같은 한 조각 꿈이었는지 모른다. 마치 그의 호가 '해몽(海夢)'이었듯이.

전봉준의 두 눈은 형형했다고 한다. 그러나 그는 무척 왜소했다고 한다. 마치 녹두 알갱이 같이 작았단다. 그래서 그를 '녹두'장군이라 부른다. 그 속에 그의 거대한 기개가 담겨 있었다. 지금도 "새야 새야 파랑새야"라는 노래로 그의 기개와 비운을 기리는 것이리라.

녹두에는 필수아미노산과 불포화지방산이 풍부하다. 녹두를 생것 그대로 깨물면 비릿해서 도저히 먹을 수 없지만 횟병이 있으면 생것을 깨물어도 비린 맛을 느끼지 못한다. 그래서 녹두는 횟병을 다스리는 명약이다. 해열 작용이 강해 몸 안에 생긴 열독을 없애준다. 해독 작용도 강하다. 때문에 여러 가지 피부 트러블을 없애주어 피부를 깨끗하게 해주고, 약물 및 식중독을 풀어준다. 또 장염에 의한 설사, 열성 두통, 입안이나 입술이 잘 헐고 입이 마르며 냄새가 날 때도 좋다. 열 때문에 소변이 농축되는 데도 좋고, 갈증이 심한 당뇨병과 홍조가 심한 갱년기 장애도 다스린다. 고혈압, 숙취 해소에도 좋다.

까닭에 녹두는 열성 체질에 좋지만 냉한 체질로 소화가 잘 안 되고 설사를 할 때나 평소 저혈압이나 냉증이 있을 때에는 안 좋다. 특히 녹두와 치자를 배합하면 갱년기장애로 얼굴에 홍조와 열감이 있고 땀이 나다가 어느새 한기를 느끼는 경우에 좋다. 자율신경중추의 혼란이 혈관운동신경에 실조를 일으켜 야기된 증후들이다. 녹두로 묵을 만들어 먹는데, 바로 '청포묵'이다. 묵을 만들 때 치자로 노랗게 물을 들인 것이 '황포묵'이다. 홧병에는 황포묵이 청포묵보다 효과가 좋을 수밖에 없다.

녹두와 팥을 3:1로 가루 내어 물을 섞고 걸쭉하게 갠 다음 얼굴에 바르면 여드름 등 피부 트러블에 도움이 되는 미용 팩이 된다.

참고로 녹두와 팥을 배합하면 이뇨 작용이 강해진다. 또 녹두와 팥을 3:1의 비율로 가루 내어 물로 반죽해서 미용팩으로 쓰면 여드름 등 피부 트러블에 도움이 된다.

초회왕과 운우지정(雲雨之情)

운우지정(雲雨之情)은 남녀의 육체적 사랑, 그 중에도 순정적 청초한 사랑이 아니라 관능적이고 육감적이며 질펀하고 농염하며 숨가쁜 희열이 뜨겁게 넘쳐나는, 그런 사랑을 말한다.

그렇다면 운우(雲雨)의 여신은 누구일까? 요희(瑤姬)다. 한의학의 시조인 신농(神農)의 세 딸 중 하나다. 요염한 육체로 성숙한 요희는 불행하게도 처녀 귀신이 되어 고요산(姑瑤山) 중턱에 요초(瑤草)가 되어 노란 꽃을 피웠다. 그 꽃의 열매를 따 먹으면 누구나 이성의 사랑을 받게 된다고 한다. 영혼이 미약(媚藥)으로 화해 섹스를 즐기는 집념의 음녀(淫女)로 화신(化身)한 것이다. 하늘나라 천제는 요

초회왕(楚懷王 ; ?~기원전 296년)은 중국 춘추전국시대 초나라 제37대 왕(재위 : 기원전 329년~기원전 299년). 초회왕의 석상.

초회왕이 사랑한 요희가 죽어 무산의 신녀가 되었다는 전설을 그린 〈무산신녀도(巫山神女圖)〉.

희를 가련히 생각했다. 그래서 양쯔강[揚子江] 북쪽에 있는 쓰촨성[四川省]의 기암절벽 열두 봉우리로 절경을 이루고 있는 무산(巫山)에 보내 '운우'의 신으로 격상시켰다. 운우의 신이 된 그녀는 아침엔 한 조각 아름다운 '구름'으로 산령협곡을 소요하고, 저녁이면 소소한 '밤비'로 변해 산곡 간에 뿌림으로써 욕구불만을 달래게 되었다. 그러던 어느 날 전국시대 초나라 회왕(楚 懷王)이 호북성 운몽택(雲夢澤)에서 놀 때, 고당(高唐)이라는 높은 누각에서 그녀와 하룻밤을 열락(悅樂)하게 되었다. 그날의 열락을 잊지 못한 회왕은 고당 근방에 조운(朝雲)이라는 묘(廟)를 세워 그녀의 영혼을 달랬다고 한다. 그래서 지금도 남녀 사이의 육체적 사랑을 '운우지정'이라 하며, 육체적 관계를 운우지교(雲雨之交)라 하고, 육체적 즐거움을 운우지락(雲雨之樂)이라고 부른다.

운우지정을 이야기할 때면 운대(蕓薹)를 빼놓을 수 없다. '평지'를 운대라 한다. 평지는 장다리처럼 줄기가 솟는다 해서 운대라 한다.

평지가 바로 유채다. 겨울을 지나도 얼어 죽지 않으며 좀벌레를 막는 작용이 있다 하여 한채(寒菜)라고 하며, 꽃을 피우기 전의 여린 잎과 줄기를 기름에 튀겨 먹는다 해서 유채(油菜)라고 부른다. 노란 꽃이 지고 나면 열매가 맺고, 이것이 익으면 씨를 튕겨낸다. 씨는 겨자씨 같고 작으며 흑갈색인데 기름을 짜서 식용한다.

운대는 그야말로 운우지정의 무대와 같다. 요희의 화신이 요초요, 노란 요초꽃 열매가 미약이었던 것처럼, 운대 – 즉 유채의 노란 꽃과 그 열매가 또한 미약인 것이다. 《식료본초》에 따르면 유채씨는 몽정에도 좋다고 하였다. 운우지정에 손꼽히는 약재 중에는 운대 외에도 해마, 골쇄보, 금모구척, 선모 등이 있다.

유채

유채씨

해마(海馬)만 있다면 여자의 음욕이 제아무리 기고장대하다 해도, 끄떡하지 않을 자신이 생긴다는 말이 있다. 대단한 흥분성 강장제이기 때문에 성욕을 증진시키므로 정력쇠약에 특효다. 남자를 강대하게 만드는 비정(秘精)이 이 속에 있다. 해마, 구기자, 어교(魚膠) 각 12g에 홍조(紅棗) 30g을 넣어 끓여 먹으면 좋다. 이것을 중국에서는 「해마탕

해마

골쇄보(넉줄고사리 뿌리줄기)

(海馬湯)」이라고 한다.

골쇄보(骨碎補)는 넉줄고사리[槲蕨]의 뿌리줄기다. 이 뿌리줄기는 땅위로 길게 뻗기 때문에 원숭이 팔처럼 길다 하여 호손강(胡猻薑) 또는 후강(猴薑)이라 부르는데, 뼈를 어찌나 튼튼하게 해주는지 부러지거나 파쇄된 것도 말짱하게 해준다. 그래서 '골쇄보'라는 이름을 얻었다. 뼈를 강화한다 함은 신장 기능을 보강한다 함이요, 신장 기능을 강하게 한다 함은 정력증강의 효력이 뚜렷하다는 말이다. 그래서 이것을 일명 불로초(不老草)라고까지 불렀다.

금모구척(金毛狗脊)은 고비과(科)에 속한 다년생의 고등 은화식물이다. 뿌리는 마치 개꼬리 같아 보이기 때문에 구척(狗脊)이라 부르며, 어떤 것은 뿌리에 금색의 털이 있어서, 이를 금모구척(金毛狗脊)이라 한다. 근육과 뼈를 강화하고 보정(補精) 작용을 한다. 줄기와 잎은 찌개에 넣거나, 미채(薇菜)라 하여 나물로 무쳐 먹거나, 미탕(薇湯)이라 하여 국을 끓여 먹기도 한다.

선모(仙茅)는 엉거시과의 두해살이로, 이것을 먹으면 수명을 연장한다 해서 '선(仙)'이라 이름 붙였다. 서역의 바라문승(婆羅門僧)

이 당나라 현종(玄宗)에게 이걸 헌상했다 하여 일명 파라문삼(蔘)이라고도 호칭하는데, 효과가 인삼과 같다고 여겼기 때문이다. 뿌리는 희고 살이 많아서 식용도 하고 약용도 한다. 흥양(興陽)의 효력이 있어 발기부전 등에 좋으며, 정액량을 증가시키고, 정자운동을 활발하게 해준다. 검은콩즙에 하룻밤 재웠다가 술을 붓고 쪄서 쓰거나, 또는 쌀뜨물에 담가 붉은 물을 우려내서 버리고 써야 한다. 오가피(五加皮)와 함께 끓여 복용하거나, 음양곽(淫羊藿, 일명 仙靈脾)과 함께 끓여 먹으면 좋다. 선령비와 선모를 함께 끓인 것을 「이선탕(二仙湯)」이라 한다. 혈압강하 작용이 우수하므로 고혈압의 중년 남성들의 정력제로서 바람직하다.

금모구척

선모

이상의 모든 것은 운대 못잖게 운우지정의 흥취를 돋우는 데 도움이 되는 약재들이다.

치우와 단풍나무뿌리버섯

월드컵하면 붉은 악마가 떠오르고, 붉은 악마하면 치우(蚩尤)가 떠오른다. 붉은 악마는 치우의 탈을 쓰고 응원을 하기도 했으며, 붉은 악마의 티셔츠에도 치우의 형상이 그려져 있기 때문이다.

치우는 고대 한민족의 왕으로 알려져 있는데, 힘이 대단했을 뿐 아니라 청동을 다룰 줄 알아 투구나 갑옷도 청동으로 만들었고 무기도 청

치우(蚩尤)는 중국의 여러 기록과 전설에서 헌원과 함께 탁록의 전투에서 싸웠다고 전해지는 전쟁의 신 또는 옛 부족(구려)의 지도자로, 현재의 묘족의 조상신.

〈탁록대첩〉(만몽 김산호 화백)
탁록대전은 중국 최초의 전쟁으로, 치우천자와 황제헌원의 전쟁이다. 탁록은 지금 북경의 서북쪽 부근으로, 중국이나 우리나 치우를 전쟁의 신으로 인식하고 있다.

동으로 만들었기 때문에 둘레의 어떤 세력도 치우를 이겨낼 수 없었다고 한다. '치우의 머리는 구리처럼 단단했다'는 기록은 치우의 무리들이 청동으로 무장했기 때문에 생겨난 말이다.

치우는 앞선 기술과 월등한 힘으로 영토를 넓혀 나갔다. 당시 중국의 노른자위를 차지하고 있던 신농(神農)과 그의 씨족들도 치우에게 점령당했다. 이때 치우에게 대항하는 세력이 나타났다. 서북쪽 황량한 변두리에 근거를 두고 있던 공손헌원(公孫軒轅)의 무리가 치우에게 대

공손헌원(왼쪽)과 염제신농(오른쪽).

1997년에 건립된 중화삼조당(中華三祖堂)에 모셔진 3명의 시조. 치우(왼쪽), 황제(가운데), 염제(오른쪽).

항하며 나선 것이다.

공손헌원은, 부보(附寶)라는 여인이 번개가 북두칠성 첫째 별을 때리고 지나가는 순간 잉태하여 24개월 만에 낳았다는 인물이다. 공손헌원은 무척 총명하여 창과 방패를 발명했고, 전쟁터에 맹수를 풀어 싸울 줄 알았다고 한다. 그러나 불패의 호걸 치우를 이겨낼 수 없었다. 한편 탁록(涿鹿) 벌에서 혼전을 거듭할 때, 《소녀경》의 주인공인 소녀(素女)가 방향을 가리켜 주는 지남거를 만들어 줌으로써 공손헌원은 방향을 잘 가늠하면서 치고 빠지는 전술을 마음대로 쓸 수 있어서 전세를 뒤집어 놓았단다.

소녀라는 한 여인의 기지 때문에 치우는 치명적인 타격을 받게 되었고, 결국은 탁록 벌에서 치우는 피를 흘리며 죽었단다. 그리고 치우가 흘린 피에서 나무 한 그루가 자랐는데, 그 잎이 햇빛으로 빨갰다고 한다. 훗날 사람들은 이 나무를 단풍나무라 불렀단다.

단풍나무는 쌍떡잎식물 갈래꽃류에 딸린 참단풍, 노인단풍, 아기단풍, 당단풍 따위를 통틀어 이르는 것으로 갈잎 큰키나무다. 잎은 손바닥 모양으로 깊이 갈라져 있고 빨갛게 물든다.

저령 (단풍나무뿌리버섯)

단풍나무의 뿌리에서는 버섯이 잘 자란다. 이 버섯을 저령(豬苓)이라고 한다. 돼지 똥처럼 생겼다 해서 붙여진 이름이다. 그래서 아예 노골적으로 '돼지 똥 버섯'이라는 뜻으로 '저시령(豬屎苓)'이라 불리기도 하며, 《장자》에는 '시령(屎苓)'이라고도 했다.

이 버섯은 단풍나무뿐 아니라 봇나무, 참나무, 신나무, 버드나무의 썩은 뿌리에서도 기생한다. 서늘하고 조금 건조하며 풀이 잘 자라지 않는 곳에서 잘 자란다.

여하간 단풍나무의 뿌리에서 기생한다는 이 버섯은 생강 비슷한 모양으로 울퉁불퉁하고 갈색이며 주름이 져 있다. 단면은 백색이거나 연한 갈색을 띠며 절반쯤 목질화되어 있다.

버섯이 땅 밑에서 자라므로 땅 위에는 싹이 없어 찾기 어려운데, 이 버섯이 자라는 곳은 땅이 기름지고 검은색을 띠며 빗물이 빨리

스며들기 때문에 비가 조금 내린 후 지면이 말라 있는 곳을 보아 파낸다고 한다.

이 버섯에는 에르고스테롤, 비오틴, 당류, 단백질 등이 들어 있다. 맛이 달고, 성질은 뜨겁지도 차지도 않고 평이하다. 이뇨 작용이 강하다. 주로 전해질과 물의 재흡수를 억제하여 이뇨시키고 있는 것으로 보여지는데, 소변의 양이 증가함과 동시에 나트륨, 칼륨, 염소 이온의 배출도 증가하는 것으로 실험 결과 증명되었다. 이외에 이 버섯은 향균 작용과 항종양 작용이 큰 것으로 알려져 있다. 그래서 암 억제 작용이 있는 것으로 연구되고 있다. 이 연구에 의하면 저령이 세포의 면역력을 증강시키고 체액의 면역을 억제하기 때문일 것이라고 했다. 따라서 향후 항암 연구에 저령의 위상이 각광 받을 것으로 전망하고 있다.

참고로 비위가 약해 설사가 걷잡을 수 없이 잦고 자꾸 드러눕고만 싶어 하며 식사도 제대로 못할 때는 저령의 검은 껍질을 벗겨 버리고, 불에 구운 육종용, 불에 구운 황백과 함께 가루 내어 먹으면 좋다.

또 정력이 지나치게 과잉되어 주체하지 못할 때는 반하를 누렇게 볶은 후 가루 내어 저령과 같은 양씩으로 섞어 알약을 만들어 먹기도 한다.

전자를 《성제총록》의 「저령환」이라 하고, 후자를 《제상방》의 「저령환」이라 한다. 두 처방 모두 효과가 좋다.

항우와 개양귀비꽃

패왕별희(霸王別姬)를 떠올리면 떠올릴 적마다 눈물이 난다. 참으로 슬프면서도 참으로 아름다운 이야기가 서려 있기 때문이다.

항우(項羽)는 패기 넘치는 호남이다. 중국 역사상 이처럼 남성다운 남성이 또 있을까 싶은 용장(勇壯)한 인물이다. 그런데 유방(劉邦)의 지장(智將)인 한신(韓信)에 쫓겨 해하(垓下 : 지금의 안휘성 영벽현)에서 포위를 당한다. 한신의 그 유명한 '십면매복(十面埋伏)'으로 궁지에 몰릴 대로 몰려 옴짝달싹 못한다. 이때 느닷없이 사방에서 초나라 노래가 구슬프게 들려온다. 고향이 새삼 그리워지는 항우의 병사

항우(項羽 ; 기원전 232년~기원전 202년) 중국 진나라 말기 군인. 자는 우, 이름은 적. 서초 제2대 국왕, 시호는 서초 패왕, 서초 패제.

항우와 우미인의 슬픈 사랑 이야기를 경극으로 연출한 〈패왕별희〉의 한 장면.

들이 사기를 잃는다. 눈물을 흘리며 다투어 도망친다. 사면초가(四面楚歌), 빠져나갈 구멍조차 없는 지경이다. 절체절명의 순간, 항우는 이미 종말이 옴을 안다. "내가 군사를 일으킨 지 8년 동안 70여 차례 싸우면서 단 한 번도 패한 적이 없다. 모든 싸움에 이겨서 천하를 얻었으나 여기서 곤경에 빠졌다. 이것은 하늘이 나를 버려서이지, 내가 싸움을 잘못한 것은 아니다."

항우는 이렇게 말하고는 총애하는 우미인(虞美人)에게 술을 따르라 하고 시 한 수를 읊는다. 〈해하가(垓下歌)〉다.

力拔山兮氣蓋世(역발산혜기개세)

힘은 산을 뽑고 기세는 세상을 덮거늘

時不利兮騅不逝(시불리혜추불서)

때가 불리하니 오추마도 달리지 않는구나

騅不逝兮可奈何(추불서혜가내하)

오추마마저 달리지 않으니 어찌하랴

虞兮虞兮奈若何(우혜우혜내약하)

우야, 우야, 이를 어찌하리!

그러자 우미인이 답시를 읊는다.

漢兵已略地(한병이략지)

한나라 병사들 이미 우리 땅을 차지해

四方楚歌聲(사방초가성)

사방에서 들리느니 초나라 노랫소리뿐이네

大王意氣盡(대왕의기진)

대왕의 드높던 의기는 다하였으니

賤妾何聊生(천첩하료생)

하찮은 이 몸 어찌 살기 바라리오.

우미인은 답시와 함께 춤 한 사위를 추고 항우의 칼을 빼내어 자결한다. 한낱 여자로 하여 기가 꺾이지 않게 하려 함이다. 항우에게 홀가분함을 주려는 애틋한 마음뿐이다.

항우는 28기만 거느린 채 오강(烏江)에 이르른다. 이 강만 건너면 고향 초나라다. 그러나 항우는 애마 추(騅)만을 배에 태워 보내고,

우미인은 중국 진(秦)나라 말기의 초(楚)나라 항우(項羽)의 애첩(?~BC 202). 이름은 우희(虞姬).

강가에서 장렬히 싸우다 힘이 다하자 자결한다. 오추마도 항우를 잊지 못해 배에서 강물로 뛰어들어 죽는다. 항우의 시체는 다섯 토막으로 찢기어 전리품으로 한나라 장졸들 손에서 희롱 당한다.

항우는 말 그대로 역발산기개세(力拔山氣蓋世)의 용장이었다. 비록 진나라 패잔병들을 생매장하고, 진나라 수도 함양에 들어가 노략질을 하고, 아방궁을 불태우는 등 만행도 적잖았지만 영웅은 영웅이다. 불세출의 영웅, 그러나 비운의 영웅이었다.

훗날 우미인이 흘린 피에서 어여쁜 한 송이 꽃이 피어났다는 전설이 있다. 증공(曾鞏)의 시는 "우미인의 영혼이 칼 빛을 따라 하늘로 날아가니(香魂夜逐劍光飛), 푸른 피가 변하여 들판의 풀이 되었네(青血化爲原上草), 향기로운 마음 쓸쓸히 차가운 가지에 머물러 있으니(芳心寂寞寄寒枝), 옛 가락 들려오면 우미인 눈썹을 찌푸리는 듯하네(舊曲聞來似斂眉), 슬픔과 원망 속에 헤매며 근심으로 말도 못하니(哀怨徘徊愁不語), 마치 그 옛날 초나라 노래를 듣는 듯하여라(恰如初聽楚歌)" 하여, 지금도 우리를 울리며, 여태까지 회자되고 있다.

이 꽃이 '우미인초'다. 가슴 아픈 사연이 서린 꽃이다. 양귀비과에 속한 두해살이풀로 지름이 큰 꽃이 무척 예쁘다. 적갈색 또는 짙은 자색이나 적색이지만 흰색이나 연홍색의 꽃도 있다. 가장자리에 짙은 반점이 있는 것도 있다. '개양귀비꽃'이라 하고, 여춘화(麗春花)라고 한다. 꽃 또는 옹근풀을 이질 치료제로 쓴다. 양귀비꽃처럼 효과가 아주 좋다. 열매도 앵속각처럼 진통작용이 대단하다. 종양에 대한 길항 작용이 있어 항암약으로 쓰며, 마취제나 진경제로도 활용한다. 지사 작용과 진해 작용도 크다.

십면매복으로 사면초가를 당한 항우의 패전으로 우미인은 함께 자결한다.

개양귀비꽃

개양귀비꽃 열매

효종과 부스럼

효종(孝宗)은 조선조 제17대 왕으로 북벌정책을 강력히 추진했던 왕이다. 아버지 인조(仁祖)가 오랑캐의 발 아래 치욕적으로 무릎을 꿇고 항복했었고, 자신도 오랑캐 땅에 끌려가 8년 동안 볼모생활을 해왔던 터라, 한에 사무쳐 북벌의 의지를 펼쳤을 것이다. 그러나 상대는 오랑캐가 아니라 장차 세계에서 가장 큰 나라, 가장 인구가 많은 나라가 될 청나라였으니, 효종이 이를 모를 리 없을 터였다. 그 자신이 《심양일기》를 집필했듯이 볼모생활 중에 이미 느끼지 않을 수 없던 현실이었다. 그런데 효종은 청나라와 친해야 한다는 친청파를 숙청하고 강경파를 중용하면서 북벌의 선

효종(孝宗 ; 1619년 7월 3일(음력 5월 22일)~1659년 6월 23일(음력 5월 4일), 재위 : 1649년~1659년)은 조선의 제17대 임금.

봉부대인 어영청을 개편, 강화했고, 나아가 제반 군제를 개혁하면서 조총 등을 제작하면서 무기도 개량했다.

왜 그랬을까? 현실을 누구보다 잘 알면서 왜 현실적으로 무리한 정책을 강행하려고 했을까?

당시의 조선은 무기력에 빠져 있었고, 피폐했고, 사회윤리 의식 또한 저하되어 있었다.

그래서 효종은 농업생산력을 증강시키면서 경제를 살리기 위한 정책을 펼쳤고, 사회윤리 의식을 고취시키기 위한 정책을 펼쳤는데, 민심을 수습하고 국력을 키우면서 국운을 중흥할 또 다른 큰 정책이 절실했다. 그래서 효종은 북벌을 밀고나가게 된 것으로 여겨진다. 혹자들은 효종이 10년만 더 살았어도 북벌이 성공했으리라 말들을 하지만 결코 그런 일은 없었을 것이다. 실제적으로 북벌정책을 일으킬 마음도 먹을 수 없는 국제 상황이었기 때문이다.

여하간 북벌은 이루지 못했지만 효종의 재위는 너무 짧았다. 그래서 역사를 애석해한다. 겨우 10년이었으니 뜻을 다 펴지 못한 것이 안타깝기만 한 것이다.

효종은 재위 10년 4월에 머리 종기가 심해졌다. 종기는 목으로 번져 얼굴이 부었다. 눈도 못 뜰 지경이었다. 어의 신자귀가 침치료를 하고자 했고, 어의 유후성은 이를 반대했다. 그러나 고통이 심했기에 침치료를 하기로 했다. 그런데 문제가 생겼다. 고름은 빠져나왔지만 피가 멈추지 않고 흘렀다. 피는 그치지 않았고 결국 효종은 붕어했다.

조선의 왕들은 유난히 부스럼으로 고생을 했다. 세조(世祖)는 단종(端宗) 생모의 원혼이 꿈에 나타나 침을 뱉자 그 자리부터 부스럼이 나서 번져 고생했고, 세종(世宗)은 종기가 심해 오래 앉아 있지 못할 지경이었다. 연산군(燕山君)은 종기가 얼굴에서 떠나질 않았다고 한다. 효종의 뒤를 이은 현종(顯宗)도 오른쪽 턱 아래에 종기가 나 침을 놓자 고름이 한 되나 빠졌다고 한다. 정말 유난히 부스럼이 심했던 가계다.

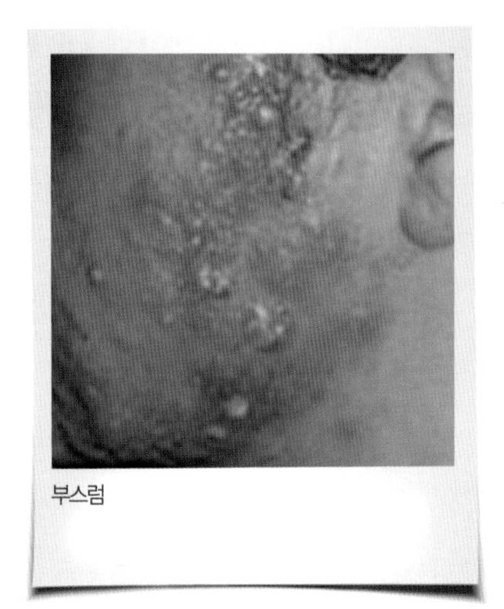

부스럼

이처럼 부스럼이 잘 나는 체질이 있다. 뒷머리, 등, 앞가슴, 엉덩이, 혹은 얼굴에 주로 잘 나는데, 대체로 열성 체질인 경우가 많다.

따라서 이런 체질은 열을 조장하지 않도록 해야 한다.

우선 너무 덥게 하지 말고 목욕보다 샤워를 위주로 하고, 통조림·튀김·버터·기름기 음식·당분·짠 음식 등은 금한다. 또한 열을 조장하는 식품들 예를 들어 방한 향신료, 아이스크림·초콜릿·코코아·부추·생강·마늘·인삼·꿀 등은 모두 제한하는 것이 좋다.

그리고 될수록 정서적으로 열을 받지 않도록 하고, 성질이 시원한 음식을 먹는 것이 좋다. 예를 들어 해조류, 레몬, 귤, 사과, 미나리,

양배추, 배 등이 좋다.

인동꽃도 좋다. 금은화라고 불리는데, 소염 작용도 있고 해독 작용도 있다. 간 기능을 보호하는 작용도 있다. 그래서 인동꽃 12g을 물 1,000cc로 끓여 반으로 줄여 하루 동안 차처럼 마시면 좋다.

치자도 좋다. 녹두도 좋다. 그래서 녹두로 빈대떡을 부쳐 치자물로 노랗게 물들여 먹으면 좋다. 열을 떨어뜨리고, 정서적으로 안정을 시키며, 간 기능도 도와준다. 번거로우면 치자만 차로 마셔도 된다. 치자를 흐르는 물에 살짝 흔들어 씻는다. 빡빡 씻으면 치자물이 다 빠지기 때문이다. 이렇게 씻은 치자를 거름통 있는 찻잔에 넣고 뜨거운 물을 부어 뚜껑을 닫고 5분 이상 우려낸 다음 뚜껑을 열고 거름통을 걷어내고 우러난 물을 마신다. 녹차처럼 여러 번 우려내어 마셔도 된다. 취침 전에 마시면 숙면을 취하는 데에도 도움이 된다. 신경질적이거나 홧병이 있는 경우에도 이처럼 좋은 것이 없을 정도다.

인동꽃(금은화)

치자

녹두전